新潮文庫

新源氏物語

上巻

田辺聖子著

新潮社版

3191

目次

新源氏物語

上巻

装幀・挿画　岡田嘉夫
扉題字　田辺春芳

眠られぬ夏の夜の空蝉《うつせみ》の巻

光源氏《ひかるげんじ》、光源氏と、世上の人々はことごとしいあだ名をつけ、浮わついた色ごのみの公達《きんだち》、ともてはやすのを、当の源氏自身はあじけないことに思っている。

彼は真実のところ、まめやかでまじめな心持の青年である。

世間ふつうの好色者《すきもの》のように、あちらこちらでありふれた色恋沙汰《ざた》に日をつぶすようなことはしない。

帝《みかど》の御子《みこ》という身分がらや、中将という官位、それに、左大臣家の思惑もあるし、軽率な浮かれごとはつつしんでもいた。左大臣は、源氏の北の方、葵《あおい》の上《うえ》の父である。源氏は人の口の端《は》にあからさまに取り沙汰されることを用心していた。この青年は怜《れい》悧《り》で、心ざまが深かった。

それなのに、世間で、いかにも風流男《みやびお》のようにいい做《な》すのは、人々の（ことに女の）あこがれや夢のせいであろう。

彼の美貌《びぼう》や、その詩的な生いたち——帝と亡《な》き桐壺《きりつぼ》の更衣《こうい》との悲恋によって生まれ、物心もつかぬまに、母に死に別れたという薄幸な運命が、人々の心をそそるためらしかった。

帝にはあまたの女御《にょうご》やお妃《きさき》がいられたが、誰にもまして熱愛されたのは桐壺の更衣であった。夜も昼もお側《そば》からお離しにならず、世間は玄宗《げんそう》皇帝と楊貴妃《ようきひ》の例まで引き合いに出して噂《うわさ》するほどであった。まして、他の後宮《こうきゅう》の女人《にょにん》たちの嫉妬《しっと》やそねみはいうまでもない。

心やさしい桐壺の更衣は帝のご愛情だけを頼りに生きていたが、物思いがこうじて病いがちになり、ついにはかなく、みまかってしまった。

帝のお悲しみはいうまでもない。更衣の心ばせの素直でおだやかだったこと、姿かたちの美しさ、物腰の優雅でゆかしかったことなど、それからそれへと思い出されると、いまも面影が目の前に立つようで、

(人のそしりを受けてまで更衣を寵愛《ちょうあい》したのも、所詮《しょせん》は添いとげられぬ、みじかい縁であったからだろうか)

と、涙に沈まれるのであった。

更衣の遺《のこ》した御子はそのころ三つで、光り輝くような美しさだった。母君の死も分

らず、涙にくれていられる父帝を、ふしぎそうに見守っていた。

帝は恋人の忘れがたみであるこの若宮を、弘徽殿《こきでん》の女御の生まれた第一皇子より愛していられた。

帝のご本心は、第一皇子を超えて、この若宮を東宮《とうぐう》にお立てになりたかったのであるが、しっかりした後見人もなく、政治的な後楯《うしろだて》もない上に、世間が納得するはずもなかった。そういうことを仄《ほの》めかされたら、かえって若宮の身に危険が及ぶと判断されて、色にもお出しにならなかった。若宮は母の実家で、祖母に養育されたが、六つの年にその祖母も亡くなった。

このときは物心ついていたので、若宮はおばあちゃまを泣き慕った。肉親に縁うすい、可憐《かれん》な若宮を慈《いつく》しまれた帝は御所に引きとられ、お手もとで育てられることになった。学問にも芸術にも秀《ひい》で、たぐいまれな美しい少年は、宮中での人気者となった。

そのころ、高麗人《こまびと》の人相見が、若宮を見て首をかたむけておどろいたことがあった。

「ふしぎでございますな。この御子は天子の位に昇るべき相がおありですが、そうとしてみると国が乱れ、民が苦しむことになりましょう。国家の柱石として国政を補佐する、という方面から見ますと、また、ちがうようにも思われます」

帝はお心にうなずかれるところがおありであった。かねて若宮を、親王《しんのう》になさらなかったのも、深いお考えのあることだった。皇族とは名ばかりで、後楯も支持者もない不安定な人生よりは、むしろ臣下に降《くだ》して朝政に参与させた方が、将来の運も開け、才能も発揮できるであろうと判断されたのであった。

元服した若宮は、源氏の姓を賜わり、いまはもう「宮」ではなく、ただびととなった。——みずらに結った髪を解いて、冠をいただいた源氏は、「光君《ひかるぎみ》」というあだなの通り、輝くばかり美しかった。

亡き更衣が、これを見たらどんなに喜ぶであろうかと、帝は耐えられず、ひそかに涙をこぼされるのであった。そのかみの帝と更衣との激しい恋や、更衣のはかない死など、昔の事情を知っている人々は、成長した源氏の姿に感慨をもち、涙ぐむのであった。

源氏には、ほかの人間にない陰影があるというのは、その過去のせいである。

生い立ちにある、父と母の情熱の火照《ほて》りがいまも彼の身のまわりにゆらめいている。彼が身じろぎするたびに、妖《あや》しいゆらめきが放たれる。人はそれに酔わされ、魅惑される。

ことに彼の匂《にお》うような美青年ぶりは、ほんの一挙手一投足でも、らちもない噂をさざ波のように走らせずにはおかない。

源氏の本心は、誰にも分らない。

源氏はしめやかに、心の底に苦しい恋を秘しかくしている。そのため、ありふれた色ごとに身をやつす気にはなれないのだった。

といっても、さすがに折々は、風変りな、屈折した恋に出あうと、心をそそられることがないともいえないけれど……。

空蟬《うつせみ》という人妻と忍び会ったのも、思えばその、風変りな点を面白く思ったためであろう。

夏のころで、夜は暑く、しのぎにくかった。

源氏は左大臣の邸《やしき》へ出かけた。

ふだんはほとんど宮中へ詰めているか、私邸の二條邸にいる。葵の上の、左大臣邸へ出かけるのは、妻とすごすことよりも、義父の左大臣がよくつくしてくれる心遣《こころづか》いに、こたえるためである。

「さびしいのですよ……」

と、源氏はいつか、これも秘めた恋人の一人、六條御息所《みやすんどころ》に、そっとうちあけたことがある。

御息所は先年、みまかられた皇太子の妃《きさき》で世が世なら、皇后の宮に立たれるべき方だった。皇太子亡きのち、世を避けてひっそりと過ごしていられる高貴な女人と、源氏は、いつか人目をしのぶ仲になっている。

源氏が、かるがるしい路傍《ろぼう》の色恋沙汰に目もくれぬ、というのは、こういう、世をおそれ人目をはばかる気むずかしい恋の方が、気に入っているせいなのだった。

「もうすこし妻が、世間ふつうの夫婦のようにうちとけ、泣きも笑いもし、怨《うら》みごとをいってもくれるならば、あの邸へいくのも、なんぼうか楽しみにもなりましょうが……」

「それは、あなたの浮気ごころに拗《す》ねていらっしゃるのではなくて？」

と、貴婦人は笑いながらいった。

「そんな、かわいいところはないのですよ。いい家柄のうまれで人にかしずかれ慣れて、女らしい心もちを失ってしまったのかもしれない……いやいや、高い身分に生まれても、あなたのように、情緒ぶかい方もあるのだ、これは人それぞれの、うまれつきですね？……」

「さあ、どうですか。わたくしは北の方を存じあげませんもの。女が女のことをとやかくいうのは、はしたないことですわ……」

源氏は、妻の邸へきて、ひそかに情人とのたのしかった会話など、思い返している。あの年上の、高雅で洗練された貴婦人と一夜をすごす方が、いくらうれしいかしれはしない……源氏は、葵の上が挨拶《あいさつ》に出て来たきり、引っこんでしまったので所在なく、気の利《き》いた若い女房たちを相手に冗談などいって、時間をつぶしていた。

日が昏《く》れてから、今夜は、この邸は方角がわるいので、方違《かたたが》えにいらっしゃらなければ、と近臣たちや女房がさわぎたてた。

じつは源氏はそれを承知で、左大臣邸へ来たのだ。はじめから方違えにいっては、またどこぞのかくしたゆき先があるのではないかと、左大臣たちの方が気を揉《も》むのにちがいなく、片はらいたくも気の毒にも思うせいである。

「疲れたよ、もう、いい」

などと却《かえ》って源氏は横になってしまう。

「それはいけません。不吉でございます。紀伊《き》の守《かみ》の邸はいかがですか、涼しそうですから……」

などとすすめられて、源氏は「面倒だな」としぶしぶ、出かけた。ほんのわずかの供廻《ともまわ》りだけで、身を忍ぶようにして出ることにする。

紀伊の守は恐縮し、光栄にも思って大いに心を使って接待した。川の水を堰《せ》き入れて涼しげな邸である。田舎《いなか》風に柴垣《しばがき》などめぐらし、夏草の繁《しげ》みに蛍《ほたる》など飛び交って、水辺のさまが、いかにも涼しかった。

酒をすこし飲んで、かりの居場所にしつらえられた寝殿の一隅に休んでいると、奥の方で、ひそひそと女たちのささやきがきこえる。

（紀伊の守が、親族の女どもが来ておりますので、とことわっていた、あれだな……）

と源氏は思った。

紀伊の守の父、伊予《いよ》の介《すけ》の年わかい後妻の一行らしかった。女の衣《きぬ》ずれの音がさらさらして、忍び笑いなどしている。

源氏はそっと立って、襖障子《ふすましょうじ》のかげで耳をすました。

女たちは母屋《もや》にいて、ひめやかに話している。

「まじめぶっていらして。お年のお若いのに、もう立派なところの姫君を北の方にしていらっしゃるなんてつまらないわね」

「わかるものですか、かげではお忍びの恋人がいくたりもおありという噂よ……」

自分のことだ、と源氏は思った。女たちは「秘めた相手」の噂の名をあげはじめた。当っているのもあり、当らぬのもある。源氏が式部卿《しきぶきよう》の宮の姫君に贈った歌を、すこしまちがえていう者もいた。

源氏は「あのひと」の名が出ないかと、一瞬どきッとして、心のつぶれる思いを味わった。

それは、六條御息所ではないのだった。源氏自身でさえ、その名を唇にのぼらせられない、ある高貴な女人である。

女たちは、伊予の介の北の方の女房らしかったが、こんなにうかうかした噂ばなしを喜んでするようなら、女あるじの、その北の方も、すこし見劣りする人柄かもしれない。しかし、源氏は、その北の方がまだ娘の時分、親が、宮仕えさせたいと希望していたという噂を思い出し、どんな女か、見たいと思った。

父親が、早く亡くなり、宮仕えどころか、今は親子ほどにも年のちがう、一介の受《ず》領《りよう》(諸国の長官)の後妻になってしまったのを、その女はどう思っているのであろうか。

親がそんなに期待をかけていたくらいだから、美しかったのかもしれない。あたら美人が、惜しいことだ……などと源氏は思ったりしている。それからそれへと想像はふくれ上ってゆく。

美しい夏の夜は更《ふ》けていった。給仕に出た少年がかわいいので目をとめていると、紀伊の守が、

「継母《はは》の弟でございます……」

という。

「幼くして父におくれましたので、姉につながる縁でここに来ております。殿上童《てんじょうわらわ》（貴族の少年たちが行儀見習いとして宮中へ出仕すること）など望んでおりますが、父も亡く、つてもないので、うまくいかないようでございます」

「かわいそうに。この子の姉さんが君の母上とは、また、不似合いに若い親だね。その人の父は、娘を入内《じゆだい》させたいといっていたそうではないか。それが君の若い継母《ままはは》になるとは、男女の縁というのはわからないものだね」

源氏は若いくせに、老成した口を利いた。

「まことにさようで。思いがけず、父と結婚したのでございます。世の中はわからぬものでございますな。とりわけ、女は、流されゆくままの運命で、思えばあわれなものでございます」

「伊予の介は大事にしているだろうね。ご主人様と思って、かしずいているんじゃないか」

「それはもう、いうまでもございません」

と、紀伊の守はにがにがしそうにいった。

「内心、妻を主人と崇《あが》めているようでございます。いい年をしてでれでれしておりますので、私はじめ子供たちはみな、反撥《はんぱつ》しておるのでございます」

「といって、君たちみたいな似合いの年頃の、当世風の若者にゆずるものか。伊予の介はあれでなかなか粋《いき》な中年男だからね」

源氏はかるく、

「……その人たち、どこにいるのだね」

と聞いた。

「下屋《しもや》にさがらせましたが、まだいる者もあるかもしれません」

紀伊の守はそういった。

酒がまわったとみえ、供の人々はみな、濡縁《ぬれえん》に臥《ふ》して寝静まった。

源氏はおちついて寝ていられない。あたらせっかくの夜を独り寝かと思うと目が冴《さ》えてくる。北の障子の向うに人の気配がするので心ひかれてそっと起き、立ち聞きしていた。あたりは、あやめも分かぬ闇《やみ》である。

「お姉さま……どこなの？」

と、さっきの男の子の声が、仄かにきこえる。

「ここよ……お客さまはもうおやすみ？」

という澄んだ女の声は、少年によく似ているので、これが例の女人か、と源氏はうなずいた。少年はひそひそと、

「ええ、廂《ひさし》の間で。噂どおり、光るばかりのお美しい方でした」

「そう……昼間だったら、そっと拝見するんだったけれど……」

と、女は、夜着をかぶったのか、くぐもった声でいう。

「ああ暗い。じゃ、ぼくはここでねます」

少年はそういい、灯をかきたてたりしているらしく、ぽっと明るくなる。

「中将はどこへいったの？」

女は、女房の名をあげてきき、すると彼方《かなた》の闇で寝ているらしい女が、

「お湯を使いにまいりました。すぐ参りますと申していました」

とねむそうに答えていた。

深沈と、あたりは静まり、濃い闇ばかりが邸うちにたれこめている。

源氏は障子の掛金をはずしてみた。向うの部屋からは僥倖《ぎようこう》にも、鍵《かぎ》はかかっていない。几帳《きちよう》で灯を遠ざけている。唐櫃《からびつ》らしいものがいくつか、それに女の着物、こまごました道具がある中を、そっとあるいてゆくと、小さなかさで臥せっている女がいる。女はうとうとと、寝入っていた。うすい衣《きぬ》を、顔にかけていたのを、そっとはぎとられたが、女房の中将かと思い、しどけないままでいた。

「中将をお呼びになったでしょう……。私の思いが届いたのだと思うとうれしくて」

と源氏は声をひそめていった。

女は夢ともうつつともわからない。声をあげようとしたが、男の袖《そで》が、顔にふれて、声にならなかった。源氏は声を低め、

「出来心と思われるかもしれませんが……そうではないのですよ。年ごろ、ずっと、あなたを思っていたのです。得がたい折と思うともう、辛抱しきれないで。決して、あさはかな心持ではないのですよ」

と、しめやかにものをいう。女はさわぎ立てることもできず、とっさに動転しなが

ら、

「お人ちがいでございますよ」

というのも、かすれがすれの、可憐な声だった。

「まちがうわけはありませんよ……恋する者の直観でわかります。誓って失礼なことはしません。日頃の思いを聞いて頂きたいだけですよ」

源氏はささやいて、小柄な空蟬《うつせみ》の体を難なく抱きあげ、障子口まで来た。と、向うから中将とよばれた召使いがやってくるのにばったり出あってしまった。あ、という源氏の声と、たきこめた彼の衣の香《こう》に、中将は一瞬に事態をさとった。

これはなんとしたこと、と中将は動転したが、並みの男なら女主人のために力をこめて押しとどめることもできようけれど、高貴な身分の源氏では、あながちな振舞いもできない。人に知られても、女あるじのためにはよくないことだった。おろおろしてついてゆくと、源氏は静かに母屋の寝所にはいり、女をおろして襖障子をしめ、中将を見返りもせず、

「あけ方、お迎えに来るように」

といい捨てた。

空蟬は、外の中将が何と思うであろうかと、身を切られるように切なく、羞《は》ずかしかった。源氏のものなれた態度は、いままで何度もこうした経験を経た、恋の手だれであることを示している。自分も、そういう女のひとりと思われたのかと、空蟬は矜《ほこ》りを傷つけられて心は熱くなった。

源氏はさまざまに、口あたりのいい言葉をえらんで、甘美な毒のように耳もとにそそぐ。

「どうしてこんなに、あなたに執着してしまったものか、われとわが心がわかりませんよ……世間によくある好き者の常套《じようとう》文句とお思いにならないでほしい……」

などという言葉も、ふと、真実かしら？　と思わせる、しめやかなひびきがある。

それは空蟬の心をからめてしまう。匂うばかりに色濃い源氏の美しさや、真実《まこと》から嘘《うそ》へ虹《にじ》のように色うつりしてゆく、目くらむようなどき文句のときめき、遠い任地にいる夫を心の隅に意識している罪のおびえ、更には、夫にはない奔放自在な源氏の若々しい無礼なしぐさ、……それらに、空蟬は殆《ほとん》ど惑乱して、まるで呪術《じゆじゆつ》にかかったようにぼうっとする。

しかし、男の魔力が強ければ強いほど、空蟬の中でも、自尊心がふくれあがっていった。

「お許し下さいまし……いくら身分が、あなたさまより低いと申しましても、こんなお扱いをうけるいわれはございません」

「身分など関係ない。わかっているのは、あなたを、私がこれほど好きだ、ということだけですよ」

女は黒髪に顔をそむけ、さすがにはしたないあらがいかたはしないまでも、いつまでもやわらかく、押しとどめるしぐさをしていた。じっとりと汗ばみ、こまかく顫《ふる》えながらもまるでなよ竹の、風に撓《たわ》みながら折れないように、源氏の意に添おうとしない。

源氏の若い心はいら立ち、堰《せき》は切れた。

「もうすこし、情《じょう》の分るかたと思っていたのだが……」

空蟬は彼の腕の中に強い力で引きこまれ、次々とつづく男の動作になかば死ぬような思いを味わった。源氏の人もなげな振舞いは、情熱や愛執《あいしゅう》のためというより、かりそめの好き心の烈《はげ》しさとしか、思いようがなかった。

こんな運命になってしまったことを、空蟬は悲しく、憂《う》く辛《つら》く思い、涙がこぼれる。

「なぜそう、泣くのです。人生って、思いがけぬ、深いうれしい運命が時にはまちうけているもの、と、こんな風にお考えになれませんか?……あなたはもう、男や女の情趣をお汲《く》みとりになれるお年頃だ。そんな泣きかたは、何も知らぬ、ばかな年若い娘のすることですよ……」

だが空蟬の泣くのは情趣を解しないためではないのだ。いちどに、わが身の来《こ》し方《かた》の拙《つた》ない運命が思い出されてきたからだった。

「まだわたくしが、親の家にいる娘のままの身でありましたら、今夜のこの契《ちぎ》りにも夢をもてたでございましょうね……でも、もう今はわたくしは夫のある身ですもの。どんな夢も、思い描けないのですわ。せめて、みんな、お忘れ下さいまし……」

空蟬のとぎれとぎれの言葉は真実のひびきがあったから、源氏は絶句した。

彼は、空蟬のやさしくて執拗《しつよう》だったあらがいかたや、屈折した深い心ざまに、あらためて魅力をおぼえていた。源氏と心ならず持った一夜に、空蟬が悩んで苦しんでいるさまにも、ふしぎな魅力があった。

女には気の毒だが、もしこの女と、一夜を過ごさなければ後悔しただろうと思われるようなものが、空蟬にはあった。

「手紙をさしあげたいが……これからどうやって連絡すればいいだろう……忘れられないひとになってしまった」

と源氏は女の手をとった。

鶏が鳴き出し、人々が起き出したらしく、邸内はざわめいてくる。

「御車を」

という声も聞こえる。もう脱け出すべき刻《とき》であったが、人妻である空蟬とは、再びあえる機会があるかどうかは、知るよしもなかった。

源氏は、女のことで心を占められて、忘れる間はなかった。手だてを考えあぐね、ついに紀伊《き》の守《かみ》を呼んで、いってみた。

「いつかの、可愛《かわい》い少年を、私にくれないか。身近に使いたいのだ。そして殿上童にさせよう」

「それはありがとう存じます。姉にさっそく、申しましょう」

と紀伊の守は何心もなく、喜んでいった。少年の姉は、すなわち、紀伊の守の継母の空蟬である。源氏はまるでうぶな少年のように、心にひびいて、動揺するのだった。

彼はあの夜の女の、思い屈したような心のみだれ、源氏に魅せられながら、自尊心と、罪のおののきに引き裂かれて、たゆたい、苦しんでいた美しいさまに、いつか、ほんものの恋を感じていた。

源氏は、そういう心のひだの深い女を、ゆかしく思うのであった。

五、六日して少年は来た。すっきりした気品のある子である。源氏は可愛がって、そば近く使い、あれこれ話をしながら、それとなく空蟬のことを匂わせる。少年は小《こ》君《ぎみ》といった。

何にも知らず、小君は、源氏の手紙をことづかって、姉の所へいった。

空蟬は、源氏のたよりを、心ひそかに待ちつづけていたのだが、小君には、

「お目あてちがいと申しあげなさい。お手紙のあてさきには、これをうけとる人は居りません、と申しあげるのよ」

ときびしくいった。

「でも……まちがいなく、お前の姉に、とおっしゃったものを」

と小君はこまっていた。

源氏は、空蟬の返事を待っていたが、小君は手ぶらで帰ってきた。

「たのみ甲斐《がい》ない子だね……お前の姉上はほんとは、伊予の介より先に、私と愛し合っていたのだよ」

小君は目を丸くしてきいている。

「それなのに、私が若くてたのもしくないと思ったのか、あのたくましい中年男の方にのりかえてしまったのだ。つれないひとだ。でも、お前だけは、私の味方になって

くれるね」

小君は、源氏のことばを純真に信じきったさまで、大きくうなずき、

「ハイ」

というのだった。

源氏は、小君にことづけて再々、空蟬に便りをするのだが、空蟬は一度も返事をしなかった。

彼女は、いまでは、あの夜の源氏の無体《むたい》な仕打ちも、恋の一種であったと思うようになっている。あれは、あのとき、あの場で完結した恋なのだった。空蟬は、さかしく、恋の行末《ゆくすえ》を読みとっていた。

あの夜の恋をたいせつに秘すればこそ、二度と逢瀬《おうせ》を重ねるつもりはなかった。激情にほだされて、逢《あ》うのは容易だけれども、あの恋を、より一そう美しく彩《いろど》れる、という自信はなかった。

恋に、色の上塗りはありえないのだ……。

塗れば塗るほど、それは、色あせてゆくものなのだ……。

それに、男が、一度の恋に、ますます執着し、それによって彼女への好印象が深まるのも、手にとるようにわかる気がした。空蟬はその美しいまやかしの恋のままに、

自分を、飾っておきたかった。あの夜以後、どんなに源氏に言い寄られても空蟬はかたくなに拒んでいた。

源氏は、方違えと称して、また、紀伊の守の邸へいった。

小君を責めて、会おうとしたが、人が多く戸締りが厳重で、いい折がない。

「何とかせよ……もう一度だけ、お目にかかりたいのだから」

と源氏に言いつけられて小君は、胸をいためた。

「では、うまくいくかどうかわかりませんけれど……」

と、闇にまぎれて、邸の内ふかく連れてはいっていった。

南面《みなみおもて》の隅から、格子《こうし》をたたいて、小君は、

「あけて下さい。いま帰ったの」

と呼ぶ。

「どうして、この暑いのに、格子をおろしたの？」

と小君が聞くと、女房らしい女の声で、

「西のお方《かた》がおいでになって、碁《ご》をお打ちになっているものですから」

といっている。

源氏は、小君の入った格子から、そっと身を入れた。

灯があったので、奥の方はよく見えた。

母屋の柱によりかかって、きゃしゃな、美しい小柄な女人が、坐《すわ》っていた。濃い紫のひとえを身にまとい、顔が半分、みえている。

姿かたちのありさまでは、かの夜の、恋しい女《ひと》であるらしかった。源氏はひどく心おどりを感じて、じっと目をつけた。まぶたのはれぼったい、鼻すじもはっきりしない、ふけた、地味なかんじの女人であるが、何とも、しっとりとおもむきある物ごし、身のとりなしである。

そうか。あの女《ひと》がそうだったのか。闇の中の手ざわりと、あかるいけざやかな灯の下でみる、情趣ありげな風情《ふぜい》は、いかにも、ぴたりと一致するように思われた。

空蟬は美人というのではないが、身のとりなしが、得もいえず艶《えん》で、源氏の好みにあう。

もう一人の女は、顔がよくみえた。これは当世風な、ぱっと目に立つ美人だった。白い薄ものの単衣襲《ひとえがさね》に、うす藍《あい》色の小袿《こうちぎ》らしいものをしどけなく着て、紅の袴《はかま》の腰紐《こしひも》がみえるくらいまで衿元《えりもと》をはだけ、白い胸があらわになっていた。むっちりした肉づきの、白く清らかに太って、目もと口もとに愛嬌《あいきよう》のある美人である。――これで、しっとりした所を添えれば完全な美女だがなあ、と源氏は惜しみつつも、男の好きごころの常で、（こちらの方も、どうして中々わるくない）と思うのだった。

美人の方は、性質も陽気らしく、碁が終ってはしゃいでいる。奥の方の人は静かに、

「お待ちなさいな、そこは持《じ》でしょう。この劫《こう》を……」

というが、耳にも入れず、才走ったさまで、

「いいえ、今度は負けよ。ここの隅、何目《もく》かしら、十、二十、三十、四十」

と指を折っててきぱきと数えたりしている。

源氏は、こんなにくつろいでいる女たちの素顔を、今まで見たことがなかった。女たちはみな、彼の前ではとりつくろい、作り声をし、顔を伏せ、言葉を飾っていた。どんな女も様子ぶって、本心が容易にみえなかった。ただひとりの、あのひとをのぞいては――。

（あのかたひとりはちがった。あの佳《よ》き女《ひと》は、繊細な率直さをもっていられる）

と、源氏は心に秘めた恋人のことを思う。

しかしいま、ゆくりなくのぞき見した女たちは、まさか男に見られているとは思わないので、くつろいでたのしそうに振舞っていた。

それが源氏には興ふかく思われた。ことに思いを懸けた人が、つつましく趣きふかいさまなのが気に入った。

小君が来たので、そっと源氏は渡殿《わたどの》の戸口に離れていた。小君は、源氏をこんな所へ立たせたままなのに恐縮もし、さればといって姉の寝所へみちびく手だてもなく、子供ながら当惑しきっていた。

「客がおりまして側へいけないのですけど」

「寝静まるのを待とう。あとで、そっと入れておくれ」

「はい。……でもうまくいきますかどうか……」

客の、継娘《ままむすめ》は今夜はこちらに泊まるようであった。追い追いに、邸のざわめきが消え、風の音ばかりになった。

小君は妻戸を叩《たた》いて開けさせ、廂の間に横になって空寝《そらね》をしていた。そのうち、やっとたくさんの女房たちも寝静まったらしいので、屏風《びょうぶ》をひろげて灯をさえぎり、そっと源氏を引き入れた。人に見つかれば、みっともないことだがと思いつつ、源氏は恋の冒険の誘惑に抗しきれないのである。母屋の几帳の帷《かたびら》を引きあげて、そっと闇の中へすべり入った。

空蟬はこのごろ、物思わしいときが多く、ねむれない夜を送っていた。あの夜、一夜ぎりで源氏を拒絶しつづけ、源氏もあきらめたようなありさまを、ほっとしつつ、それでもいつまでも、あの夜のことが忘れられない。

疾風に捲《ま》かれるような青年の情熱や、否応《いやおう》いわさぬ無体な仕打ちは（それが人に明かすことのできぬひめごとだけに）彼女の心に、ふかい刻み目をつけていた。

碁の相手をした継娘は、無邪気な世間話をしていたが、いつか寝入ったようである。ふと、空蟬の耳は、やわらかな着物のふれ合う、衣《きぬ》ずれの音を捉《とら》えた。それに、夏の夜風が運んでくる、衣にたきしめた香の匂い。

あたまをそっとあげてみると、暗い中に近寄る人かげがあった。空蟬はおどろいたが、とっさに生絹《すずし》の単衣一枚を羽織って、静かにすべり出てしまった。

源氏は女がひとり臥せっているので安心して寄り、衣をそっと引き剝《は》いだが、どうも大柄な気がする。その上、この間とは雰囲気《ふんいき》がちがい、しどけなく寝入っているさまも心得ない。女は空蟬ではない。さては逃げられたかと、彼女の情の剛《こわ》さをうとましくさえ、思った。

娘は今は目をさましてびっくりしている。人ちがいだったと知られるのも恰好《かっこう》わるいしこの娘にも気の毒だった。また、この娘の継母に懸想《けそう》していたと悟られては、夫のある身で浮名の立つのを死ぬほど恐れている空蟬をも傷つけることになる。どうせ、ああまで逃げまわっている空蟬を追い求めても甲斐ない気がするし、それに、さきほど灯影《ほかげ》でかいまみた、現代風な美女がこの娘であるなら、ええ、ままよという気になった。

娘をおびえさせないように、そっとやわらかく抱きよせて、低い声で源氏は、かねてから、あなたに思いをかけて、度々、方違《かたたが》えに来ていたのだ、といいつくろった。

娘はあんがい世なれていて、ひどくおびえたり騒いだりしない。源氏の言葉をたやすく受け入れ、忍んできた男の何者かも、すぐわかったようだった。

若いだけに信じやすいのが可憐《かれん》にも思われたが、源氏は空蟬を手に入れたときほどの充実感は得られなかった。それにつけても、こうまではぐらかされると、つれない人への執着はますます、物狂おしくなってゆくのである。今ごろは、どこかの隅で、自分のことをばかな男と笑っているかもしれない。この恋心は真実なのに、と空蟬を怨《うら》みながら、あの手ごわい女が恋しいのだった。あの人は、この娘のようにやすやすと身を任せたりしなかった。……そう思いながら源氏は娘の耳に、

「また忍んできます。小君に手紙を托《たく》しますよ。人に気づかれないようにして下さい」

などといっているのだ。源氏は、空蟬が脱ぎ捨てていった薄衣《うすもの》をそっと取りあげて出た。

小君が源氏を伴って妻戸をあけると、老女が、

「おや、こんな夜中にどなた」

と外へ出て来た。小君はうるさくなって、

「ぼくだよ。小君」

「もう一人は？」

と老女は月影にすかし見て、丈の高い女房とまちがえたらしく、

「あなたも、今夜は宿直《とのい》ですか、私はおなか具合がわるくてね。下って休んでいたんだけれどお召しがあったので上ったんですよ。でもやっぱり痛くて。痛！　痛！」

といいながら、あっちへいってしまったので、やっと外へ出ることができた。心の冷える冒険は、どんな目にあわぬとも限らないから、つつしむべきだな、と源氏は思った。

源氏は小君を車に乗せて、二條院へ帰ったが、みちみち、小君にいきさつを語った。やっぱり子供は子供、あてにできないよ、などと怨みがましくいうので、小君は申し

わけない気持でうなだれている。

「私は伊予の介よりも劣った男なのだろうかね、こんなに嫌われて……」

源氏はそういいつつ、かの薄衣を抱きよせて寝た。それはまるで蟬の脱けがらのようである。彼は小君に終夜、怨み言をきかせた。

小君は姉のもとへ帰ってもこっぴどく叱《しか》られた。

「ひどい目にあいましたよ。どうしてご案内なんかしたの？　何を考えてるの、お前は。世間の人にへんな噂《うわさ》をたてられたらどうするの、どうにかかくれたのだけれど……」

小君は両方から叱られ、責められてかなしく思いながら、源氏の手紙をさし出した。

空蟬は、さすがに、開けずにはいられなかった。走り書きのようにして、美しい手《しゅ》蹟《せき》で、

〈空蟬の身をかへてける　木《こ》のもとに　なほ人がらのなつかしきかな〉

とある。

「まあ。じゃ、あの単衣はお持ち帰りになったの？」

と空蟬は、みるみる羞恥《しゅうち》で、軀《からだ》が染まるような気がした。汗ばんではいなかったろうか、あのうすものは……。見苦しくはなかったか。

「お召物の下に引き入れておやすみになっていましたよ」

という小君に、空蟬は返事もできなかった。小君には、姉が、気むずかしく怒っているさまにみえたが、実はそうではなく、空蟬は感動していたのだ。源氏の愛執が肌に迫るばかり思われ、彼の息遣いをいまも耳もとで聞くような気がした。

「もう、おそいのよ……おそすぎるのよ……」

と空蟬はつい、つぶやきが唇から洩《も》れる。

「おそいって、何が？　お姉さま？」

「いいえ、こっちのこと……」

源氏が言い寄ってくれたのが、まだ娘のころだったら……と、返らぬことを思いこんで空蟬は内心、身悶《みもだ》えするばかり苦しかった。男の恋が、出来ごころの浮気ではなさそうだとわかった所で、夫をもつ今の身の上では詮《せん》ないことであった。

かといって、空蟬は、美事《みごと》に逃げおおせて彼の手にぬけがらの薄衣一枚をのこした自分のやりくちを、よくした、とも思えなかった。

ああするほか、ないのだと思いつつ、ゆえ知らぬ心のこりが、重たく沈んでいる。

（しかたないわ、もっと前にお目にかかれなかった、わたくしの運命が拙ないのだ……こんなお文《ふみ》をいただいたところで、何になろう……おそすぎた出会い、というものはあるのだ……）
空蟬は白いあごを衿もとにうずめ、放心したようにじっと考えこんでいた。
西の対《たい》の、空蟬の継娘――軒端荻《のきばのおぎ》は、小君の姿が見えたので、胸をおどらせていた。もしや、あの人からの使者ではないかと思ったが、小君は一向に手紙らしいものを持ってくる様子もない。あのひめごとは、女房の誰も知らぬことだけに、誰にいうこともできなくて、軒端荻はひとり胸にたたんでいた。世なれぬおぼこ娘というのではないので、彼女は秘密の重みに充分、堪えているのだが、源氏をやっぱり忘れることはできないのだった。

そのころ、源氏は宮中の宿直《とのい》の部屋で、心おけぬ友人の頭《とう》の中将とくつろいで話していた。

宵からの雨が、そのまま、夜に入っても止《や》まず、殿上は人ずくなで、いつもより静まっている。

頭の中将は、源氏の正妻・葵の上の兄君である。左大臣と、内親王の出である北の方との間に生まれた嫡男《ちゃくなん》で、源氏と同じほどな年ごろでもあり、学問でも遊芸でも好敵手の間柄だった。源氏は女たちの恋文を頭の中将に見せたりしている。無論、もっとも大切なものは深く秘めてはいるが……。

「いや、ずいぶんいろいろ集まりましたね」

と中将はいって、これは誰、これは誰と当て推量をした。そんなことから、話が女性論になった。

「非のうちどころもない女、なんていやしないものですよ」

と頭の中将はいっていた。

「まあ、どこにも取り柄のない女、というのもいないものだが。それにしても、上流の女は、これはちょっとよくわからない。大切に箱入娘で風にもあてず育てられていますからね。恋の狩人《かりゆうど》として面白い獲物《えもの》は、中流階級の女でしょうな。あまり下賤《げせん》のものは、われわれとしては興味をもちにくいし。中流の、受領《ずりよう》あたりの階級の女に、あんがい掘出しものが多いんじゃないんですかね」

源氏は黙ってうなずいたが、かの空蟬のことを、胸に思い返していた。

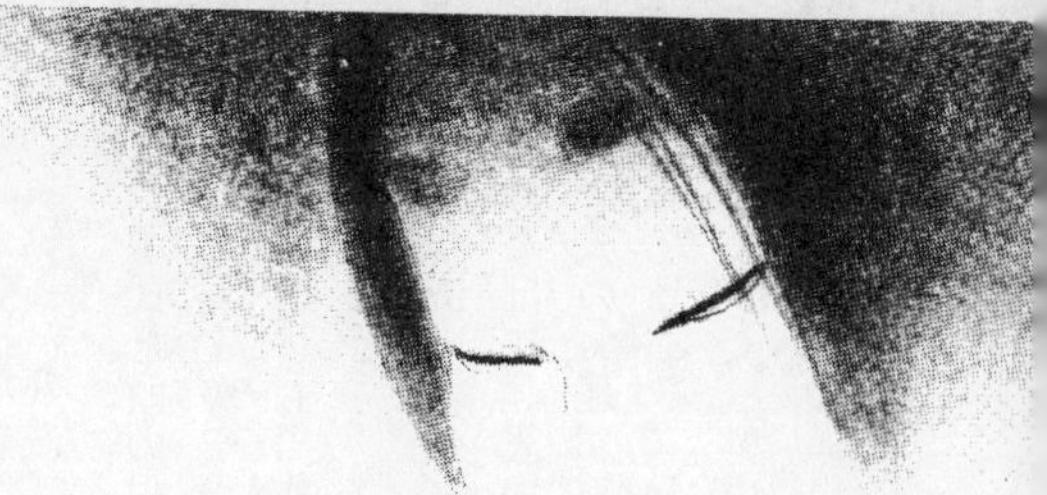

生きすだま飛ぶ闇の
夕顔の巻

源氏と頭《とう》の中将のもとへ、「御宿直《おんとのい》のお伽《とぎ》を……」と、左馬の頭《さまのかみ》、藤式部《とうしきぶ》の丞《じょう》といった人々がやってきた。

いずれも当代、聞こえた風流男《みやびお》で、弁も立つ連中なので、頭の中将は喜んで話に引き入れた。

「中流階級の女、というよりも……たとえば草深い家の、世間から忘れられているような邸《やしき》に、思いもかけぬ、美しいかしこい娘がいるとか、あるいはまた、太った醜い老人の父親、風采《ふうさい》の上らない兄などをみて、こんな家の娘は知れたものだと軽蔑《けいべつ》していたところ、これが意外に美人で才女だったりすると、男は心をそそられて、お、これは……とがぜん好奇心をもち、やがて恋になったり、するものでございますな」

と左馬の頭は、式部の丞をみていった。式部の丞には美人の妹がいて評判なので、それを当てこすっていうのかと、式部の丞は返事もしない。頭の中将は、

「そうだな。意外性、ということは男の恋心をそそるからね」

とうなずく。源氏は自分からはしゃべらず、微笑して聞くだけである。白い衣のやわらかなのに、直衣《のうし》をしどけなく着、脇息《きょうそく》によりかかっている横顔は、灯に照らされて何とも美しい。

「しかし、それもこれも、所詮《しょせん》は、生涯連れ添うべき、理想の妻を探し求めたい、というのが願いでしてね。いや、なかなか、理想の妻、なんていうものはいやしませんよ。やさしくて才気があるかと思うと、多情で浮気者だったり。家庭さえちゃんと守ってくれればよい、と申しましても、髪は耳へはさんで化粧けもなく、なりふりかまわず働く、という世話女房も味気ないものでございます。男は仕事の場でのおかしかったことや腹の立つことも、つい、家へ帰って妻に言いたいときがあるものですが、いやいや話したとて、どうせ妻にはわかるはずもなし、などと思って、ひとりごとをいってまぎらせている、などという図も、ぱっといたしません」

左馬の頭は源氏や頭の中将といった貴公子たちよりはずっと年上でもあり、その豊富な経験を披露《ひろう》するのが得意でたまらないらしかった。

「夫婦というものは良かれ悪《あ》しかれ、一生別れず扶《たす》け合い、添いとげてこそ縁も深く、ゆかしく思われるのです。それをちょっとしたことで拗《す》ねて尼になってしまい、あとから後悔して、泣き顔で短くなった髪にさわっている女、などというのは軽率なものです。夫に愛人ができたといってすぐ、つんけんする女も困ったもの、おだやかにそれとなくいう怨《うら》みごとは可愛《かわい》くていいのですが、角《つの》を出してたけり狂うと、男もあとへ引けなくなってしまいます。そのへんを賢い女ならばよく心得ていますがね」

と左馬の頭がいうのへ、頭の中将は同意して、

「そうだね、聡明《そうめい》な妻なら、だまって耐えて長い目で夫を見ているだろうね」

といったのは自分の妹の姫君を思い浮べてのことである。しかし源氏は聞いているのかいないのか、言葉を挟《はさ》まないので中将は物足らなく思った。左馬の頭は、

「もう、何でございます、おふた方のような貴人はともかく、私どもでは、身分も容《よう》貌《ぼう》も才気も問いません、片よった性質でなければ、そして、まじめで素直な人柄でさえあれば、生涯の妻と定めたいと思います。……じつは昔、この理想にほぼ似通った妻がございましてね。家事も手ぬかりなく、まじめでしっかりした働き者で、容貌はまあ、自慢できませんが、何より私にぞっこん惚《ほ》れていた女でして……」

「ほんとうの話なのか」

と頭の中将はいい、みんな笑った。

「ほんとでございます。ぶさいくな女ですが、私に嫌《きら》われまいとして化粧にも気をつけ、来客が参りましても、夫の恥になっては、と陰にかくれるようにつつましくふるまって、私の世話などもじつによくしてくれました。しかしただ一つ、やきもちで困りました。ちょっとほかの女に色目を使ったといっては邪推し、たけり狂って、言い合いになり、私の指にかみついたりするのです。私も腹が立ち、それから切れるの別れるのと大騒動、こらしめのつもりで、しばらく女の家へ足を向けませんでした。しかし忘れもしません、賀茂の臨時祭《りんじのまつり》の調楽《ちょうがく》が御所であった夜です。退出がおそくなりましてね。おまけに霙《みぞれ》の降る寒さですよ。朋輩《ほうばい》はそれぞれに帰るべき家庭があるのです。私一人、御所の宿直所《とのいどころ》で眠るのもわびしいし、色ごのみの女たちの所へいくのも、気ばかり張って寒い目にあう、結局、その女のところしか、行き先はないのです。暖かくて、おいしいものが食べられて『お帰りなさい、お疲れでしたでしょう』といってもらえそうなところは……。で、少々きまりが悪かったのですが、まいりましたよ。すると暖かそうな柔かい綿入れの着物を暖めて、寝るばかりに用意して待っているのです。私、すこし得意でございました。ところが、です。かんじんの本人は、父親の邸へ出かけてもぬけの殻。召使いたちがるす番をしている。憎らしいではありませんか。女の方は、私が今後絶対に浮気しない、ほかの女に目もくれぬ、と誓うなら元通りになってもよい、というのですよ。話し合いが長引いているうちに、女は心労で寝こんで亡《な》くなってしまいました。あんなまじめな女に冗談は通じないものですね。今思うとかわいそうなことをしたと思います。相談相手にもなれるし、染物縫物、家事万般、みなよくできた女でございましたが」

「惜しいことをしたねえ。そこまで自己主張できる女、というのはあり難《にく》いもので、貴重な存在なのに……」

と頭の中将は話に興が乗ったのか、

「たよりない女、おとなしすぎる女、というのも困ったものだよ。ひとつ私の話をしよう。以前のことだが、私がひそかに囲っていた恋人があった。はじめは、かりそめの遊びのつもりだったが、長く馴染《なじ》んでいる間に別れがたい気になってね。父親もなく頼る人もない身の上なので、私ひとりによりすがっているから哀れで、可憐《かれん》だった。女の子も生まれた。——私も将来、いつまでも面倒を見るつもりだったが、向うにしてみれば、来たり来なかったりの私の態度に、さぞ不安もあったろうと今になってみれば思うけれどね。そのうち、私の妻の実家の方で、この女の存在を知って、ひどいことをいって脅したそうだ。いや、私はあとで聞いて知った。かわいそうに女はひとり、くよくよと思い悩んで、撫子《なでしこ》の花を使いにもたせてきたりしてね……」

「ほう。どんな手紙だったんだ？」

と源氏は聞いた。

「いや、別に。平凡ですよ。『山家《やまが》は荒れはてましても、咲き出《い》でた撫子の花には折々にやさしいお気持を忘れないで下さいまし』というふうな。それで私も早速行きますと、私を怨むでもなく、なつかしそうな風情《ふぜい》でしてね。気のいい女なんです。で、私も安心してまた、とだえているうち、ふっと行方《ゆくえ》をくらましてしまいました。まだ生きているならずいぶん苦労していることでしょう。私も愛していたのですから、もっと自分を強く主張して、何でも本心からうちあけてくれればいいのに、あどけないほどたよりなくて、ひとりでくよくよする女だったのです」

「女の子は、どうしているのだろうね」

と源氏はいった。

「そのことです。その撫子の花が心がかりで、私もどうかして探したいと思うのですが、いまだに手がかりがありません。たよりない女というのも心もとなくて、困ったものです」

頭の中将はそういって、今度は式部の丞に、

「式部の方はどうだ、面白い話があるんじゃないか」

「そうでございますなあ。べつに我々ごときはこれといって。そういえば、昔、まだ文章生《もんじようのしよう》の時代に、ある博士《はかせ》の娘と結婚いたしました。これがたいへんな学識ゆたかな女でして、妻を師匠にして、学問をおさめました。閨《ねや》のむつごとにも学問の手ほどき、処世の教訓といったことを教えてくれるのです。仰げば尊しわが師の恩、ということは始終、考えておりましたが、どうにも窮屈でしてね。私のような無学な人間は肩身が狭うございました」

というので、また、みなみな大笑いになった。

「男からいえば、あるがままの女がいいですね。才女、賢女というのや、風流ぶった文学趣味の女はいやみなものですよ。知っていることでも、知らぬふりをする、言いたいことでも、一つ二つは言わずにすます、という程度のがいいですね」

左馬の頭がいうあいだ、源氏は心の中で、ただひとりの女《ひと》を想《おも》いつづけている。あのお方こそは、足らぬ点もなく、まして才気をひけらかすということなど、露ほどもなさらない。たおやかでいらして、お心ばえが素直で……やさしくて、それでいてきりッとした気高いところがおありで……と、それからそれへと考えつづけると、源氏は胸が苦しみでふさがるのであった。

あの恋人、この恋人とそれぞれに美点欠点はあり、源氏を苦しめたり喜ばせたりするものの、彼の生涯の夢も恋も、真実をいえば、あげて一人の女人に集約されてしまう……。

あのひとにはじめて会った日のことをおぼえている。みずら髪の童形《どうぎよう》のころだった。

あのひとは十六、七、父帝《みかど》の女御《にようご》として入内《じゆだい》され、あまりのお美しさに世の人は「輝く日の宮」と讃《たた》えて仰いだ。

御殿は藤壺《ふじつぼ》であった。

藤壺の宮は、先帝の皇女であり、身分もご容貌もお人柄も、何一つ不足はなく、誰も貶《おと》しめることはできなかった。源氏の亡母、桐壺《きりつぼ》の更衣《こうい》が、帝のご寵愛《ちようあい》ふかいのを人に嫉《ねた》まれて悩み死にしたようなことは、藤壺の宮には起こり得なかった。帝ともっとも古く結婚され、東宮《とうぐう》の母君であり、宮中に勢威のある弘徽殿《こきでん》の大后《おおきさき》ですら、藤壺の宮に対しては、ゆずる所があられた。

藤壺の御殿は、つねに春のような光とたのしい笑い、愛がみちみちていた。

「美しい子でしょう?……ふしぎに、あなたはこの子の母に似ていられるのですよ。この子は母に生きうつしといっていいほど似ていますから、まるで、あなたとこの子は親子のようです」

と帝は少年の源氏を、藤壺の宮の前に押しやるようにされた。

宮は、はにかんで、はじめてこちらをご覧になった。透きとおる白珠《しらたま》のような、気高い面輪《おもわ》に、すずやかなおん目もと、漆黒《しっこく》の髪は重く、冷たげに、手にあまるばかりゆたかに背に流れていて、近寄りがたい気品のある美女だったが、お声はやさしく甘かった。

「これからは仲よくいたしましょうね……お心やすく、うちとけて下さいましね」

と宮はすこし、お首をかたむけていわれた。

仄《ほの》かに、たきしめた香《こう》が匂《にお》った。

源氏は、三つで死に別れた母の顔をおぼえていない。亡き母に似ていられるという藤壺の宮のおもざしから、母君はこうもあったろうか、ああもあったろうか、とあこがれに似た視線を熱っぽくあてるのだった。

宮はすこし、赤くなっていらした。

「そんなに、おみつめ遊ばすと、消え入りたい心持がされます」

と、少年の視線を羞《は》じられた。

「あなたが、あまりにお若くお美しいので子供心にもみとれているのですよ」

そうとりなされる帝もご満足げだった。若く美しい妃《きさき》を得て、そのかみの最愛の恋人との死別のくるしみも、ようやく忘れようとされていた。そして、源氏は、数あるおん子の中でもことさら、目に入れても痛くないというほどのご愛子《あいし》であった——右と左に愛するものを置いて楽しまれる帝にもまして、少年の源氏はうれしかった。

あのやわらかな、白くかぼそいつめたい宮のおん手とふれ合ったり、おん息遣《いきづか》いがわが頬《ほお》にかかるほど近々と寄って一巻《まき》の絵巻物に見入ったり、宮の弾《ひ》かれる琴に笛を合わせたり貝合せに興じたり……あの、銀の珠を玉盤にころがすような宮の澄んだ笑い声を耳にしたり……源氏の少年の日々は、宮ひといろに塗りつぶされた。父みかどと宮に挟まれて夢のようにすぎた、藤壺御殿の春の日々よ。

あの甘い少年の慕情が、いつから、どすぐろい地獄の苦しみにとって代ったのか。元服《げんぷく》して青年となった源氏は、もはや藤壺の宮のおそばへ寄る自由を失った。藤壺御殿に参ることはあっても、遠く御簾《みす》ごしにほのかにお声を聞くだけである。御簾のうちへはいることのできる男性は、父みかどだけである。

源氏は、父みかどのうしろについて、御簾のうちへはいることのできた少年の日を、恋しく思った。あの室内の、どんなこまかなことも、あの佳《よ》き女《ひと》の、どんなわずかなしぐさも、源氏はありありとおぼえていた。はかない遊びごとにも、少年が面白がるようにと、やさしい思い遣《や》りを見せ、わがままをいうと、困りながらも、少年のいうようにしようと心を砕いて下さった。何をお話しても、話はぴったりあった。好きな音楽の曲目、好きな物語や、古典のたぐい……少年は、あのひとと趣味や嗜好《しこう》がぴったり一致していた。たのしくて、お話していると時のうつるのを忘れた。

五つ年上のあのひとは、少年の源氏にとって、姉のようで母のようで、幼なななじみのようで、そして最初の恋人だった。

あまり少年が藤壺にばかり親しむので、弘徽殿の大后は、少年の亡母桐壺の更衣への敵意をそのままに思い出し、少年をも藤壺をもこころよからず思われるようだった。

その思慕は突然、たちきられてしまった。

「もう、お近くでお目にかかることができないのかと思いますと、元服することはちっともうれしくありません」

元服式のすこし前に源氏がいうと、宮もすこしお淋《さび》しそうに、

「おとなになられて、手もとから離れてしまわれるのは淋しゅうございますが……御成人のりっぱなお姿はたえず拝見できるわけですし、あなたは行く末、国の固めとおなり遊ばすかたですもの。やはり、元服なさるのはおめでたいことですわ」

といわれた。しかし源氏のいいたいのは、宮のお膝《ひざ》で、いつか寝入ってしまったり、宮にお手ずから、髪を撫《な》でられたりした、そういう親しみが、もう遠くなってしまう

悲哀のことだった。

あるいは、さかしい宮は、それと知って、わざとお話を逸《そ》らされたのかもしれないけれど……。

いま、源氏は青年となり、たくましくなって、宮のおん背丈《せたけ》をはるかに抜く長身となった。はじめて宮とあったときは、宮にあたまを撫でていただくほどの幼い少年だったのに。

源氏は元服して臣籍に降《くだ》り、官爵《かんしやく》を得、結婚し、左大臣家の婿《むこ》となった。

藤壺の宮は、源氏にとって、ますます遠いひととなった。それにしたがって源氏の胸の煩悩《ぼんのう》は消えるときなく、いよいよ強くなってゆくように思われる。昼も夜も、埋められぬ心の底の暗い裂けめに、劫火《ごうか》が燃えている。

その暗い裂けめは、まがまがしい情熱を源氏に与えた。あの三條邸での一夜は、魔に魅入られたからとしか、思えない。

藤壺の宮は、宮中から三條邸へ里帰りしていらした。源氏が顔をかくし、闇《やみ》に姿を消して忍んでいったとき、宮は、ほとんど恐怖にちかいような色を泛《うか》べていらした。

源氏は言葉も出ず、だしぬけに宮のおん手をにぎりしめて、

「私は、こんなに……」

というなり、絶句してしまった。

「いけませんわ、いけませんわ……」

と、宮は途方に昏《く》れた子供のように、泣き出しそうなお顔で首を振られた。みるまに源氏の手のうちに握りしめられた宮のおん手が、こまかく顫《ふる》えて、じっとりと汗ばんできた。

「おわかりになっていらしたでしょう？……私の気持は」と、源氏はささやいた。ささやく、というよりわずかに唇のうごきで判断できるような、低い声だった。「いや、おわかりにならぬはずはない。私の思いは、どんなに遠くへだたっていても、あなたに届いたはずです」

宮はたどたどしく、おっしゃった。

「どうしてこんなおそろしいことをなさるのですか」

宮は詰問《きつもん》の調子でなく、不可抗力に対するかなしみのようにいわれた。源氏は、お返事を申上げることができなかった。宮の前に出ると、ちょうど日向《ひなた》の水月《くらげ》がみるみる溶けて、あとに透明な水だけがのこるように、「宮を愛している、宮を恋している」という思いだけが胸にたまり、あとはすき通るのであった。

「あ……」

と宮はちいさくふかい嘆息をもらされた。

「泣いていらっしゃる……光の君さま」

宮は、幼いときの源氏の呼び名をそのままに、そういわれた。源氏の涙が、宮の緋《ひ》のはかまに落ちた。

「光の君さま、どうかそのお美しいお歎《なげ》きも、お涙も、わたくしでなく、ほかの女人衆のためにお捧《ささ》げ下さいまし」

と宮は袖《そで》を重ねて面《おもて》を伏せたまま、くぐもるお声でいわれた。源氏は心も昏れ魂もまどう心地がして、宮を抱きしめ、涙の頬を、宮の匂いのいい白い衣《きぬ》に押しあてて、

「それは私を愛していられない、ということですか？　そうなのですね？」

「わたくしには申せません、申せません」

と宮は苦しそうに身を捻《ね》じて、物をいう気力もなさそうに「どうか、わたくしをお苦しめ遊ばさないで。お願いです……」と、弱々しく、あらがわれた。

「あなたはそれでは、私のことなど愛《いと》しく思って下さったのではないのですね。義理に引かれて、仕方なくやさしくして下すっただけのことなのですね？　それを私は、年頃日頃、おもいちがいをしていたのか」

「いいえ、それはちがいます。ちがいます」

と宮は烈《はげ》しくいわれた。

「光の君さまが元服あそばされ、もう御殿でお目にかかることがかなわなくなったとき、わたくしは、うれしかったのです。……もしあのままお逢《あ》いしつづけていたら、わたくしは、自分の心に自信がもてませんでした。光の君さまを、いつ愛してしまうかしれない心の傾きが、われとみずからおそろしかったのでございます。殿方となられた光の君さまに恋しているわたくし自身が、ありありと、目にみえるような気がしましたの……」

「私を愛する予感をお持ちになっていられたと？　そういう大切なことを、なぜむざと今まで隠しておかれたのだ？」

と源氏はうれしさで、湯のような涙がふきあがってきた。宮のかぼそいお軀《からだ》をしっかり抱きしめて、「ねえ、それならば、私にあなたの運命を托《たく》して下さい。目をつぶって下さい。ひとえに何もかも宿世《すくせ》とお念じ下さい」

外は風が出ているらしく、几帳《きちよう》の裾《すそ》が煽《あお》られ、灯が消えた。

「いくら埋めても埋められない裂けめがあるのですよ……暗い、欲深な裂けめ……そこへ何を投げ入れても埋まりません。あなただけなのです」

と源氏はささやいた。宮はだまっていらした。二人の若い恋人たちは、いまはぴったりと軀を寄り添い、横たわっていた。源氏の腕は、宮の白い、まろやかな、はだかの肩を抱いていた。

「裂けめは埋まったけれど、二人して罪に堕《お》ちてしまいました」

源氏が宮の耳にいうと、宮はゆっくり、おん目を塞《ふた》ぎ給《たも》うた。

「いいのです。わたくしは、疾《と》うの昔に、罪におちていました。光の君さまのお姿をみるたびに、わたくしは心の内で罪を犯していました」

「おんなじだな!」

と青年はうれしさで目まで赤く染まって低く叫んだ。

「私も、あなたをみるときは、もしスキがあったらどこへまず先に唇をつけようかと、不逞《ふてい》なことばかり考えていた!」

宮はちいさく、笑われた。それは源氏が久しぶりにきく宮の笑い声だった。

「罪ある人は、よく笑います」

と宮は悲しそうにいわれた。源氏はいった。

「想像できますか? この邸の大屋根の上には、斜めに天の川がかかっています。私は今宵《こよい》、馬で来るとき見ました。……今宵、思いをとげられなければ死のう、と思ってきました。天の川は仄白く傾いて、若い日の甘美な後悔にも似たさまで横たわっていました」

「わたくしは、いまはうれしさで死にそうです……」

「私もだ。しかし今は生きたくなりました。まだ生きて、あなたとお逢いしたいために。こんどは、いつ……」

「いいえ。もう、これが最後ですわ。もうお目にかかることはできません」

源氏は、宮の閉じられた白いまぶたの上に接吻《くちづけ》していった。

「罪に堕ちれば、一度も二度も、おなじですよ……」

「いいえ。ちがいますわ。そのたびごとにちがいますのよ」

「誰知らぬことです。私は細心の注意を払ってまいります。次のお里帰りはいつですか」

「いいえ。なりません。わたくしがこう申すのは、光の君さまを愛すればこそ、です。昔、幼かったころのように、ききわけのないことをおっしゃって困らせられるのは、うれしいのですけど、これればかりはなりません」

宮は、ほそいが、凛《りん》としたお声でおっしゃった。源氏は深い喜びが昇華して悲しみに凝りかたまったような思いで、宮の重い黒髪に口づけした。宮はいわれた。

「光の君さまを手引きしてお入れしたのは誰？」

「王命婦《おうみようぶ》です。彼女をお責めなさるな。私が強引に何年もかかってくどいたのです」

「信じていたのに……まさか、あれが……」

「王命婦がわるいのではありません。すべて、私が悪いのです。あなたの罪も私が引き受けて無間地獄《むげん》へおちるつもりです」

「冗談にでも、そんなことをおっしゃるものではありません」

「二度とお目にかかれぬのなら、その方がましです」

宮はお困りになって、指で源氏の顔をさぐるように撫でられた。源氏はその白いほそい指をとらえて、口にふくんだ。やわらかな、つめたい指。夜明けは近かった。この次の逢いは期しがたい。大きな幸福と、大きな不幸は裏おもてに貼《は》り合わされている。

「どんな女人衆も、光の君さまを愛さずにはいられないでしょうに……。光の君さまは、そのなかのどのお一人にも慰められないと思《おぼ》し召すのですか……可哀《かわい》そうな、光の君さま」

宮は泣いていらした。そのお姿はとても可憐に、いとしかった。

あれは、去年《こぞ》のことか、おとどしの思い出だったろうか？

源氏は苦しさのあまり、それすらさだかでない。あのときの只一度の出逢いは、よけい源氏の煩悩を増し、裂けめを深くさせたにすぎない。餓鬼道《がきどう》に堕ちた亡者《もうじや》のように、その飢渇感は深まるばかりであるが、宮に逢う機会はない。

その烈しい、身を灼《や》く渇望が、宮に似た女人に近づかせるのだ。——源氏は、六条御息所《みやすんどころ》の邸にいた。あの思い出の夏の夜から、いくとせめかの夏である。銀河は今宵も夜空にかかっているが、向っているのは、宮よりも年上の貴婦人である。

六条御息所は、源氏のそばから静かに身を起こし、仄かな灯のかげで、鏡に見入った。

暗い鏡のおもてには、若い日、当代ならぶものなしとうたわれた美貌がうつってはいたが、見なれたおのが顔から、彼女は目をそらせた。どことなく、「青春の残骸《ざんがい》」というものをひきずっているかんじがされたからだった。

どうして、七歳も年下の源氏などを愛することになってしまったのだろうか。若い日、背の君であった東宮がもし早世されていなければ、自分は皇后として内裏《だいり》に入るところであった。その高貴な重々しい身分の束縛がわずらわしく、たちきられた女の生きの命にひそかに鬱屈《うっくつ》しているころ、源氏の熱い求愛にふと、ほだされてしまった。日ごと夜ごと、ひそやかな熱い息吹《いぶ》きを伝えるような恋文に、思わず走り書きの返事を与えてしまった。それがきっかけで、気がついたとき、御息所は源氏に恋をしていた。おそい恋に身を灼き、心も魂も燃やしつくしていた。だが、御息所は源氏より年上の、中年女の分別として、わが恋を、冷静にみる醒《さ》めた眼ももっていた。

（あのひとは、わたくしを愛していない……あのひとにとってのわたくしは、数ある情人のひとりにすぎない。わたくしにとってはあのひとは唯《ただ》一人の恋人、いや、恋というより愛執《あいしゅう》、狂恋、怨念《おんねん》の極限のようなひとなのに……。暗いくらい妄執《もうしゅう》が、地獄の劫火のように燃えている、それほどのわたくしの恋を、あのひとはわからない……）

濃いおしろいの顔の奥に、源氏の顔が入ってきた。

「ご機嫌《きげん》がなおりましたか……？」

とそっと源氏はいって、御息所の髪に接吻した。

「私の訪れが間遠だとお怨みになるが……主上《うえ》がおそばから離して下さらないし、これでも公務多端なので。でも、あなたのことはひとときも忘れたことはない。なぜそんな悲しげにするの？　こんなに愛しあっていて、何をこの上、ご不満なのか」

しかし源氏は、それを、春の海面を叩《たた》く、春の雨のようにやさしくいう。と、御息所はもうあらがえない。源氏のことばを信ずるふりをして、源氏の腕の中に抱かれてしまう。

（これはいっとき、愛を偸《ぬす》んでいるにすぎないのに……）

と心の中で叫びながら。

朝まだき、源氏はたびたび女房に起こされて、ねむたげにためいきをつき、床を離れ、簀子《すのこ》へ下りたった。お見送り遊ばしませ、というつもりらしく、女房の中将の君が、一間《ひとま》だけ格子《こうし》をあげ、几帳をずらし、御息所にうなずいてみせた。

御息所はものうげに身を起こして、出てゆく若い愛人に目をあてた。すらりとした風姿に、えもいえぬ男のなまめかしさが添って、源氏は年と共に男の魅力を濃くたたえていくような気がされる。御息所は目をとじた。たとえ彼の訪れが間遠で、そのあいだ、地獄の責苦《せめく》にあう苦しみを味わおうとも、自分は、彼と別れることはできない。

御息所は、われとわが恋に、屈辱を感じて心を傷つけられた。

源氏のお供をして、中将の君は渡殿《わたどの》までゆく。庭の草花が美しく咲き乱れていて、木立のたたずまいも、教養ふかい女あるじの邸らしく趣きがある。

しかし、お供の中将の君も美しかった。源氏は、このさかしい、美しい女房が好きである。未明というのに、綺麗《きれい》に身じまいし、髪の下《さが》り端《ば》も鮮やかな美《い》い女。源氏は、隅の間《ま》の高欄《こうらん》にちょっと引きすえた。

「美しいな、中将。……うつり気だと思うだろうが、今朝はまた、格別だよ」

そっと手をとると、洗練された女らしく、そのままにして、ほほえみながら、

「ほんとうに、御方《おかた》さまはいつお見上げ申してもお美しい方ですわ」

と女あるじのことに話を引きめぐらせてしまう。

源氏は六條邸からもどる道々、御息所のことを考えている。

あのひとが自分を見る眼には、まさしく恋する人の物すさまじい狂乱がある。自分が、藤壺の宮を見るような眼。ものもいえず顫えわななきながら、しっかと源氏の軀を捉《とら》え、源氏の腕には、くいこんだ彼女の爪《つめ》あとがまだのこっている。彼女の、深いせつない吐息。手にまといつく、冷たい、重い黒髪。

（ああ……持ち重りするひとだ……）

源氏は、彼女と会ったあとの心の重さをいつも、もてあます。

源氏が、御息所に熱心に求愛したのは、いまになって考えると、みたされぬ藤壺の宮への渇望が、意識下にあったからに違いないが、なみなみの女人に見られぬ、ふかい心の奥行きに魅せられたためだった。御息所の、教養と機智にあふれた会話や手紙は楽しかった。しかし恋が進み、なじみが深くなるにつれて彼女は粘く執拗《しつよう》に、源氏の心にからみつき出した。それは源氏を独占しようという彼女のおどろおどろしい妄執の影だった。――源氏は求愛の頃の熱心さにひきかえ、しだいに足が遠のくのを、どうしようもない。

わが心から、と知りつつ、またしても一つ、愛欲地獄をつくり出してしまった……。

その午後、源氏は思い立って、病気で臥《ふ》していると聞いた乳母《めのと》を、内裏から退出の途中、見舞った。乳母は年老いて尼になり、五條のあたりに住んでいる。

源氏のおそば去らずの供の惟光《これみつ》は、この乳母の息子である。源氏の車を入れる正門が閉まっているので、それを開けるあいだ、源氏は小家《こいえ》のたちならぶ五條大路《おおじ》をみわたしていた。

五條は下町である。源氏には物珍しい町のたたずまいだった。

乳母の家のとなりに、新しい檜垣《ひがき》をめぐらし、半蔀《はじとみ》を四、五間《けん》上げてさっぱりと白いすだれをかけた家がある。美しそうな女の額《ひたい》が、すだれ越しにみえ、源氏はふと車の物見窓から、あのへんに額がみえるなら、ひどく背のたかい女ではないか、などと思ったり、こういう家にいる女、どんな身分の者たちだろうと、心をそそられたりするのだった。中が見通せそうな粗末な、はかない家であるが、板囲いに、青々とした蔓草《つるくさ》がからみついていて、白い花が、わがもの顔に咲いている。

「うち渡す遠方人《をちかたびと》にもの申す……」と源氏はふと、興をもよおしてつぶやいた。古今集にある有名な旋頭歌《せどうか》で下《しも》の句は〈そのそこに白く咲けるは何の花ぞも〉というのである。

随身《ずいじん》（近衛府《このえふ》のお付き武官である）の一人が、下の句を心得て、ひざまずいていった。

「あの白い花は夕顔と申します。よく、こういう卑《いや》しげな家の軒に咲いております」

「あわれな花だ。一房、折ってまいれ」

源氏がいうと、随身は門へ入って花を折った。

すると、しゃれた感じの遣戸口《やりどぐち》から、黄色の生絹《すずし》に単袴《ひとえばかま》を着た、愛らしい少女が出てきて随身を手招きし、

「これにのせてさし上げて下さい。蔓がもちにくいんですもの」

と、香をたきしめた白い扇を出した。そこへ惟光が出てきたので、随身は惟光の手

からさし上げた。

「門の鍵《かぎ》がみつからず、こんなむさくるしい道ばたで、長いことお待たせ申上げました」

惟光は恐縮していた。

乳母の尼のもとには、惟光の兄弟や、その連れ合いもちょうど集まっていて、みな、源氏の見舞いに恐縮し、感激した。尼は、病気が重いのであったが、源氏を見るとうれしさに、泣きながら起き上った。

「もうお目にもかかれぬと思っておりましたのに、お姿を拝みまして、これでいつ阿《あ》弥《み》陀《だ》仏《ぶつ》のご来迎《らいごう》を頂きましても心残りはございません」

「何をいうのだ……まだこれからも長生きして私の行末《ゆくすえ》も見ていて下さいよ。小さいときから、私は母君、祖母君とあわただしく死に別れた。可愛がっていつくしんでくれた一ばん身近なひとは、ばあやのほかには、いない。この年になってもまだ、頼っているよ……長生きしてほしいのだ、いつまでも……」

源氏は笑おうとしたが、ふと、涙ぐんでしまった。乳母はむろん、その子供たちも、みな、源氏のやさしい心に感動して涙をさそわれるのだった。

尼の病室を出て、そっと源氏はさっきの白扇をながめてみた。使った人の香りがゆかしく匂い立って、思いがけぬしゃれた筆蹟《ひっせき》で、歌が書いてある。

〈心あてにそれかとぞ見る白露の　光そへたる夕顔の花〉

夕顔の花のようにお美しいかた、もしや光源氏の君ではいらっしゃいませんか、という心であろう。こういうのが、いつぞやの、「中流の掘出しもの」というのではあるまいか。案外、こんな家に、はっとするほど美しい女がかくれているかもしれない。

源氏は興をおぼえた。

「この西隣の家は、どんな人が住んでいるのだ」

と彼は、惟光に聞いた。惟光は内心（またはじまった。女をみるとすぐ、好奇心むらむら、というお癖は直らないな）と思いながら、

「この五、六日、家にひきこもって病人の看護にあけくれましたので、隣のことは存じません」

と、すこしぶあいそに答えた。

「気に入らぬようすだな。しかしこの扇はなぞがある。まあそういわずに、このへんのことにくわしい男をよんできいてみてくれ」

しかたなく惟光は、隣の家の管理人にきいて、源氏に報告した。

「わかりました、隣は、揚名《ようめい》の介《すけ》の家だそうですが、主人が地方へいっていて、妻の

姉妹《きようだい》の、宮仕えする女房たちがよく来ているようです。それ以上のことは知らないようです」

源氏は、さてこそ、宮仕えの若い女たちらしいいたずらだと思った。懐紙《かいし》に、すこ

しいつもと筆蹟を変え、

〈寄りてこそ　それかとも見めたそがれに　ほのぼの見つる花の夕顔〉

近寄ってみたのではなく、たそがれにちらとかいまみたのでは、私が誰か、わかり

ませんよ、というほどの返事である。

それをさっきの随身に持たせて隣へやった。

女たちは昂奮《こうふん》して、このお返事はどうしようとざわめいている。随身は、内心、こ

の女たちとはお身分がちがう、とおかしくなってさっさと帰った。忍びのこととて、

従者の松明《たいまつ》も少なく、ほのかな光の中を源氏の車は帰っていった。隣の家は半蔀《はじとみ》をお

ろしてあり、またたく灯《ほ》かげが蛍火《ほたるび》のようだった。

惟光が五、六日して報告した。

「どんな方がいられるのか、家の下人《げにん》にもわからないそうですが、ともかく女主人と

してお仕えしているそうです。ちらとかいま見ましたら、美しい若い婦人が手紙をか

きながら物思いに沈んでいられるのが、夕日の光でみえました。まわりの女房たちも忍び泣きしていました。何か、わけのあるかたらしゅうございます」

「素性《すじよう》が分らないものかなあ」

主従でひそひそ話しているところへ、

「伊予《いよ》の介《すけ》が上洛《じようらく》してまいりました。お目通りを、と、申しております」

と女房がいってきた。伊予の介は、かの、空蟬《うつせみ》の夫で地方長官として任国にいたのである。


伊予の介は、日頃、左大臣家一門の恩顧《おんこ》をうけているので、上洛すると源氏の二条邸へまず伺候《しこう》するならわしになっている。

伊予から船旅をつづけてきたので日やけして、やつれた旅装束《たびしようぞく》のままである。ぶこつな中年男だが、家柄もよく、さすがに人品いやしからぬ、おちついた態度である。源氏は空蟬のことがあるので、罪の思いにうしろめたく、伊予の介に向きあっているのがきまりわるくも思われる。

考えてみると、空蟬は、源氏と一度は恋の夜をもったものの、そのあとはつれなくあしらいつづけ、源氏はそれを恨んだのだが、この夫のためには、しおらしい心根の妻というべきであろう。

「このたび、娘は結婚させ、妻を任地に連れてまいる所存でございます」

と伊予の介はいい、源氏は、では空蟬は伊予へ下るのかと、今更のようにせきたてられる恋心をおぼえた。小君《こぎみ》をそそのかして、「いま一度の逢瀬《おうせ》を」というが、空蟬は夫のいないときでさえ、心づよくあらがったものを、まして夫がそばにいる身ではとても、とかたくなに拒みつづけた。

しかし空蟬は、このまま源氏に忘れられてしまうのも悲しいので、折々の手紙には簡単な返事をかいている。

源氏はその文《ふみ》のやさしい情緒に、いまもひかれる。何というゆかしい女だろう、男心をひく女だろうと、つきせぬ興をそそられる。あながちに近よれば、うすものの衣《きぬ》を男の手に残して逃げ、手紙ではしおらしく可憐《かれん》に返事する。源氏は、空蟬のことが忘られないのである。もう一人の継娘《ままむすめ》の軒端荻《のきばのおぎ》のことは、たとえ夫ある身となっても、言いよればなびきそうに思えて、源氏は安心してみくびっているところがあった。

何日かして惟光がまた、五條の女について報告してきた。

「どうも、素性がよく分りませんがこの間、表の道を先払いの声を立ててすぎる車がございました。女の児が『右近《うこん》さま、中将さまがお通りになります』などと叫んでいます。すると、かなりの年の女房が出てきてのぞいていました。お供の名を誰々といい立てていましたが、車の主は直衣《のうし》姿で、随身たちもおりました。頭《とう》の中将さまの随身の名などのようで……」

「さてこそ、中将がいつぞや話していた、姿をかくした撫子《なでしこ》の女というのは、それではあるまいか。惟光、ひとつうまく工夫《くふう》して、渡りをつけてくれないか」

と源氏はいった。

この惟光は、自身でも好色者《すきもの》で、こういうことにかけては、この上なく興趣をもち、また細工がうまいのである。彼はその家の女房と心やすくなり、うまうまと源氏を、女あるじのもとへ通わせることに成功した。

女の素性はわからぬまま、源氏自身の方も身分をかくしている。できるだけ質素にやつして、車にも乗らず、惟光の馬に乗り、惟光は徒歩で供をした。

「やれやれ、いい色男がかちはだし、女たちには見せられた図ではございません」

と惟光はこぼしている。

源氏が身分をかくしているので、女あるじについている女房たちも不安で、そっと源氏の一行のあとをつけたりするらしいが、二人三人ばかりの供をつれた源氏は、た

くみに、あとをくらましてしまう。そんな危ない思いをしてまで、源氏は五條の女を
——夕顔の花の縁にひかれて出あった女を忘れられない。

思いのほかに美しくて、素直な女だった。

「私は、あなたが何ものか知らない。あなたも私をご存じない。しかし、そんなことはどうでもいいではありませんか。どうしてか、昼も夜も、あなたのことが心を占めて、少しの間も離れていることができない」

源氏が夕顔をひきよせると、彼女は小さく、

「あたくしも」

という。あどけないほどなよらかで、筋ばったあらがいや、口答えはしなかった。若々しく素直だが、処女ではない。上品だが、高貴な身分の姫君というのでもなさそうだ。

源氏はますます、ひかれてしまう。いつかの、雨夜《あまよ》の話に出た、「下々《しもじも》の階級」の女に、あんがいな掘出しものがあるというのは、こういうのを指すのではないかと思ったり、する。

「おたがい、狐《きつね》か、物の怪《け》にでも魅入られているような気がするね」

と源氏は、彼女の軀を、黒髪ごと抱きしめた。

「私は変幻自在の狐だ」

「あたくしも狐？」

「人のいない所へ行って、ゆっくりと愛し合いたい」

「はい……でも、何か、おそろしくて……右近たちが、あなたを昔ばなしの三輪《みわ》の神さまのようだといいますわ……。昼間はお姿を見せられず、夜だけこっそり、お見えになるのですもの。——ほんとに、あなたはどなた？」

源氏は微笑した。

「神、でもよい、狐、でもよい、だまされていらっしゃればよいではないか」

とささやくと、おっとりと夕顔はうなずき、うす紅《あか》らんだまぶたを重げに、やわらかく胸にもたれてくる。あんまり柔媚《じゅうび》でやさしいので、源氏は、ほかの男が忍んできてもこう他愛なく身を任せるのではあるまいかと、鋭い不安が胸をかすめたりする。世間に知れて噂《うわさ》されてもよい、彼女を二條邸へ拉《らっ》して据えておこうかと真剣に考える。

親友の頭の中将が話していた女は、この人ではないかという思いはますます濃くなっているが、女が何も打ちあけないのは、わけがあるのだろうと源氏も、ことさら探らない。

八月（陰暦、秋）十五日の夜、月の光がさしこんで狭い下町の家の中をくまなく照らし出した。夜明けが近いのか、近隣の貧しい家々の人たちが起き出すのも手に取るように聞こえる。

「やれやれ寒いなあ。こう世の中が不景気じゃしようがないねえ。田舎《いなか》の行商もさっぱりだ。なあ、北隣さんや、聞いてなさるかね」

などと、その日ぐらしのしがない稼《かせ》ぎの物音をたてはじめるのを、夕顔は源氏にはずかしく思うようである。

しかし、そのさまも、可憐でよかった。

もし、これが気取った女なら、おそらく屈辱感でいたたまれぬようすをみせたであろうが、彼女はおっとりしている。唐臼《からうす》が枕元《まくらもと》でごろごろと鳴る。この音ばかりは、貴公子の源氏には、何の音かわからない。麻衣を打つ砧《きぬた》の音、空ゆく雁《かり》の声。虫の音《ね》。

「町なかはお耳ざわりな物音が多うございましょう？」

と夕顔がはじらうのも源氏にはたまらず、いとしい。

「あなたと二人で聞くのなら、何だって風情《ふぜい》ありげに思えるよ」

源氏は遣戸《やりど》をあけて夕顔と共に秋の夜あけの庭を見た。白い袷《あわせ》に、うす紫の衣《きぬ》を重ねた夕顔は、いたいたしいほどほっそりと、繊細な美女である。

「さあ、この近くに知っている家があるからそこへいこう。そこなら静かだ」

「でも……そんな急に」

と夕顔は思いあまったふうにいうが、さからうというのではなく、源氏が、

「私のいうままにしなさい」

というと、かすかに首をかしげて、困ったふうにうなずく。明るくなりきらぬうちに、と源氏は車に夕顔を抱いて乗せた。右近がついてきた。

源氏の心あたりの邸は住む人もないままに留守居役だけが守っている。門の内は、ゆくほどに木立が深く物古《ものふ》りて、気味わるいばかりである。

「こわいですか？　隠れ家にはもってこいですよ」

源氏は西の対《たい》に車を寄せさせ、夕顔を抱きおろした。留守居役の男は、突然のことでおどろいて、接待に奔走していた。

「しかるべきお供が居りませぬとは……お邸へ連絡してお呼びしましょうか」

といったが、源氏は止めた。

「いや、わざわざ誰にもわからぬようにと、ここへ来たのだ。秘密にしてくれ」

食事がととのえられたが、食器も給仕人も揃《そろ》わず、そんな不自由さも源氏には、かえって目新しく面白かった。

日が高くなって起き、格子《こうし》を手ずからあげた源氏は、思ったより以上に荒れはてている庭におどろいた。

「鬼が出そうな所だね」

と夕顔を見返ると、何だかうすきみ悪そうに、ひしと源氏により添ってくるのも、あどけない。右近は今はもう、留守居役の男のたたずまいから、女あるじを連れ出した男が源氏だとわかっていた。

夕顔も、悟ったようである。

「私のことは知られてしまった……こんどはあなたのことを知りたい」

「そんな、申しあげるほどの身分のものではございませんもの」

と、夕顔は甘えたようにいう。

惟光がやってきて、食事の世話などするが、もし右近に会ったら「さては、隣のあなたが、ご主人さまの仲立ちをしたのね」ととっちめられるのではないかと、おそば近くへはいかず、離れていた。

それにしても、宮中でも左大臣家でも、さぞ今ごろは、行方がしれぬと大さわぎしていられるであろうと、源氏は思う。今はそういう配慮も、わずらわしくなった。夕顔と二人、古びた廃邸の、物古りた木立の梢《こずえ》から昏《く》れてゆく秋の空をみたり、格子をおろした奥ふかい邸内で、あかるく灯をつけて、ものしずかな愛の動作を交す、この幸福は、何にもかえがたい。

向かいあっていると、たぐいなく、心はのびのびと解放され、やさしい平安な幸わせに身も心も浸される。それはあの、緊張した六條の貴婦人との関係には求むべくもないものである。

宵のころおい、源氏はとろとろとまどろんだ。と、その枕元に美女が夢ともうつつともなく立った。

「あなた。どうしてわたくしをお疎《うと》みあそばすのですか。こんなつまらぬ女をお愛しになって」

と、夕顔の体に手をかけようとする。

はっと目ざめると、あたりは灯が消えて、まっくらだった。源氏は太刀《たち》を引きぬいて、

「右近！」

と呼んだ。

「渡殿にいる宿直《とのい》を呼び起こして灯をもってこいといえ、右近」

源氏がいうと、右近は恐怖で声をふるわせ、

「こんな暗いのに、どうしてまいれましょう。おそろしくて……」

「子供みたいなことをいう」

源氏は苦笑して手を叩《たた》いた。と、その音が山彦のようにこだまするのもぶきみである。聞こえないのか、人は誰もこない。夕顔はただもう、おじ恐れてわななき、汗もしとどで、なかば気を失っているらしい。

「物おじなさる方でいらっしゃるので……」

右近も気づかわしげにいった。そういえば日の明るいうちから、心細そうに、おそろしそうに、空ばかり見ていたものを、と源氏は夕顔がいじらしくなる。

「よし。私がいって人を起こそう。手を叩くと山彦がかえってくるのが煩《わずら》わしい。右近、そばへきて、ついていてあげてくれ」

源氏は右近を夕顔のそばへ招き、自身、西の妻戸を押しあけると、渡殿の灯も消えていて、庭も邸内も真の闇である。

風が出て、人かげもなく、宿直《とのい》の者はみな寝込んでしまっている。この邸の留守居役の子で、源氏が身近に使っている若い男、それに少年、また、お供の随身《ずいじん》がいるば

かりだった。若い男を呼ぶと、やってきた。

「紙燭《しそく》をつけてまいれ。随身にも弦打《つるう》ちして魔除《まよ》けに、声高く呼ばわれといえ。こう人気《ひとけ》のない所で不用意に寝込むということがあるものか。惟光はどこだ」

「ご用がなさそうだから、夜明けにお迎えにまいりますといって帰りました」

この男は、滝口《たきぐち》の武士なので、弓弦《ゆづる》を、御所でいつもするように打ち鳴らし「火の用心」と呼ばわりながら、留守居役の居間の方へ歩いてゆく。

（そういえば、今頃、御所では名対面《なだいめん》もすんだ頃おい……滝口の武士の宿直申《とのいもう》しは今ごろか）

と源氏は思った。名対面は、禁裏《きんり》警備の宿直の人々が定刻に、姓名を奏上することである。夜はまだ、そんなに更《ふ》けていないのに、このおどろおどろしい闇の、心ぼそさよ。

もとの部屋へかえって、暗い中を手さぐりに近づくと、夕顔はそのままうつぶして、右近がそのそばに震えていた。

「どうした……あんまりな怖《こわ》がりかたではないか。荒れた家には狐などが人をおどしてこわがらせるのだ。私がいれば、大丈夫だよ」

とまず右近を引き起こすと、

「もうこわくてたまりませんでした。御《お》方《かた》さまこそ、どんなにこわがっていらっしゃることか」

「そうだ、なぜこうも物おじするのか……」

と手さぐりに抱きあげると夕顔は息もしない。はっとして、源氏がゆすぶってみても、夕顔はなよなよとして正体もなく、くずれるように源氏の腕の中に倒れかかってくる。物の怪におびえて、気を失ってしまったのか。

やっと灯がきた。右近も動ける状態ではないので、源氏は几帳をみずから引きよせて夕顔の姿をかくしながら、

「もっと近くへ持ってまいれ」

といったが、留守居役の息子の瀧口は身分がら、源氏のそば近くまで寄ったためしもないので、すくんで、長押《なげし》にも上ることができない。

「ええい、かまわぬ。もっと近くまで持って来るがいい。遠慮も所による」

と、灯を近づけて夕顔を見ようとしたとたん、今さき、枕上《まくらがみ》にみた同じ女がふっと現われ、消え失《う》せた。昔の話にはあるが、と源氏は気味悪く思ったが、それよりも夕顔がどうなったかと心配で、いそいで抱きあげて、

「夕顔。どうした」

と声をかけた。しかし彼女の体は冷えていて、息は絶えていた。

源氏は動転して、考える力も失った。右近はなおのこと、声を放って泣き、女あるじの変りはてた亡骸《なきがら》にすがりつく。

「まさか、このままということはあるまい……夜の声はひびくから、あまり大仰《おおぎよう》に泣くな」

と源氏は右近をたしなめつつ、自身も呆然《ぼうぜん》とするばかりである。気をとり直して、さきほどの瀧口の侍をよび、

「ここに物の怪に憑《つ》かれた人がいるのだが、惟光の邸へすぐいって、いそいで来いと伝えてくれ……また阿闍梨《あざり》(僧)が家にいるならそれも一緒に、とそっといってくれ。大げさにいうな」

といった。強いて冷静に、と心をおちつけようとするが、夕顔を、このまま死《し》なせるのかと思うと、惑乱して悲しみに打ちのめされた。

風が荒々しく吹き出し、松の梢の音も物すごい。異様な鳥の声は、ふくろうなのか。なぜこんな、心ぼそい邸になど泊まったのかと、返す返すもくやまれる。

右近は悲しみとおそろしさに夢中で、源氏の体によりそって、離れようともしない。

もしや右近もどうかなるのではないかと、源氏は心細く彼女を抱え、どうかすると、みしみしと背後から何者かが近づいてくるような幻聴をおぼえた。

惟光、早く来い、と心で念じながら、源氏は夜のあけるのをまちかねた。暗い闇は、そのまま、永劫《えいごう》につづく無明《むみょう》の煩悩《ぼんのう》であるように思われる。

思えば、このひとを盗むように愛したのも、こんなところで死なせたのも、みな自分のまがまがしい愛欲の煩悩のせいなのだ。わが心からのせいで、このいとしい人を死なせてしまった。世に知られれば、どんな非難や指弾をうけることであろうと、源氏は千々《ちぢ》に乱れた心で思う。

夜があけてから、やっと惟光は来た。彼の顔をみると、源氏は、張りつめた心がゆるんで、夕顔の死が現実感でせまり、不覚にも、まぶたがあつくなった。

「惟光……たいへんなことになってしまった……」

惟光にしても若い者のことで、とかくの分別もすぐに浮ばなかった。ともかく、源氏がこの邸をすぐ去ること、夕顔の遺骸《いがい》を人目に立たぬ山寺へあずけ、ささやかに葬《とむら》いをすることが先決でしょう、といった。

「ちょうど知り合いの老いた尼が東山におりますゆえ、そこへまず、御方さまをお移しましょう……それにしても、……突然のことで……御方さまは、おかげんでも悪くていられましたか」

「いや、そんな様子はないようだったが」

と源氏は魂のぬけた人のようにつぶやいていた。

衝撃が大きくて、源氏は、夕顔のおもてに見入ったまま、時のたつのも忘れて、純粋な悲哀に心はひたされている。きのう抱きあげて連れ出したときは、あのひとは、愛くるしく微笑していた。どこへいくの、といい、だまってついておいで、というと、素直にうなずいて、さからわなかった。しかしもうあのほほえみも、やさしい素直さも、二度と見ることはできない。彼女のまぶたは白い貝のようにとじられ、唇は歯をみせない。源氏は力も失《う》せはてて、亡骸を抱きあげることもできないので、惟光が、敷物に包んで、車に乗せた。

かわいらしく小柄で、黒髪が、はらはらと包みきれずこぼれるのもいたましかった。源氏は柱に顔を押しあてて、嗚咽《おえつ》をこらえていた。

「お気をたしかに。二條邸へ早くご帰還あそばしませんと。日が高くなりましては人目につきます」

と惟光は気強くなぐさめ、車には右近と夕顔を乗せ、自分の乗馬は源氏にゆずって、やっとおそろしいこの邸をあとにした。

源氏は邸へ帰ると寝込んでしまった。

（どちらからのお帰りかしら……ご気分の悪そうな）と女房たちが、ひそひそと噂をしているが、源氏は食事もとらず、なぜ、さっきあのひとと同じ車に乗って葬いについてやらなかったかと悔んだ。せめて、その間だけでも、そばを離れず手をとり、黒髪を撫でていてやればよかったと、かえらぬ悲しい後悔に身をさいなまれるばかりである。

頭の中将が、御所からのお使いでやってきた。

「さっぱり、昨日今日、お行方が知れず、帝はご心配でいられました。どうされたのだ」

という頭の中将に、源氏は、

「穢《けが》れにふれたもので。乳母の家へ見舞いにいったところが、折あしく、そこの下人《げにん》が亡くなった——御所には神事の多いことで穢れにふれた身ゆえ、つつしんでいたのだ。それに風邪《かぜ》を引いたらしくて、どうも具合もはかばかしくなくて困っていてね。君からよろしく奏上してくれないか」

「ではそう申上げておきます」

と中将は一たん出たが、また引き返して、

「どういう穢れですかねえ……くわしくお話し願えませんか」

と、好奇心むらむらという顔である。どうせ源氏の言葉を、親友同士のことで、まともにうけとってはいないらしかった。

「いや、そういうものではない、ともかく具合もわるいので失礼する」

源氏は、いつもは心たのしい友達との冗談ごとも、いまは避けたいほど、気が滅入《めい》っていた。ものをいえば、夕顔のことで胸がふさがり、悲しみがふきこぼれそうになるばかりである。

日が暮れて惟光がやってきた。

「どうだった。もしや……」

生き返りはすまいかと、源氏ははかない希望をかけていたのだった。

「やっぱり、だめでございました。……葬式は、お坊さんにたのんでまいりました。右近が悲しんで、あとを追おうとして、谷へとびこみかけたのを、やっとみんなで抱きとめました。五條の家の人に知らせようとしますので、まあもう少し様子をみてから、と止めた次第でございます」

源氏は、額に手をあててしばらく、じっとしていたが、それは悲しみをこらえるための動作だった。青年はつぶやいた。

「惟光。もう一度、葬いの前に、あのひとにあいたい。顔を見たい。あきらめきれない」

十七日の月が出ていた。

加茂川の河原を渡るころは、前駆《ぜんく》の松明《たいまつ》の火に、葬送の地・鳥辺野《とりべの》がうかぶ。ぶきみな場所であるが、源氏は悲しみにうちのめされて、怖くもぶきみともおぼえなかった。

物さびしい板屋に、惟光の知合いの尼が住んでおり、僧の念仏が聞こえる。女のしのび泣く声がするのは、右近であろうか……。清水《きよみず》の方には木の間がくれにちらちらと灯もみえ参詣《さんけい》の人かげも望まれるが、こちらは悲しくしめやかに沈んで、静まりかえっていた。

はいってみると、右近は、遺骸と屏風《びょうぶ》をへだてて、泣き伏していた。

灯をそむけてあるが、死んだ夕顔は、いまも愛らしく、生きているようにふっくらとしてみえた。源氏は手をとり、すると涙が流れた。

「声だけでも、もういちど聞かせて下さい……なぜ、私をおいてゆく」

短い縁だったが、まるで前世からのちぎりだったように、源氏は身も心も夕顔にうちこんだ。束《つか》の間《ま》の逢瀬《おうせ》を予感してのことだったのか。

みじかくも烈《はげ》しく燃えた恋。

「ひとこと、別れのことばだけでも言っておくれ。夕顔」

源氏は死者の頬《ほお》を撫《な》で、涙で頬が濡《ぬ》れるのもかまわず、低く呻《うめ》いた。僧たちは、死者とつながりの深いらしい男の出現をいぶかしがりつつも、もらい泣きするのだった。

右近はましてうつつ心もなく、とり乱していた。

「幼い頃からおそばはなれずお仕えしたお方さまでございます。わたくしはただもうおあとを慕って、同じ煙に焼かれとう存じます……」

「尤《もっと》もだが、別れというものはいずれは来るのだ。あきらめて、私を頼るがいい。私について二條院へ来ないか」

と右近をなぐさめながら、源氏は、そういう自分こそ、消え果てて死ぬのではないかと思いまどい、目もくらむ心地がされる。

夜が明けます、と惟光に促されて、源氏は帰り道についたが、朝霧に巻かれながら思うことは、夕顔のあどけない美しい死顔のことばかりだった。彼女のなきがらに、自分の紅の単衣《ひとえ》がうちかけられてあったことを思い出すと、馬の背から落ちそうに惑乱する。

やっとのことで二條院へ帰りつくと、寝こんでおき上れなくなってしまった。

源氏の病気を聞き伝えられて宮中でも父帝《みかど》は非常に心痛あそばされ、祓《はら》えや祈禱《きとう》をさまざまに試みられる。

左大臣も、重んじていられる婿君のこととて、その容態を心配して、みずからあれこれと指図して、看病のこともぬかりなく世話をされる。

二十日ばかりは、夢ともうつつともわからず、枕からあたまが上らなかったが、やっと快方に向った。

はじめて宮中に参るときは、左大臣が自身迎えに来られ、何くれとなく世話して退出のときも、自分の車にのせて邸へ伴って帰られるのだった。

「どんな物の怪《け》に魅いられたもうたのやら……美しい君は、天も嘉《よみ》したもうて早く召されるのではないかと、不吉なことを噂するものがあり、心配いたしました」

と左大臣はいわれる。その親身な心くばりに、源氏は申しわけなく思った。

臥《ふ》している間に秋は深まり、源氏は別の世界からよみがえってきたように自分を感じた。

秋たけて艶《えん》な世の風趣に劣らず、源氏も面《おも》やせして、男のなまめかしさが添ってみえるように、まわりの人々にはながめられた。

右近は今は、二条院に身をよせ、源氏に仕えている。あたりに人のいない宵、うすい色の喪服を身にまとった右近と、源氏は、しめやかに話すことがあった。

「なぜ、私にかくしつづけたのだろう……あのひとは。誰の娘、どんな身分と、うちあけてくれてもよかったのに」

「お隠しになるつもりはなかったのでございましょうが……。どうせ一時の浮いたお心から通っていらっしゃるのにきまってるわ、とおっしゃって、そんなことなら、と何もお打ちあけにならなかったのでございます」

「つまらぬ意地の張り合いをした。私も世間がうるさかったし、あんなに忍んで通わなくてはならない差《さ》し障《さわ》りもあった。──今はもういいだろう。あのひとのことをすべて話してくれ」

右近はまた涙ぐんでいた。

「何をお隠し申しましょう。御方さまの父君は三位《さんみ》の中将でいらっしゃいました。たいそうお可愛がりになっていらしたのですが、ご不運つづきで若死にされました。そこへ頭の中将さまがまだ少将でおいでのころ、ふとしたことでお通い初めになったのでございます。三年ほどはこまやかにお通いでしたが、北の方さまのご実家の右大臣家から、こわいことを申されてまいりまして、御方さまは、ただもうおびえてしまわれました。身をかくしてあの五條の家へいらしたところでございました。お気弱でいらして、ひとり、くよくよと物案じなさるお性質の方でいらっしゃいましたから……」

「小さな女の子を行方不明にしたと中将がふびんがっていたが」

「はい。おとどしの春お生まれになりました。とてもおかわゆい姫君でいらっしゃいます」

「あのひとの形見《かたみ》に引きとりたいものだ。頭の中将にもいずれ話はするが、あのひとをおそろしい目にあわせて死なせたと怨《うら》まれるのが辛《つら》い。——その姫君を引きとって世話してみたいのだが」

「そうなりましたら、どんなにかうれしゅうございましょう」

と右近は涙ぐみながらもうれしそうにいった。源氏は夕顔の話をいくらしても飽きない。

「年はいくつだった?……華奢《きやしや》で、いたいたしいほどかよわくみえたが……やはり命みじかい生まれだったのだろうか」

「十九におなりでございましたろう……よわよわしくやさしい方でいられました。右近は、あのかたおひとりを、あるじと頼んで生きてまいりましたものを」

「よわよわしい女は好きだ。あまりはきはきして勝気な女は、私にはなつかしく思えない。どうかすると男にだまされそうな風の、男の心のままになるような気のやさしい女がいい。おとなしいそんな女性となら、たのしく暮らしていけそうに思うが」

「お好みにあったかたでいらっしゃいましたのに……」

と右近はまた泣いた。この女房は、美しい女というのではないが、情趣ありげで、まだ若く素直で、そば近く召し使っていい感じの女だった。


五條の家では女あるじと右近が突然、蒸発してしまったように姿を消したので、みんな心配していた。受領《ずりよう》の息子などが、夕顔を連れてひそかに任国へ下ったのではないか、と想像をめぐらしたりしていたが、それにしても右近が何もいってこないのもおかしいと、言い合った。右近の方も、夕顔の死に責任があるように責められるのが辛く、心にかかりながら、姫君の消息も聞けないでいるうちに日はすぎていった。

伊予《いよ》の介《すけ》は十月はじめに伊予へ下ることになった。源氏は餞別《せんべつ》を送ったが、秘めやかなおくりものとして、かの空蟬《うつせみ》に、夏のあの一夜の思い出の、うすい衣《きぬ》を返してやった。

空蟬もしみじみした返事のうたをよこした。

源氏は、いつまでも空蟬が忘れられないが、空蟬もそうであるらしかった。しかし彼女は源氏が自分を忘れないのをうれしく思いつつも、二度とあの夜の物思いを重ねようとは思わぬらしかった。

あけぼのゝ春ゆゝりの
咲ふ乃巻

年があけて春になってから源氏は瘧病《わらわやみ》にかかった。北山の寺に、徳のたかい僧がいるというので、加持祈禱《かじきとう》をしてもらうために、源氏は少ない人数で、出かけていった。聖《ひじり》は高い峰の、巌《いわお》にかこまれたお堂に住んでいて、源氏にねんごろな祈禱をした。

源氏はそのへんをそぞろ歩いていると、かなたこなたに僧坊がみえる。その一つに、優美につくられた庵《いおり》があった。きれいな小柴垣《こしばがき》、建物や廊のたたずまいも、よしありげである。

「あれは誰の住むところかね」

と源氏が問うと、某《なにがし》の僧都《そうず》の庵、ということだった。美しい童《わらわ》が、仏の閼伽棚《あかだな》に花を供えたりしているのが、このへんは高みなのでよく見渡せた。

「おや……まさか僧都に、隠し妻もいられますまいが、女の姿がみえますな」

と目ざとい男の一人がいった。

大気がやわらかにかんばしく、澄みきって快かった。京の桜はもう散っていたのに、山々、谿々《たにだに》の桜は、いまが盛りであった。谿水の清らかさに目を洗われて、源氏は、久しぶりにさわやかな気分を味わった。

「絵のような風景だな」

源氏が嘆声を放つと、従者たちは、

「この山々などはまだまだ。富士、なにがしの岳《たけ》、などというところの風光など、お目にかけたいようでございます。近い所では、播磨《はりま》の明石《あかし》の浦でしょうか」

「何か、かわった景観があるのか」

「海を見はらす景色が大らかで美しゅうございます。前播磨守入道《さきのはりまのかみにゅうどう》が、大事なひとり娘を、りっぱな館《やかた》に住ませて、かしずいております。片田舎《かたいなか》の浦辺ですが、どうして、ぜいたくな邸《やしき》でございます」

「どんな娘なのだね」

「美人らしいのですが、代々の守《かみ》が求婚しましても、けっして入道は承知しません。すこし偏屈者で、中央《みやこ》でのわが出世をあきらめて娘に野心を托《たく》しておりましてね、もし理想がかなえられなければ、海へ身を投げて死ね、と娘にいっているそうでございます」

「龍宮の后《きさき》にでもなるのかな」

と相《あい》の手を入れる男もあった。明石の話をしたのは、現在の播磨守の息子の良清《よしきよ》で、彼自身、その理想たかい娘に求婚したこともあるらしかった。

もう一晩、泊まって祈禱をうけることになったので、源氏はつれづれな春の夕ぐれ、そぞろ歩いて、さきほど見た小柴垣のもとまでいってみた。惟光《これみつ》だけ、ついてきた。

西向きの座敷に、尼君がいて、持仏を据えて勤行《ごんぎょう》をしている。簾《すだれ》がすこし上げられ、尼君は柱によりかかり、脇息《きょうそく》の上に経巻をおいていた。四十ぐらいで色白の、美しい婦人である。

ほかに上品な中年の女房が二人ばかり、そのほか、小さな女の子たちが、遊んでいた。

そこへ、十歳《とお》ばかりであろうか、白い衣に山吹がさねの柔かいのを着て走ってきた女の子は、そのへんにいる子とはくらべものにならぬ、生《お》い先のみえて美しい少女である。髪は扇をひろげたようにゆらゆらして、顔は、泣いたあとらしく赤らめ、尼君のそばに来た。

「どうしたの？　子供たちと言い争いでもしたの？」

といいながら見あげた顔とすこし似ているのでこの人の子だろうか、と源氏は思う。

それにしても――この少女は、どこかで見たことのある心地がする。この少女のみめかたちは、だれかを思い出させる。

春の夕ぐれ、源氏は熱心に、小柴垣のかげからうかがっていた。

「雀《すずめ》の子を、犬君《いぬき》が逃がしてしまったの。伏籠《ふせご》の中に入れてあったのに……」

と美しい女の子は残念そうにいった。少納言《しょうなごん》の乳母《めのと》と人が呼んでいるおちついた中年婦人が、

「またあのうっかり者が。雀はどちらへ逃げましたの。よく慣れて可愛《かわい》くなっていましたのに。烏《からす》などにみつけられてはかわいそうですわね」

と立っていった。

尼君はためいきをついた。

「どうしてあなたはそう幼いの？　生きものをとじこめて飼うことは、罪ふかいことと、いつも教えていますのに……いらっしゃい、ここへ」

と招くと、美しい女の子は素直に坐《すわ》った。

おもざしが非常に愛らしくて、眉《まゆ》も匂《にお》うばかり、子供っぽく無造作にかきわけてある額《ひたい》の髪のありさまなど、いいようなく美しい。

源氏は目をそらすことができなかった。（似ている……どうしてああまで……。あ

のいとしい女《ひと》のおもざしに、あまりにも似通っている）そう思うだけで、はや源氏の心の中に、藤壺《ふじつぼ》の宮に対する、熱いにがい涙が滴《したた》り落ちてくるのであった。その涙の熱さは思慕の熱さであり、苦《にが》みは、あう手だてもない苦痛のためである。

尼君は、女の子の髪をかきなでて、

「梳《と》くのをうるさがるけれど、いいお髪《ぐし》ね……。あなたがあんまり子供子供しているので、おばあちゃまは心配ですよ。亡《な》くなったあなたのお母さまは、十二のとしに、おじいさまに死にわかれたのだけれど、そのころにはちゃんともう、物をよくわきまえておいでだった……あなたみたいにがんぜないと、もし、おばあちゃまが亡くなったらどうなるのかしら……おばあちゃまは死ぬにも死ねない気持ですよ」

と涙ぐんでいるのをみて、源氏も悲しく思った。女の子も、幼な心に悲しく思うらしく、しょんぼりと首をかしげている。するとはらはらと、こぼれかかる髪が美しい。

僧都が別棟からやってきて、

「おや、端近《はしぢか》なところにいるんですね。この山の上の聖《ひじり》の寺に、都から源氏の君がお忍びで療養に来ていられるそうですよ。……ひと目拝見したら寿命が延びるような、という評判の方ですから、どりゃ、私もご挨拶《あいさつ》申上げてこようか」

「まあ、そうでしたか。……何も知らずに端近にいましたが、誰かにのぞかれはしなかったかしら」

と尼君はいい、誰かが御簾《みす》をおろした。

源氏は山の上の寺へもどったが、なるほど世の好色者《すきもの》どもが、ここかしこと、足をそらに出あるくはずだとおかしく思った。たまに都を出て旅すればこそ、思いがけずあんな美少女を発見できたのだ。意外な幸運であった。

それにしても、美しい少女だ。どんな身分の姫だろう……あの秘めた恋人のかわりに手もとに置いて、朝夕見ることができれば、どんなにうれしいか……と、源氏は思った。

僧都は都でも重く思われている、人がらのいい、りっぱな人であった。端正な態度で挨拶するので、旅の軽装でくつろいでいた源氏は、気恥ずかしくなるくらいである。

「同じ柴の庵ですが、私の方はいくらか涼しげでございます。ぜひお越し下さいませ」

と僧都が鄭重《ていちょう》に招くので、源氏は、もしやさっきの幼い美しいひとにもう一度会えないものか、と考えたりしながら、伴われていった。

なるほど、こちらはずっと風流に作ってある。月もない頃なので、遣水《やりみず》のそばに篝《かがり》火《び》を焚《た》き、燈籠《とうろう》には灯も入っている。源氏のために、部屋も美しくととのえてあった。

僧都はいろいろと物語をするが、源氏の知りたいのは、あの美少女のことである。

「ぶしつけですが、ここにいらっしゃる方はどなたですか。夢に見たことがありまして、思い合わせたのですが」

「だしぬけの夢のお話でございますな」

と僧都は年長者らしい余裕をみせて笑った。源氏の質問に、若ものらしい色めいた好奇心を察したのであろう。

「しかしご期待に副《そ》えなくてがっかりなさいましょう。年とった尼がいるばかりでございます。私の妹でございますが、早くに、夫の按察使《あぜち》の大納言に死に別れまして尼になっております。このほど病気になり、私を頼って山へまいっているのでございます」

「大納言には、たしか姫君がおありと伺いましたが」

と聞いたのは、源氏のあて推量であった。

「娘が一人ございましたが、早くに先立ちました。この子に兵部卿《ひょうぶきょう》の宮さまが通っていられたのですが、宮さまの北の方は権勢のある、なかなかやかましい方でいらして、姪《めい》も気苦労が多かったのでございましょう。物思いがこうじてみまかりました」

源氏は、さてこそ、と心にうなずいていた。ではあの少女は、兵部卿の宮の娘ではあるまいか。とすると、藤壺の宮と兵部卿の宮はご兄妹でいられるので、叔母と姪の関係である。

似通っているのも道理である。

源氏はなおもたしかめたくて、

「お気の毒なお話ですね……それで、忘れがたみのお子はいられないのですか」

とわざとたずねてみると、

「亡くなります前に生まれました。それも女の子でございます。妹の尼も、年が年でございますし、孫娘の行末《ゆくすえ》を、心ぼそく案じております」

源氏はうなずいたが、生い立ちをきけばきくほど、美少女に執着が増した。

「唐突な申しようとお思いかもしれませんが……」

と源氏は、思わず嘆願の口調になった。

「私に、その小さな姫君を托して下さるわけにはいきますまいか。……将来の結婚を前提として。ご承知のように、私も妻はもちますものの、心に染まず形ばかりのこと、私は独り住みのように暮らしております。非常識な、とお思いかもしれませんが、私も幼いころ母や祖母におくれ、さびしく育ちました。姫君のお話をうかがいますと、ひとごとと思えません」

「それはうれしいお言葉でございますが」

と僧都はおどろきながらも、若者の性急さをおしとどめるように、おちついて答えた。

「まだあの子供をご存じないからそう思《おぼ》し召すのでしょう。ほんの、幼稚な子供でございまして、とてもお話相手にすらなれますまい。まあ、あの子の祖母ともよく相談いたしましての上のことでございます」

源氏は気はずかしくなって、たって言葉を重ねることもできなかった。

その夜、源氏はひそかに尼君のもとまで行って、ねんごろに小さい姫のことを頼んでみたが、尼君も、ただいぶかしく不安に思うようで、取り合ってもらえなかった。

「そんな年頃では、まだないのですよ……これがもう少し年でもたけておりますれば、うれしい仰せでございますが、ほんの子供でございまして」

と柔かく婉曲《えんきょく》に拒まれた。尼君は上品な貴婦人で、源氏も心おかれるものの、しかしいまもしここで、あの姫を得られなかったならば、あとどんな悔恨が残るだろうと思うと、必死に勇気をふるっていってみた。

「どうかお笑いにならないで下さい。真剣に申すのです。私を、あの姫の、亡くなられた母君の代り、と思し召して私の手に托して頂けませんか。幼くして母を失った私の不幸な身の上を、そのまま姫君に見るようで、おいたわしくてならぬのです。決して浮かれ心で申すのではございませぬ。まめやかにお世話したいのです……」

尼君は青年の情熱をもてあまし、その真意をはかりかねて当惑していた。

美しい面立《おもだ》ちを曇らせて、

「孫の年ごろを、お思いちがいあそばしていられるのではございませんか？　あまりにも不釣合いな年ごろで……まだ人形あそびをしているような、いわけない童女《わらべ》でございますものを」

と、くり返すばかりだった。

明けゆく空はうらうらと霞《かす》みわたり、鳥たちはさえずり交す。花はとりどりに咲き乱れて地に散り敷き、錦《にしき》のようにみえ、鹿はそれを踏んで木立の間をたたずみあるく。

迎えに来た人々や、見送りの聖、それに僧都などが源氏をかこんで、花蔭《はなかげ》で時ならぬ宴となった。滝のほとり、岩蔭の苔《こけ》の上に並んで、人々は酒を汲《く》み交した。僧都にすすめられて、ひとふし琴をかき鳴らす源氏の姿は、老いた聖たちに涙を浮べさせるほど美しかった。

「この世の人とも思えませぬな」

僧都も涙を拭《ぬぐ》った。

少女の姫君は無邪気に、

「お父さまより、お綺麗《きれい》なかたねえ」

などというのである。

「それなら、あのお方のお子様におなりになりますか」

と女房たちがいうと、少女はうなずいて、

「ええ、いいわよ」

などというのだった。

それからはままごとでも、絵を描くときでも「源氏の君」というのを特別に作って、それには美しい着物を着せて大切にしていた。

山からもどって、宮中へ参内《さんだい》した源氏を、帝《みかど》は、

「すこし痩《や》せてやつれたのではないか」

と心配そうに仰せられた。左大臣も御前に伺候《しこう》しているときで、邸でしばらくご休息あそばしては、とすすめられる。いそいそとして、

「これから私がお送りしましょう」

といわれると源氏も、心すすまぬながら義父の気持に逆らいかねて同道した。左大臣は自分の車に源氏を乗せ、自身は下座《しもざ》に乗られた。

義父が源氏をたいせつにもてなし、かしずかれるのは、源氏への好意と愛情もさりながら、わが娘の可愛さにもよるのであろう。源氏は、左大臣の親心を思うと、せつなくて、心を動かされずにはいられないのである。

しかし、当の葵《あおい》の上《うえ》は、親や、源氏の深い心ざまを思いやろうともしない様子だった。

久しぶりの婿君《むこぎみ》のおとずれだというので、邸内は美々しく装《よそお》われて、人々のたたずまいにも華やぎがみなぎっているのに、葵の上は例のように奥へ引きこんだきり、出てこない。

父君の左大臣に強《し》いてすすめられて、しぶしぶ、源氏のいる部屋にはいってきた。まるで絵に描いた姫君のように、静かに座につき行儀よく端座して、身うごきもしな

いかたくるしさに、源氏は物さびしく興ざめな思いがした。いまにはじまったことではないけれど、山ごもりのこと、山路の面白かった話などもしてみて、先方がいちいち反応してくれたらどんなに張り合いある夫婦の仲かと思う。

いつまでも源氏にへだてを置き、うちとけてもみせず、年は重ねてもよそよそしい他人行儀な妻を、源氏は淋《さび》しく思うのであった。

「折々は、世間ふつうの夫婦らしいようすもみせてもらえないだろうか……病気で苦しんでいたのを、いかがですか、ぐらいは声をかけて下さってもいいのに、それすらいわぬ人だね。まあいつものことだが、やっぱり恨めしく思うよ」

というと、葵の上はやっと口を開き、

「あなたはいかが？　長いこと、ここへもいらっしゃらなかったくせに」

と流し目に源氏をみていう顔の、けだかい、ひややかな美しさ。

「たまにいうと、それですか。夫婦は年月がたつほど情愛の深まるものと聞いているのに、あなたはいよいよ私を軽《かろ》んじられるようだ。どうすれば、あなたのお気持をやわらげ、私に心をひらいて下さるかと、私はこれでも、ああも試《ため》し、こうもこころみ、さまざま気を使ってきたのだが、年を重ねるほど、あなたは私を疎《うと》み、よそよそしくなってゆく。……まあいいだろう。長生きしていれば、いつかはわかってもらえると思うのだが……」

源氏は寝所にはいったが、葵の上はすぐには入ろうとしない。源氏がうながしても、返事もない。源氏は気重く横になり、いぶせくたれこめるわが心をもてあましている。そして考えるのは、あの北山の草庵《そうあん》でかいまみた美少女のことであった。ひとめ見て思わず微笑をさそわれるような、明るい愛くるしい少女のすがた、おもざしであった。

源氏は都へもどってすぐ、僧都と尼君のもとへ手紙をもたせた。尼君へは、

「あの折は、思うことも充分言いつくせず残念に存じました。なみなみならぬ私の誠意をお汲みとり頂けたら、どんなに嬉《うれ》しいかと存じます。

〈おもかげは身をも離れず山ざくら　心のかぎりとめて来《こ》しかど〉」

姫君の面影は身にそって離れない。私の心はすべて姫君のもとにおいてきたけれど、というような意味のうたである。

尼君は、源氏の手紙が、筆蹟《ひっせき》といい料紙《りょうし》の心くばりといい、みごとなので、返りごとをするのも気はずかしく思ったが、こう書いた。

「たわむれのお言葉と存じ、さだかなお返事も申上げられませんでしたが、ごていね

いなお文《ふみ》を賜わり恐縮しております。なにぶん孫はまだ手習いも充分にできぬ年頃ゆえ、おゆるし下さいませ。それにつけましても、

〈嵐《あらし》ふく尾上《をのへ》の桜散らぬ間を　心とめけるほどのはかなさ〉」

桜の散らぬ間ばかり、お心をとめていられるのが、いかにも頼み難う存じます、というほどの意であろう——思いつきの今だけを熱心に言い寄られるのでしょう、さていつまでつづくお心やら……という、年輩者らしい批判もそこに籠《こ》められていた。

僧都からの返事も同じようで、源氏は残念でならず、二、三日してまた惟光を使者に立てた。

「少納言の乳母《めのと》という人がいるはずだ。わけの判った人だから、会ってくわしく、こちらの誠意を話してくれ」

と源氏はいった。

惟光は、（さてもまあ、まめな方だ。女性《おんな》のこととなると全く、なさることが早いんだから——まだあの姫は、ほんの子供だったじゃないか）と、自分もともに北山でかいまみた美少女のことを思い出しておかしくなった。

惟光は少納言にあっていろいろと話した。弁のたつ、心利《き》いた男なので、源氏の人柄のまじめさ、源氏の姫君に対する熱意をくわしくしゃべった。小さい姫を今後、生

活全般、物心両面にわたって面倒を見、一人前に生し立《おお》てて、しかるのち、機が熟し、心がよりそい、まわりも祝福し、神仏も嘉《よみ》したまうこととなれば、結婚したいという、ねんごろな源氏の心持を伝えた。

しかし、尼君のほうは、孫娘の幼さを思い、今からの結婚申込みなどとは非常識なように考えられて、現実感で以《もっ》てうけとりにくいようであった。僧都も同じことで、

「ともかく、尼君の病気が、少しでもよくなったら京の邸へ帰りますゆえ、お返事はそのときにでも——」

ということだった。源氏は心もとなく思った。

藤壺の宮は、かるいご病気で、宮中から里方のお邸へ退《さが》っていられた。帝がご心配になっていられるのを拝見するにつけても、源氏の心は痛むのであるが、しかし、この機会《おり》をはずしては、いつまたお目にかかれようか、と暗い情念が、源氏をつきうごかす。

いまはもう、妻のもとへも、他の恋人たちのもとへも足を向けない。源氏は心もそらに夢中で、宮中でも二條の邸ででも昼は物思いにくれ、夜になると、王命婦《おうみょうぶ》を責めあるいて手引きを迫っていた。

王命婦は負けた。

源氏のいちずな恋のあわれさと懊悩《おうのう》に負けた。源氏が憔悴《しょうすい》した顔で王命婦の裾《すそ》をとらえてはなさず、低い声で懇願しつづけるのに心打たれた。

「ようございます……」

王命婦は、ちいさくうなずいた。自分はもとより、源氏も、そして藤壺の宮をも捲《ま》きこむ破滅を賭《か》けた、恐ろしい逢瀬《おうせ》なのだが……。

王命婦は自分の胸ひとつにおさめて、多くの人目をさかしくかすめ、ひそかに手引きして源氏を、宮のおやすみになっていらっしゃる御寝所にみちびいた。

「あさましい夢をみているような心地がされます……」

と宮はお泣きになった。源氏は胸が迫ってものもいえず、宮を抱きしめるばかりである。

いまこうしてわが腕の中に宮がいられるのは夢ではないか、あまりに日夜、恋いこがれていたために、願望が幻となって自分をまどわせているのではないかと思われたが、わずかな灯影《ほかげ》にみる宮の美しい面輪《おもわ》は、現し身《うつみ》のものであった。

「いつぞやの夜の想《おも》い出だけをたよりに、私は生きてまいりました」

と源氏は、宮のおん胸に顔をうずめながらいった。

「わたくしには、あの想い出は、つらい責苦でございました……もう二度と、おそろしい罪は重ねるまい、と決心しておりましたのに……」

宮は、悲しそうにいわれる――そのお声のなつかしさ、お言葉のしらべのおやさしさ。

「ああ、あなたと現実にお会いできたのですね、やはりこれは夢ではないのですね……」

と源氏は嬉しさが心に奔騰《ほんとう》して、このよろこびには、のこる生涯のすべてを引き換えにして悔いないと思った。

宮はこんな仕儀になったことをたとえようもなく心苦しく、悲しく、切なく思し召されているらしかった。そのせいか、かるがるしくうちとけてもみせられず、しかしそうはいっても、生来のおやさしいお心から、源氏をかたくなにもお拒みにならない。

思い屈し、なげきながら、柔かく身をゆだねていらっしゃるたたずまいが、源氏には、この上なくいとしく（ああ、どうしてこうまで、この方はすばらしいのだ……理想の女、女そのもののようなひとだ……）と讃嘆《さんたん》される。宮はとぎれとぎれに、

「恐ろしいあの罪の夜の想い出に、苛《さいな》まれながら、それはそれでおちついて、平和な日を送っておりましたのに……思いがけぬ罪をまたもや重ねてしまいました。この上

のお慈悲は、わたくしが一生を賭けてこれから罪のつぐないをしたいという決心に、あなたもともにお力をお貸し下さることでございます……」

といわれる。

「私は、そんなつれないお言葉に、力をお貸しまいらすことはできません」

源氏は宮の黒髪を指で梳《す》いていた。

「もう一度……いや、二度、三度。三度めには四度、五度となるだろう。お目にかかりたい。……愛が、着物のように季節ごとに衣更《ころもが》えできるものならば、また自分に似合うか似合わぬか、身にひきあててみて、捨てたり取り上げたりできるものならば、私は疾《と》うに、あなたを思い切っています。思い切れぬ、あきらめきれぬこの宿世《すくせ》を、何とごらんになる」

源氏の情熱は、このたおやかな貴婦人には兇暴《きょうぼう》に思われるほど、手荒かったかもしれない。宮は、嵐に揉《も》まれる花のように、源氏に踏みしだかれ、散らされた。

「暁方《あけがた》、雨が通りすぎてゆきました……ご存じですか？」

青年は低くささやいた。外はまだ暗かった。

「いいえ」

宮はもの憂《う》げに瞑目《めいもく》したままお答えになった。

「あなたはしばしし、よく眠っていらした。まるで美しい死者のようだった」

「わたくしが？」

「そうです。かならずお目ざめになるという確信がなければ、私もおくれをとらず死のうかと思うほど、あなたの寝顔は死顔に似ていられた」

「不吉なことを。光の君さまは、わたくしにお逢《あ》いになると、きまって、死や地獄や罪の話を弄《もてあそ》ばれるのですね」

「あまりに幸福なとき、人は不幸を連想するのです」

「死ぬときは、二人はべつべつでしょうに」

「その代り、生きているかぎりはおそばに」

と青年はいっときの間《ま》も惜しむように、宮の唇を、唇で封じた。源氏の軀《からだ》に、宮のおん指がつよくくいこむのがわかる。

（ああ、けだかい率直さをもったかただ……）

このひとを放したくない、この夜が明けねばよい、と青年は念じる……しかし、王命婦が、青年の直衣《のうし》などを抱えてやってきた。わかれのときがきた。

源氏は二条邸に帰って引きこもっていた。短い逢瀬は、悩ましさと惑乱を増すばかりであった。わが身をもちあつかいかねるまで苦しく、人知れず哭《な》いた。どんな魔に魅入られて、叶《かな》わぬ恋、道ならぬ恋に身を灼《や》く運命をえらびとったのか、起きても臥《ふ》しても、宮恋しさのほかには考えることもできない。

手紙をさしあげたが、いつものように王命婦から「ごらんになりません」と、そのまま突返されてきた。青年は天を仰ぎ地に伏しまろんで号泣したいほどの悲しさである。

宮中にも参内せず引きこもっているので、帝はご心配になっているであろうと思うにつけても、そら恐ろしい心地がされる。

藤壺の宮もまた、嘆きまどうて日を過ごしていられた。

宮中からはひまなく帝のお使いがきて、病気が癒《なお》ったら早く参内されるように、と促してこられる。宮はうつうつと迷っていられるうちに、折々、ご気分の悪いことがあった。

暑い折ではあり、臥したまま、夏をおすごしになった。

宮は、ご自身ではそれとおわかりになっていられて、(なんという辛《つら》い宿世のわが身であることか)といっそう、思い乱れ給うた。

三月《みつき》になると、おそばの女房も気付き、なぜ今まで帝にご内奏あそばされなかったのか、とふしんに思った。物の怪《け》のせいで、ご懐妊の御気配がみえなかったように、帝には奏上したようである。世の人も、そう思うようだった。

帝には、身籠《みごも》られた宮をことのほかいとしく、こよなく思われるらしく、ねんごろなお使いが度々くるが、その深いお志に対しても宮は、身もすくむばかり辛く、憂く思われた。

御湯殿《おゆどの》に近く奉仕して、昔から何事も宮のご様子にくわしい、乳母子《めのとご》の弁や王命婦などは、さすがに異《い》なこと、と内心、衝撃を受けていた。お里帰りは早い頃だったのに、時期が合わない。しかしかりにも口外すべきでない事なので、胸におさめて黙っていた。

王命婦には、すべてわかった。宮のご宿命のお気の毒さが思われるにつけても、その原因を作ったおのが罪の深さにおののかずにはいられない。彼女は、この秘密をかたく守って、墓場までもってゆく決心をした。

その頃、源氏はただごとでない夢をみることがあった。夢解きの者を召して尋ねてみると、あり得ぬ意外なことをいった。

「この夢をご覧になった方は帝王の父となられましょう。しかしその前に逆境におちいられることが起こりましょう」

源氏は「人の夢だ。口外するな」といったが、宮ご懐妊の噂《うわさ》をきいて、もしやと思い当った。いま一度宮にお目にかかりたいと言葉をつくして王命婦をかきくどくが、王命婦はおそろしく煩《わずら》わしく、また、こんな場合であるから、もし人目についたらと り返しのつかぬことになる。いかに源氏に同情しても、王命婦にはどうしようもなかった。

七月に、宮は参内された。面痩《おもや》せして、おなかがすこしふっくらとなされた宮に、帝は今までにまして深い愛をそそがれる。藤壺御殿の方にばかりいらして、管絃《かんげん》のあそびをもよおされ、そのときには、御愛子の源氏を必ずお呼びになった。

源氏は帝に命じられて笛を吹きながら、わが思い御簾《みす》のうちの佳《よ》き女人《ひと》にひびけと、心をこめた――たれこめた御簾のうち深くいる人は、その哀切な音色を悲しく切なく聞いた。

山寺の尼君は病気がややよくなったので都へ帰ってきた。源氏は尼君の京の邸をたずねあてて、幾度も手紙を出したが、かえってくる返事はいつも同じだった。それも当然であろうし、何よりこの何か月かは、藤壺の宮に対する思慕と惑乱にあけくれて、忘れるともなく、ほかのことはなおざりになっていた。

秋も末になった。月の美しい晩、源氏はやっと、うち絶えたままになっていた情人たちをたずねてみようかという気になった。御所からの帰り、六條京極《ろくじようきようごく》はすこし遠い気がしたが、六條御息所《みやすんどころ》をたずねるつもりで出かけた。

その途中、荒れた家の、木立なども古びて暗いような家があった。おそばに去らずの供の惟光《これみつ》が、これが按察使《あぜち》の大納言のお邸です、という――あの尼君の邸なのである。尼君はひどく弱っていられて、少納言たちは心細がっているらしい、と源氏に話した。

「哀れなことだ。どうして早くそれを言わなかった。……よい折だ。お見舞いに上った、と申せ」

源氏は惟光にいいつけて、車をとどめさせた。

惟光は気を利かせて、わざわざ源氏が尼君のお見舞いにきた、というふうに案内させたので、邸内の女房たちは、突然のことにおどろき、恐縮した。尼君はとても、対面できるような容態ではないのだが、源氏をかえすことも恐れ多いし、というので、あわただしく南の廂《ひさし》の間《ま》をとりかたづけて、源氏を通した。

「いつも心にかかって、お見舞いをと思いながら、どうもついつい、れいの姫君のことで、はかばかしいお返事が頂けませんので、私も気がひけて、うかがえませんでした。お具合がこうもよろしくないとは存じませんで」

源氏のねんごろな挨拶を、尼君は御簾の奥ふかく臥したまま聞いた。少納言に返事を托して、「お目通りしてお見舞いのお礼も申上げられないのが残念でございます。私ももう長くはございませぬ。孫娘のことばかりが気になりまして……もしこの先もお心が変りませせなんだら、あの子が大きくなりましてから、どうぞよろしくお願いします」と、とぎれとぎれにいうのも、心ぼそげであった。

尼君の切ない心は、源氏には痛いほどわかった。青年は言葉をつくして、小さな姫君に対する真情を誓った。それにつけても、いまひとめ、あの愛らしい姫に会いたかった。

「あの、あどけないお声だけでもお聞かせ願えないでしょうか」

と源氏がいうと、もうおやすみになっていらして、と女房たちは困ったふうに答えた。

そのとき、向うからかわいい足音がして、

「おばあちゃま。あの山のお寺にいらしていた光源氏の君さまがおいでになったのでしょ。どうしてお会いにならないの」

と無心に少女はいう。女房たちは当惑して、

「お静かにあそばせ」

と小声でたしなめていた。

「だって、光の君さまを拝見したら気分の悪いのがなおったと、おっしゃっていたもの」

と、姫君は、よいことを知らせてあげたと思っているようだった。源氏はその無邪気さにほほえまれたが、女房たちの困っているのが気の毒なので、聞こえぬふりをして、尼君にやさしい言葉をのこして辞去した。

（全く、ほんのねんねだなあ……あのくらいの頃から心をこめて躾《しつ》けて、理想の女に仕立ててみたいなあ）

などと、源氏は帰る道々、思ったりした。

十月には朱雀院《すざくいん》に行幸《ぎょうこう》がある予定で、宴の舞人《まいびと》にえらばれた名門の公達《きんだち》たちは、それぞれ技芸の習練にいそしんでいた。源氏もそのあわただしさにまぎれていたが、尼君の病があらたまり、再び北山の僧都《そうず》のもとへおもむいたと聞いたので、使者をたてて見舞いをいった。僧都の返事には「先月の二十日、妹の尼はとうとう亡くなりまして」とあった。

源氏は世のはかなさが思われるにつけてもあの小さな姫はどう過ごしているかと、もはやひとごとと思えぬのであった。心をこめておくやみの手紙を書いた。少納言からたしなみのある、ゆきとどいた返事がきた。

忌中がすぎて、小さい姫君は京の邸へ帰ったと聞き、源氏はさっそく出かけていった。

ひとしお荒れまさってみえる邸で、少納言は源氏の訪れに泣く泣く、尼君の臨終の様子など話して聞かせた。源氏も物悲しい心地に誘われながら、彼女のくりごとを聞いた。

「お父宮さまのお邸へ姫君をお引き取りになろうかというお話もございましたが、姫君のお母さまが辛い思いをなさったご本邸の北の方さまのお手もとへ、ねえ……姫君をお渡し申上げるのも心許《こころもと》なくて。それに、姫君も中途はんぱなお年頃で、却《かえ》って赤児《やや》さまか、もうおとなでいらしたらよろしいんでございますが……。あちらのお腹ちがいのお子さまにまじってお育ちになるのも、おいたわしいことでございます。亡くなられた尼君も、それをお嘆きでございました……」

「だから私を姫の御後見にして下さいと申しているのです。姫を可愛くてならぬと思うのも、前世の契《ちぎ》りのような気がするのだが……」

「お心は嬉しゅうございますが、これで姫君が、もう少しお年たけていらっしゃれば、ねえ……何といっても幼くていらして」

少納言はそればかりいって残念そうだった。

姫君は今夜も、おばあちゃまを慕って泣いていたが、遊び相手の童女たちが、

「お姫さま。直衣を召した人がいらしています。お父宮さまのお越しですよ、きっと」

というので起き出してきた。

「少納言。直衣をお召しになっていらっしゃるかたはどこなの？　お父さまなの？」

といいつつ近づいてくる声が実に愛らしかった。源氏の心は喜びに明るんだ。

「お父上ではないが、よその者ではありませんよ。こちらへいらっしゃい」

というと、姫君はびっくりして、乳母《めのと》の少納言に身をすりよせ、

「あっちへいって寝ようよ。ねむたいの……」

とささやく。源氏は微笑した。

「今更、なんでお逃げになる――私の膝《ひざ》の上でおやすみなさい。もっとこっちへきて」

「この通り、ほんの赤児《やや》さまなんでございますよ」

少納言は、源氏の方へ姫君を押しやると、姫君は無心にされるままに坐った。源氏は几帳《きちょう》のかなたへ手をさし出して探ってみると、なよらかな着物に、髪がつやつやとかかって、端はふさふさしている。さぞ美しいであろうと思われた。小さな手を捉《とら》えると姫君はなれない人がこうもそば近く寄ったのがおそろしく気味わるく、

「寝ようというのに……」

とあらがって、むりに奥へ入ろうとする。

源氏はすかさず、共々、几帳の内へすべりはいって、

「これからは、私だけが、あなたを可愛がる人なんですよ。——仲よくしようね」

少納言は困りきっていた。

「まあ、何をあそばすのでございます。何をおっしゃったとて、さっぱりおわかりにもなりますまいに」

源氏は笑った。

「心配するな、少納言。いくら何でも、こんながんぜない年頃の姫を、私がどうするものか。私の誠意だけを見て頂ければいいのだ」

外は霰《あられ》が音たてて降っており、物凄《すさ》まじいような、荒れた空だった。

女・子どもばかりの心ぼそいわずかな人数で、どうしてこんな恐ろしげな夜を過ごせよう、と源氏は立ち去りがたくなっている。

「御格子《みこうし》をおろせ。物恐ろしい夜ではないか。私が宿直人《とのいびと》になろう。姫君がお淋しくないように、みなみな、近くへ寄るがいい」

と、馴《な》れたさまで、寝所の御帳台《みちょうだい》のうちへ姫君を抱いてはいった。

あ、なんというご無体なことを、と女房たちは狼狽《ろうばい》し、困惑した。少納言は胸のつぶれる思いで、まああつかましいことをなさる方だと腹立たしいが、はしたなく咎《とが》めることもできず、ためいきをつくばかりである。

姫君はただ恐ろしく、どうなることかとおびえてふるえていて、美しい肌も寒そうである。源氏はそのさまも可愛くてならない。

単衣《ひとえ》だけで美少女をくるんで、寄り添って臥しながら、源氏は、われとわが心がうしろめたく、こうした仕打ちも、弁解できぬ理不尽なことと自覚しているのだが、どうにもとどめることができぬのである。

わが腕の中に抱く可憐《かれん》な美少女が、かの恋しい藤壺の宮にそのままの面ざしなのに、源氏は心みだされる。この小さな姫君が愛らしく恋しく、掌中の宝珠《ほうしゅ》のように思え、しっかりと抱きしめて、やさしい言葉を耳に吹きこむ。

「私のうちにいらっしゃい。面白い絵や玩具《おもちゃ》もたくさんありますよ。ままごともできますよ。お友達もいるし」
と少女の喜びそうなことを親しみぶかくいうさまに姫君も、いつしか恐怖感はうすれたらしかった。それでもさすがにおちつかず眠ることもできぬようで、源氏の腕の中でみじろぎしながら、夜をあかした。乳母の少納言は心配で心配で、すぐ側《そば》ちかくに控えていて、これもまんじりともしなかった。

霧ふかく霜の白い朝、源氏は邸を出た。

まるで情人のもとからかえるような趣きだと源氏は興がりつつも、さすがにあいてががんぜない童女なのを物足りなく思うのであった。

女房たちは源氏の君にお泊まり頂かなかったら、ゆうべのような嵐の晩は、どんなに怖《おそ》ろしかったでしょう、とささめいていた。同じことなら、姫君が源氏の君にお似合の年恰好《としかっこう》で、愛人として通っていらっしゃるのなら、どんなによかろうに、といい合ったりした。

源氏は少納言にいった。

「こんな淋しい所へもう一日も姫君を置けないよ。私の邸へお引き取りしたいのだがね」

「お父宮さまもそう仰せになるのですが、四十九日をすませてから、と思し召すようでございます」

「お父宮といっても離れて暮らしてらしたから、親しみはおありにならないだろう。私の方が姫君への志は深いはずだよ」

源氏は姫君の髪をかき撫《な》でて、いくどもふり返りながら去った。

愛らしい姫君の姿が目にちらついて忘れられない。姫君に手紙を書こうと筆をとったが、これをしも後朝《きぬぎぬ》の文《ふみ》というのであろうけれど、ふつうの情事の相手とちがい、幼い童女に与えるものなので、さすがの源氏も筆をとったまま、按《あん》じていた。

思い屈しつつ、いたずら書きに、手もとの紙に書きつけてみる。

〈手に摘みていつしかも見む　むらさきの　根にかよひける　野辺の若草〉

はやくこの手に摘みたい。藤壺の宮のゆかりに繋《つな》がるあのわかわかしい姫を。

あの幼いひとを、誰の手にも渡したくない、という思いが源氏の胸に熱く燃える。

そうだ、藤壺の宮に通わせて、あの姫を「紫の君」と呼ぼう。

紫の姫君の邸に、父宮がおいでになった。

荒れた邸に、人少なで淋しげに姫君がいるのをごらんになって、

「やっぱり私の邸に引きとろう。何も気がねなことはないよ。同じような年ごろの姫たちもいることだし、ここよりずっとにぎやかで楽しいよ」

と姫君の髪をかきなでていわれる。姫君の衣《きぬ》には、源氏の移り香がなまめかしく染《し》みていたが、もとより父宮は源氏が訪れたとは知るよしもおありでない。

「おう、いい匂いをたきこめているね……でも着物も古びてしまってかわいそうに。あちらの邸へもよこして下さいというのに尼君はおきらいになったから、この姫はしぜん、あちらの人々とも疎くなってしまった」

とふびんそうにいわれた。

「お移りになるのは少し落ちつかれてからでよろしゅうございましょう。今のところは夜ひる、おばあちゃまを慕っていらして、ものも召し上らぬほどでございますよ」

と、乳母の少納言はいわずにいられなかった。姫君はすこし面《おも》やせて、却って上品に美しくみえた。

「おばあちゃまはいられなくても、お父さまがいるのだから、心細がらなくてもいいよ」

父宮はやさしくなぐさめられるが、日が暮れて本邸へ帰ろうとされると姫君はしく

しくと泣き出し、父宮も思わず涙ぐまれた。

「これはいけない。こんな小さな子をひとりにしておけない。今日明日にでもお迎えにくるからね、いい子でいるんだよ」

父宮はさまざまに姫君をなだめておかえりになった。


源氏は左大臣邸にいたが、今宵《こよい》も葵の上は何に拗《す》ねたか、引きこもったまま、そばへも来ない。源氏は、あれこれと言葉をつくして妻の機嫌《きげん》をとるのもわずらわしくなるのであった。気ぶっせいなままに、和琴《わごん》をかきならして、小さい声で、「常陸《ひたち》には田をこそ作れ、あだごころ……」という、はやり唄《うた》を口ずさんでいた。

惟光が使いから帰ってきた。紫の姫君の邸へ、源氏の手紙をことづけたのである。

「どうだった、あちらは」

と源氏は、とみにいきいきして身をのり出してきいた。

「たいへんでございます、お父宮さまが姫君を明日、お邸へお迎えになるそうで、少納言たちはその用意に追われておりました」

「父宮のもとへ……」

源氏はがっかりしてしまった。

惟光は実のところ、あわただしい内にも少納言といろいろ話していたのであるが、それは源氏には告げなかった。少納言は、源氏が姫君のもとへ泊まったと父宮が耳にされたら、どれだけご立腹になるかもしれない、と困っていた。父宮のお邸へ引きとられるのも、姫君の苦労をまざまざと見るようでおいたわしいし、さりとて、このままでいらしたら源氏の君が通って来られたなどと、妙な噂が立つと嘆いていた。

惟光は、源氏と幼い姫君が、どんな風な一夜をすごしたのか、さっぱり要領を得なかった。どうしてこうまで主人が、いとけない少女に愛恋しているのか、さすがの惟光もはかりかねて、少納言の困惑を尤《もっと》もだと思った。

（あのとき、自分は一つの決心をした。どんな運命をも甘受して藤壺の宮に、愛を打ちあけようと決意した。しかしいま思えば、あのときの決意は、何か魔物につき動かされるような無我夢中の行動だった。しかしいま、自分は醒《さ》めている）

と源氏は煎《い》られるような焦燥感の中で考える。

（はっきり決意して、行動を撰択するのだ）

もう猶予《ゆうよ》はならなかった。人の生涯で二度とあるかないか、という勇気と決断を要求されるときであった。

奪おう。あの姫を。

源氏は決心して身を起こした。

「惟光」

「は」

「車を。随身《ずいじん》は一人二人、支度させよ」

「かしこまりました」

惟光がいそいで去ると、源氏は妻の部屋へいき、二條邸で急用があるので出かける、すぐ戻るから、といった。

葵の上は、どうせ浮気沙汰《うわきざた》の忍びあるきであろうと思うのか、はかばかしく返事もしない。

まだ暗い夜あけ、姫君の邸に着いた。

「まあ、こんなにお早く、どちらからのお戻りでございます」

少納言も、源氏が浮かれ歩きの帰途たちよったと思うらしい。

「姫君がお父宮のもとへ移られると聞いて、ひとことご挨拶したくてね」

「それはそれは。でも、うまくお返事がおできになれますかしら」

と少納言は笑ったが、源氏がずんずん奥へはいるのですこし迷惑になった。

「お姫さまはまだおやすみでございますよ」

「ではお起こししよう。こんなに朝霧が美しいのに」

姫君は無心に眠っていた。源氏が抱きおこすと、寝呆《ねぼ》けてお父さまが迎えにいらしたのか、と思っているらしい。源氏は姫君の髪をかきあげて、

「さあ、いらっしゃい。宮のお使いですよ」

というと、はじめて姫君は、父宮ではないと気づき、びっくりして怖がるのである。

「弱ったな、私もお父宮も、同じことなのに。さあ……」

とむりやり姫君を抱きあげて寝所を出ると、惟光も少納言もおどろいて、

「やや、これは……」

「どう遊ばすおつもりでございます」

と同時にいった。

「私の邸にお連れする。父宮のもとへいらしたらもうお目にもかかれなくなってしまうからね。——誰か一人、ついてくるがいい」

「お待ち下さいまし、お父宮がお見えになったらどう申上げていいやら、私どもがこまります」

少納言は狼狽してとりすがった。

「よし、それならあとでまいれ」

源氏はかまわず車を寄せさせて、姫君を抱いて乗りこむ。少納言はおろおろするばかりであったが、しかたなく、とりあえず昨夜縫い上げたばかりの姫君の衣裳《いしょう》を持ち、自身もいそいで着更《きが》えをして、車に乗った。

二條邸は近いので、まだ夜があけきらぬ内に着いた。源氏は西の対《たい》に車をつけ、姫君をかるがると抱いておろした。少納言は夢でも見ている気がする。呆然《ぼうぜん》として、

「私はどうしたらよろしいのでございましょう」

というと、源氏はさわやかに笑った。

「それは心まかせだ。ともかく姫君はお連れしてきてしまったのだからね。君が帰りたいというなら送らせるよ」

少納言はしかたなく車をおりた。父宮のお叱《しか》りも苦のたねであるが、それ以上に、姫君のゆくすえはどうなられることやら、あわれで思わず涙がこぼれ、不吉な、とわれとわが心をいましめて、涙をこらえていた。

西の対は、ふだん使われていないたてものであったから、惟光を呼んで、源氏は御帳台や屏風《びょうぶ》を据えさせ、東の対から夜具をとってこさせて、姫君を抱いて添《そ》い臥《ぶ》しする。

姫君はどうなることかと、おそろしがって震えていた。

「少納言のところで寝るの」

とあどけない声で、ちいさくいう。

「こんなお年になれば、もう乳母と寝るものではありませんよ」

源氏はしっかりと姫君を抱いて、耳もとへやさしくいう。姫君は心ぼそく泣き出し、乳母は気が気でなく、そば近く詰めて夜をあかした。

しかしあけゆくままに、あたりを見廻して乳母はあっと思った。

御殿のありさま、邸内のたたずまい、眼を奪うように善美をつくしてあった。庭の砂もまるで玉を敷いたようで輝くばかりである。

源氏は洗面の道具や、朝食なども、こちらへ運ばせる。召使いたちは、

「いったいどなたを連れていらしたのか。なみなみのご婦人ではあるまい」

などと、ひそかにささやき交していた。

「お仕えする女房たちをそろえなければ。それに、お遊び相手に、小さい女の子がいるね」

と源氏はいってたのしそうである。

日が高くなってから、源氏は、姫君を起こした。

「いつまでもご機嫌をそこねていてはいけないよ。……いいかげんな心持の人間なら、こんなことはしない。あなたを思えばこそ、だからね。女は、心がやわらかで素直なのがいいんだよ」

と、はや今から教育をしているのである。姫君は近くでみると、離れてみたのよりも美しくてかわいい。面白い絵や玩具などをとりよせて、少女のあそび相手になった。

姫君はやっと機嫌を直した。喪服の萎《な》えたのを着て、無邪気にほほえんでいるのが、源氏にはえもいえずかわいい。

源氏は二、三日、宮中にも出仕せず、紫の君を手なずけるのにかかっていた。

姫君へ、そのまま手本になるように、と思い、字や絵をかいて与えた。手蹟《しゆせき》も自分の思うように美しくあってほしいと望むからであった。

〈ねは見ねどあはれとぞ思ふ武蔵野の　つゆわけわぶる草のゆかりを〉

と源氏は紫の紙に書いた。まだわがものとしていないけれど、恋しくなつかしく思う若草の君よ。かの藤壺のゆかりの人よ、というような心である。

「さあ。あなたもお書きなさい」

と姫君にうながすと、

「まだ、よく書けませんもの……」

と源氏を見あげた幼い顔が、無心に美しい。源氏はほほえんで、

「上手にかけないといって、かかないでいてはだめだよ。教えてあげるから、……」

というと、姫君はむりに背を向けて書いている。そのありさまが、愛らしくてならず、心さわぎするほどである。

「書きそこなってしまったの」

と恥ずかしげに隠すのを、源氏はむりにみると、

〈かこつべき　故《ゆゑ》を知らねばおぼつかな　いかなる草のゆかりなるらん〉

どうしてわたくしをかわいがって下さるのか、わかりませんわ、どんな、ゆかりがあってのことでしょう、というような意味でもあろうか、上手になりそうなふっくらした字で、亡き尼君の手蹟に似ている。うまく現代風の手本を習わせたら、上達しそうであった。

　父宮は、姫君が行方不明になられたのを悲しくお思いになった。乳母がどこかへ隠したのだろうと、がっかりなさった。継母《ままはは》の北の方も、せっかく自分の手で引きとって育てようといきごんでいられた所なので、残念がっていられた。

　そのころ、姫君はもうすっかり源氏になついて、源氏の膝に乗ったり、ふところに

抱かれて寝起きしていた。源氏はこよない愛の対象が出来た思いで朝も夜も離れられない。

露しとゞ廃苑の

末《すえ》摘《つむ》花《はな》の巻

源氏は夕顔を失った悲しみを、年月経《へ》ても忘れることはできなかった。

葵《あおい》の上《うえ》といい、六條御息所《みやすんどころ》といい、気位たかく身構えているような女人たちばかりで、源氏は気がおけて、心が安まらぬのであった。あの夕顔の、人なつこく、素直で親しみぶかかった人柄が恋しくてならなかった。

どうかして、もったいぶった身分ではなく、ただもう可愛《かわい》らしく、へだてのないような女をまた手に入れたいと熱望していた。それと思われるところへは文《ふみ》をやったりするが、たやすくなびく女が多く、源氏の興は薄れてしまう。手ごわくはねつけるような女でも、やがて折れたりして、源氏はやはり、空蟬《うつせみ》を思い出さずにはいられない。あの女は心にくい女だった。――それとともに、灯《ほ》影《かげ》で見た美しい軒端荻《のきばのおぎ》のことも名《な》残《ご》りおしく思われる。源氏はいったん愛を交した女のことは、忘れ去ってしまえない性質であった。

左衛門《さえもん》の乳母《めのと》といって、大貳《だいに》の乳母についで、源氏がしたしみなついた乳母がいたが、その人の娘に、大輔《たゆう》の命婦《みようぶ》という宮中に仕える女房がいる。浮気な若い女だが、源氏も宮中では召使っていて心やすい仲である。

彼女が耳よりな話をもたらした。

もう亡《な》くなられた常陸《ひたち》の宮に、忘れがたみの姫がいらして、いまは一人で心ぼそくお住まいだという。命婦は父の縁で折々、この邸《やしき》に伺うそうであった。

「姫君のお気立てやご器量はよくも存じません。ただもうひっそりと、人づき合いもなさらず、琴《きん》の琴《こと》だけをお友達としていらっしゃるようでございます」

源氏はそんな話を聞くと好奇心がきざした。

「琴《きん》・詩《し》・酒《しゆ》を三つの友とすというからね。まさか、姫君は酒は友とされないだろうが……。その琴の音《ね》をきかせてくれないか」

「さあ……そんなにご期待あそばすほどのものではないかもしれませんわ」

「そう気をもたせられると、よけい聞きたくなるよ。この頃は朧月夜《おぼろづきよ》だからちょうどいい。そのときは、君もあちらへいっていてくれ」

命婦は面倒な、と思ったが、宮中を下《さが》って姫君のお邸に伺っていると、源氏は約束どおり、十六夜《いざよい》の月の美しい夜、やってきた。

姫君は、梅の香のただよう庭をながめていた。命婦はいい折だと思って、

「こんな宵は、お琴の音もきっと冴《さ》えまさるかと存じますわ、いつもあわただしく出入りしておりますのでゆっくりうかがえませんのが残念で」

とすすめると姫君は素直にうなずいて、琴を弾《ひ》き出した。その素直さが命婦にはすこし心の底浅く思われぬでもない。

姫君のほのかにかき鳴らす琴の音を源氏は遠くで聞いていて、面白く思った。達者というのでもないが、荒れはてた淋《さび》しい邸に、ひとり物思いに沈みつつ棲《す》む姫君の琴の音と思えば、あわれに見捨てがたかった。

命婦は才気のある女だったから、あまり長く源氏に聞かせない方が奥床《おくゆか》しい、と思って、

「雲が出てまいりましたね。今宵《こよい》は客が来る約束でございました……のちほどまた、ゆっくり聞かせて頂きますわ。御格子《みこうし》をお下《おろ》ししておきましょう」

といって帰ってきた。源氏は、

「もう少し、という所で弾き止められたね。同じことならもっと近くで聞けないものだろうか」

「それはちょっと……物思いに沈んでばかりいられる方に、何だか悪い気がしますわ」

「私の気持をそれとなく、お伝えしておいてほしいのだがね」

源氏はそういいつつ、別の通《かよ》い所《どころ》へこれからいくらしく、たいそう忍んで出ていく。

命婦はそれを見てたわむれに、

「主上《うえ》が、あんまりまじめすぎるとご心配なさっているのが、おかしくて。こんなお忍びの浮気沙汰を、主上は夢にもご存じないのですもの」

源氏はそれを聞くと、二、三歩もどってきて笑った。

「誰のことだ、それは。君がそういえる柄《がら》かね。これを浮気沙汰というなら、君のはどういえばいいんだ」

源氏はかねて命婦の色ごのみをひやかしているからだった。

源氏が破れた透垣《すいがい》のところまで来ると、ついと男がそばへ寄ってきた。

「一緒に御所を退出したのに、私をおまきになったから、ふしんでお跡を慕ってまいりましたぞ」

というのは頭《とう》の中将だった。

「や、君か。驚いたな。尾行《つけ》てきたのかね」

「お一人歩きは危険ですぞ。これからは私をお供にお連れ下さい。恋の冒険というのは、お供の機転がきくのときかないのとでは、ずいぶんちがうものです」

中将は源氏の秘密を握ったと思い、得意そうにしている。何かにつけて張り合うこの親友同士は、恋の冒険でも、抜いたり抜かれたりして競い合っていた。しかし源氏は、かの頭の中将の思い者だった夕顔をひそかに盗んだことを、中将に対して得点をあげたように、心中思っていた。

それぞれゆくべき所はあったのだが、親友同士、冗談をいっているうちに離れがたくなって、一つ車に同乗して左大臣邸へ着いた。

月が美しいので、興を催して管絃《かんげん》のあそびに夜がふけた。

「あちらから、お返事はありましたか……私の方はさっぱりですよ」

とある日、頭の中将がさぐりを入れた。常陸の宮の邸へ源氏はあれから度々文を遣《や》っていたが、どうやら中将もそうらしい。

「さあ、どうだったかなあ」

と源氏はとぼけたが、実をいうと源氏の方へもなしのつぶてで、何だか妙な感じであった。世間の慣習からいえば、男がしばしば文をよこせば、女もついには一行二行でも走り書きして返事するものである。とりわけ、趣味ある女ならば、季節にふれ折につけて似合わしい感懐などをさりげなくのべ、恋の浮気のというよりも、ともに世の情趣を解する男女《おとな》として、縁《えにし》の糸をむすんでいくものである。そこから恋に発展すればそれでよし、かりそめの浮気もそれでよし、という所であろう。……それなのに、常陸の宮の姫君は、まるでぴたりと貝が蓋《ふた》を閉じたように、押してもついても、音沙汰《おとさた》もないのであった。

源氏はへんな人柄だなあ、という予感を持ったが、しかし頭の中将もなかなかの色ごと師なので、もしや中将の方が弁舌たくみにくどきおとしてしまったら残念だ、という気がしていた。最初に言い寄った源氏の方が捨てられた形になってしまうのが、いまいましいのであった。中将より先に、常陸の宮の姫君と、特別な間柄（必ずしも愛人関係という意味はなくてもよい）になりたかった。

しかし源氏がそのあと、病気に罹《かか》ったりしている間に春は終り、夏の間は藤壺《ふじつぼ》の宮への物思いにすぎ、むなしく日はたってしまった。

秋がめぐってくると源氏は、今さらのように、かの可憐《かれん》な夕顔がなつかしかった。五條の賤《しず》が家《や》の枕《まくら》もとで聞いた砧《きぬた》の音も今は恋しい。ああ、あんな可愛い女とまためぐりあいたい。そう思うと、常陸の宮の姫君への好奇心とあこがれは、やはりおさえ難かった。

度々手紙を出すが、依然として返事はない。

「どういうことだ。何だか馬鹿にされているような気がする。こんなことははじめてだ」

源氏が命婦を責めていうと、命婦もすこし気の毒な気がしたが、

「たいそう人見知りして恥ずかしがりの方でいらっしゃるんですもの。それにこんなことに慣れていらっしゃらないので、どうお返事を書いていいやら、困っておいでなのですわ、きっと」

と姫君を好意的にかばっていった。

「それはあまりに幼稚だな。もうおとなのかただと思えばこそ、心こめた文を幾度もさし上げているのに。淋しい者同士、あの荒れはてた邸の簀子《すのこ》で語らえば、また気も晴れようかと思ってのことなのに……。命婦、姫君のお許しがなくてもいいではないか。会えるようにしてくれ。無体《むたい》なことはしない、と約束するから」

命婦は姫君があまりにも引っこみ思案なのを知っているので、どうかと思ったが、源氏の熱心さにもほだされたし、何より、あの邸の荒れた心細いありさまを思うと、

源氏と姫君にもしご縁があれば、どんなことで、姫君のご運がひらけるかもしれないと思ってもいた。正直のところ、源氏のような物好きな青年でなければ、わざわざ狐《きつね》の出そうな浅茅《あさじ》の生《お》い茂った庭をふみ分けてくる男は、なさそうであった。世に老い埋もれておしまいになるよりは、あんなにすばらしい貴公子と、かりそめの縁でもお結びになる方がいいかもしれないわ、などと命婦は思いはじめていた。

八月の二十何日か、月の出のおそい夜、命婦は姫君と昔語りをしていた。そこへ、源氏の訪れが告げられた。

命婦はいまはじめて聞いたように驚いてみせて、

「まあ、困りましたわね、源氏の君のお越しでございますわ。かねがね『お返事がないので直接、参上してお話をうかがおう』などとおっしゃるのを、私はお断わりしていたのでございますが。でも、ご身分ある方をすげなくお帰しすることもできますまい。ふすま越しに、お話をお聞きになるだけでも……」

というと、姫君はひどくはずかしがって、

「よその方とお話するなんて、とても……」

と奥の方へ尻《しり》ごみされるのが、うぶらしい様子だった。命婦は笑って、

「ま、子供っぽいことを。親御さまがおいでのお身の上ならともかく、お姫さまはおひとりでこれから生きていらっしゃらないといけないんですもの、すこしはお気強く、世間にもお馴《な》れ遊ばしませんと」

と教え聞かせるようにいうと、姫君は、さすがにおっとりと育てられているせいか、頑固に言い張ることはせず、うなずいた。

「おっしゃることを、ただお聞きするだけだったらいいわ。ここで格子《こうし》を閉めて」

「でも、源氏の君を縁にお坐《すわ》らせするというのも失礼でございましょう。まさか、けしからぬお振舞いはなさるまいと存じますわ」

などと、うまくいいつくろい、二間《ふたま》のあいだのふすまを自分でしめて、こちらの部屋に源氏の座をもうけた。姫君はたいへんはずかしく思った。男の客などに返事するすべも知らないが、命婦がさっさとことを運ぶので、こうしなければいけないのかしら、と思いつつも、途方にくれていた。

乳母などの老いた女房は部屋に入ってはやうつらうつらしていたが、若い女房二、三人は、世に評判の光源氏にあえると思って胸をときめかせている。命婦は姫君の衣《い》裳《しょう》を着更《きが》えさせ、化粧をお手伝いしたが、姫君はなんの感動もないさまだった。

源氏は入ってきた。今宵はことさら艶《えん》に美しくみえる。命婦は、源氏の美しさをわかる人がいないのを惜しく思った。ただ姫君がおっとりしているのだけは安心であった。(出すぎたおしゃべりをなさらないのだけは、取り得だわ)と思っていたが、あまりに無防禦《むぼうぎょ》でおとなしい姫君を、もしや不幸にするのではあるまいか、という不安をふと感じた。

源氏は満足していた。ふすまの彼方《かなた》の姫君は静かでおくゆかしい様子の人に思われたから——。

源氏は年ごろ思いつづけた恋だったと、言葉たくみに言いつづけるが、手紙でさえ返事を書かぬ姫君が、まして返答するはずもない。何をいっても沈黙がかえってくるだけである。

「弱りましたね。無言の行《ぎょう》では歯が立たない。いっそはっきりおっしゃって下さい。おつきあい頂けるのかだめなのか、だけでも」

源氏が嘆息していうと、姫君の乳母の娘で、侍従《じじゅう》とよばれている、はしっこい若い女房が、見かねて姫君のかわりに返事をした。

「どうお答えしたらいいやら……言わぬは言うにいや優《まさ》る、と申すではございませんか」

若々しい声である。源氏は、姫君にしては重々しい所がないな、と思ったが、はじめて口を開かせたのが、うれしくなって、

「やっとお声を聞かせて頂きましたな。びっくりして私の方が黙りこんでしまいますよ。言わぬはまさる、と申してもほどというものがあります。あまりにもお口少なでいられる」

などと何やかや、冗談にしてみたり、まじめな話をしたり手をつくすが、さっぱり手ごたえがない。

これは一風変っている、男に対して特別な考えを持っている人だろうかと源氏はしまいにいらいらしてきたので、思いきって起《た》ってふすまをあけ、中へはいった。

命婦は（まあ、あんなことを……。私を油断させておいて）と困ったが、姫君がお気の毒になり、といってどうしようもなく、そのまま知らぬ顔で自分の部屋へ下ってしまった。

室内にいた若い女房たちは、世に評判たかい源氏の姿を目《ま》のあたりにしてみとれるばかりで、許しもなく押し入った無礼を咎《とが》めもしない。ただ、姫君が全くそんな心用意はなくていられたろうに、とみな気の毒に思ったが、命婦と同様、どうしようもなく、すべり出てしまった。

姫君はわれにもあらず動転して恥ずかしくきまりわるく思うばかりだった。源氏は慣れたふうに、そっとやさしく姫君を抱いたが、姫君は呆然自失《ぼうぜんじしつ》のていである。

（はじめての体験の折は、女はこんなふうなのがいい。深窓に生まれて大事に育てられてきた姫君なんだから、むりもない）

と源氏は思いもしたが、それにしても、あまりにも情緒がない。源氏がどんなに情をこめ、やさしい愛の動作で姫君につくしても、姫君からなんの反応も得られなかった。源氏は何だか丸木を抱いているような心地になり、物足らず、すこしもしっくりこない。

愛を交したあと、いっそうしみじみと恋心が募り、女へのいとしさが湧《わ》く、などということは夢にもなかった。源氏にあるのは索莫《さくばく》として、砂を嚙《か》むような味気なさばかりである。夜もあけぬ暗いうち、がっかりして帰った。命婦は気になって臥《ふ》せったまま目をあけていた。源氏の帰る気配を知ったが、わざと見送りはしなかった。

二條の自邸に戻って源氏は寝たが、じっさい、理想の女というものはないものだと、つくづく思った。しかしあの姫君は身分が重いので、一回きりの情事で打ちきりにするわけにもいかない。しまったなあ、あんな女なら深入りするのではなかった、などと悩んでいるところへ頭の中将がやってきた。

「これはまた、わけありげな朝寝ですな」

というので源氏は起き上った。

「気楽な独り寝だから、ついゆっくり寝すごしてしまった。君は御所からの帰りなのか」

「そうです。まだ邸へ帰っておりません。朱雀院《すざくいん》の行幸《ぎょうこう》の日の楽人《がくにん》や舞人《まいびと》の人選が今日あるそうだとききましたので、父に伝えようと思って退出しました。またすぐ御所へ帰ります」

と忙《せわ》しげにしていた。では一緒に、と源氏も粥《かゆ》や強飯《こわいい》をとりよせ、中将と共にしたためた。車は各自あったが、一つ車に同車した。

「どうも眠たげにしていられる。私にお隠しになっていられる事が多いに違いない」

中将はうらみごとのようにしていう。

その日は御所で決定されることが多くあり、源氏は一日中、詰めていた。

常陸の宮の姫君には手紙だけでもと思ったが、夕方になってやっと使いを出した。後朝《きぬぎぬ》の文《ふみ》は早いほど実意がこもっているとされるのに、夕暮になって来たのを命婦は、姫君のためにいたわしく思った。姫君の方は、ゆうべの降ってわいたような大事件に混乱したままで、まして文が遅いことをとがめる気持さえ、ないようだった。

〈夕霧のはるる気色《けしき》もまだ見ぬに　いぶせさ添ふる宵の雨かな〉

と源氏の文にはあった。雨にかこつけて来訪の意志がないことが仄《ほの》めかされてある。姫君の周囲の人々は辛《つら》い思いがしたが、「やはりお返事をなさいませ」と口々にすすめた。姫君は思い乱れていて、とても書ける状態ではない。これでは夜が更《ふ》けると侍従がまた気をもみ、歌を代作した。

〈晴れぬ夜の月待つ里を思ひやれ　同じ心にながめせずとも〉

皆にせめられてやっと姫君は筆を取る。紫の紙の、古くなって色もあせたのへ、手《しゅ》蹟《せき》はさすがに力のある、中古の書風で、上下をりちぎにそろえて書いた。

源氏は見るなりがっかりして、置いた。いよいよ、まずいことになった。たいへんなものをしょいこんだ形だぞ、と情けなくなる。——というのは、源氏はひとたび女とかかわりを持ったら、無責任にすます性質ではないからであった。もし、しんから浮気の性《さが》であれば、気に入らぬ女はうちすてて忘れてしまうであろう。しかし女の運命に自分もかかわりをもったと思うと、むげに交渉を断つことはできない。それは源氏の誠実さであった。

しかたない、こうなった以上は、末長く面倒を見なければいけない、と強いて気をとり直している源氏の心も知らず、姫君の周囲の人々は、源氏を冷淡だと恨んでいた。

行幸の日のための舞楽の練習で、公達《きんだち》はみな、ここ何月か大さわぎで過ごしている。源氏も毎日ひまがなかった。どうしても逢《あ》いたい情人たちの所へは時間をぬすんでいくが、常陸の宮邸へは、どうも足が向かない。

行幸が近くなって、試楽《しがく》などとざわめいているころ、命婦がやってきた。

「こうおいでがなくてはお気の毒で、おそばの者が辛くてたまりません」

と泣かぬばかりにいう――源氏は命婦にもすまなく思った。命婦は、源氏と姫君を風流なつきあいにとどめておこうとしたのに、その心遣いをふみにじって姫君をわがものにしてしまったのだから、恨んでいるかもしれない。それにあの無口な姫君が一そう無口になって物思いに沈んでいるのも、想像できた。

「ひまのない折なんだ。悪く思わないでくれ」

と源氏は嘆息して、

「――あまり姫君が物わかりがわるいのでね、懲《こ》らしめてあげようとも思うのだ」

とにっこりした。その顔が若々しく美しいので、命婦もつい釣られて微笑し、（むりもないわ、女に恨まれるお年頃だもの。恨まれざかり、というのかしら……女に思いやり少なく、わがままなのもしかたないわ）などと思うのだった。

源氏は紫の姫君を自邸へ迎えてからは、この人を可愛がるのに夢中で、六條御息所のもとへも、とだえ勝ちである。まして荒れはてた常陸の宮の邸へは、かわいそうに思いつつもどうも気がすすまない。

しかし命婦にいわれてからは、それでも折々に足を向けた。いつも闇《やみ》の中の手ざわりだけだが、どうもたどたどしく、腑《ふ》におちないことが多く、いっぺん顔を見たいものだと思うが、まともに見るのも、気がひける。

源氏はある日、宵のころ、そっと内へ入った。格子のあいだからのぞいたが、姫君自身はむろん見えない。女房たちだけが、四、五人坐っていた。食膳《しょくぜん》や食器など、古びたものばかり、貧弱なたべものを、女房たちは御前から下ってきてたべている。

みな寒そうだった。古びてすすけた着物ながら古風な着つけをしていて源氏には見なれない。

「まあなんて寒い年なのでしょう。長生きしてると、こんなみじめな辛い目にあわなければならない」

といって泣く女房もいる。

「宮さまがご在世のころ、辛いなんて、どうして思ったのかしら、こうも心細い毎日でも、がまんしてお仕えしているんだもの」

と、飛び立ちそうに震えているのもある。

いろいろと内幕のぐちをいうのも聞き辛いので、源氏はそっと退いて、たったいま来たように格子を叩《たた》いた。女房たちは、「さあさあ」などといって灯をあかるくし、格子を上げて源氏を入れた。

かの侍従がいれば少しは現代風に若々しい雰囲気《ふんいき》になるのであるが、彼女は賀茂《かも》の斎院《さいいん》にもお仕えしているので、この頃はそちらへいって、姫君の方にいないのである。源氏はこの邸の気風が、すべて野暮《やぼ》ったく風変りに思われた。

年とった女房たちが心配していた雪が降りはじめた。空は烈《はげ》しく風が吹き荒れ、大殿油《おおとなぶら》の灯も消えたが、つけにくる人もいない。

源氏は、夕顔を死なせた、あの恐ろしい廃屋の夜を思い出した。しかしまだこの邸の方が、同じように荒れているといっても、人気《ひとけ》があるだけ、ましである。物すごい夜だが、また、風趣のないこともない。しかしかんじんの姫君が、なんの面白みもないのは、甚《はなは》だ残念である。

やっと夜が明けた。源氏は手ずから格子をあげて、庭の雪を見た。踏みわけたあともなく、はるばると一面、まっ白で、荒れはてたありさまも物淋しい。姫君をこのままおいて出てゆくのもさすがにあわれに思われ、源氏はやさしく声をかけた。

「きれいな空ですよ。ごらんなさい。いつまでもよそよそしくしていられないで、さあ、ここへきて一緒に……」

まだ仄暗いが、雪のあかりで源氏は清らかに若々しく見える。老いた女房たちは思わずみとれて笑みをたたえていた。

「早く、いらっしゃいませ。引きこもっていらっしゃるのはいけません。女は素直になさらなくては」

と姫君に教えていう。姫君はさすがに、いやとは言えぬ性質で、身づくろいして、いざり出てきた。

源氏は姫君を見ないようにして、外の方をながめていたが、その実ただならぬ流し目でみている。想像よりも美しければ、どんなにうれしかろう、と思うのも、男の身勝手であろう。

まず、座高がたかく胴長にみえるのには（思った通りだ）とがっくりとなった。つづいて、（ああ、これはひどい）と心中叫んだのは鼻だった。鼻にばかり目が止まってしまった。普賢菩薩《ふげんぼさつ》の乗っていられる象の鼻も、かくやと思われる。呆《あき》れるほど高くのびて、先はすこし垂れかげんに、赤く色づいているのが、ことのほかみっともない。顔色は雪をあざむくばかり白く青ざめ、額は腫《は》れているのに、なお下《しも》ぶくれにみえるのは、きっと、おそろしい馬づらなのであろう。痩《や》せたことといったら痛々しいほどで、骨が透けそうである。

（ああしまった。なぜこうすっかり見たんだろう）と源氏はひどく後悔しながら、しかしあまり珍しい容貌《ようぼう》なので、つい視線は姫君に釘付《くぎづ》けになる。

あまりにも異様な姫君の醜貌にひきかえ、これはまた美事《みごと》なものは、丈《たけ》なすみどりの黒髪であった。こればかりは、源氏の見知るかぎりの美女たちに勝《まさ》るとも劣らない。袿《うちぎ》の裾《すそ》にたまって、まだうしろへ一尺ばかりも引いていた。女のみめかたちは、悪いところばかりではないものである。

着ているものといえば、これまた物々しく野暮ったいものであった。紫のひどく色あせた衣《きぬ》、黒くなった袿、上には黒貂《ふるき》の皮衣《かわぎぬ》の、きよらかで香《こう》をたきしめたものを羽織っている。古風で由緒《ゆいしょ》ある装束だが、何といっても若い姫君のよそおいにしては、物々しすぎるのが気になった。しかしこの皮がなくてはいかにも寒そうであるのを源氏は気の毒に思った。あまりの風変りに源氏は呆れて言葉も出ない。

それでも気をとり直し、何かと話しかけるが、あいかわらず姫君は恥ずかしがって口を掩《おお》うだけで返事しない。源氏は白けて帰り風が立った。

「頼もしい人もおありにならぬご様子だから、縁あって結ばれた私にもっとうちとけてほしいですな。どうも冷たいおあしらいをなさるので長居しにくい」

と、帰り風を姫君の責任にかずけて源氏は諧謔《かいぎやく》をこめ、ふと口ずさんだ。

〈朝日さす軒の垂氷《たるひ》は解けながら　などかつららの　結ぼほるらむ〉

姫君はそれを聞いても「むむ」と笑っているだけで、とても返歌《へんか》するようすもないのが、見ていて気の毒なくらいだった。源氏はいそいで出てきた。

車を寄せた中門《ちゆうもん》はゆがんで倒れかかり、夜はわからないが、朝の光では、荒れ果てたさまがはっきり見えた。（いつぞや雨夜《あまよ》のつれづれに、左馬《さま》の頭《かみ》などが話していた、草深い邸というのは大方こんな所だろう、こんな邸にかわいい女を据えて、気がかりにも恋しくも思って通ってみたい。そうすれば、藤壺の宮への道ならぬ恋の執着も、いくらかはまぎれように……邸のたたずまいは理想通りでも、かんじんの姫君があの調子では、どうにもならない）と源氏はがっかりして考えこんでいた。

しかしまた思うと……自分でなくては、あの姫君の醜貌や一風かわった人柄を、誰が辛抱するだろうか。自分がこうしてはからずも姫君と関係をもつようになったのも、亡き常陸の宮が、忘れがたみの姫君を気がかりに思われる、魂のみちびきだったのかもしれない。……そんなことを源氏は考えたりもするのだった。

正門はまだ開いていない。鍵《かぎ》を預かっているのはたいへんな年の老人だった。娘か孫か、すすけた着物を着た女が出て来て、寒そうにかじかんだ顔で老人に手をかして門をあけている。門はなかなか開かないので、源氏の供の者が寄って開けた。一面の雪であった。

姫君が人なみな容貌だったら源氏も思い捨てたかもしれなかった。しかしあれほど残りなく見たのちは、その醜さが却《かえ》ってあわれに思えて、色めいた気持でなく、親身な心で手紙や贈り物を持たせるのだった。絹、綾《あや》、綿など、老女《おい》房たちの着物から、門番の老人に至るまで、上下おしなべて物質的にゆきわたるように援助した。そういうことを恥ずかしく思う感覚は、姫君にはないようだったから、源氏も気楽であった。

(よし、経済的に一切の面倒をみてやろう)と源氏は決心して、邸の生活費にも立ち入って世話をすることにした。

思えば——またしてもかの、心にくい人妻、空蟬《うつせみ》のことが思い出されるが——あの女は、きりょうはよくなかったが、身のこなしがおもむき深いので欠点がかくされて見やすかった。身分は姫君の方が高いのに、女の品格は身分によらぬものだ。いい女だったなあ、と源氏は自分の負けに終った恋のかけ引を今もなつかしむ。

年の暮れに、宮中の宿直《とのい》の部屋にいると、大輔《たゆう》の命婦がきた。源氏は気安く彼女を召使って冗談などいう仲なので、時々やってくるのだが、今日は何だか、もじもじしていた。

「困りましたわ、妙なことになりまして」

「どうしたんだ。例によって気をもたせるじゃないか」

「いえ、それが実は常陸の宮の姫君からのお手紙なんでございますが……」

「それが、どうして困るのだね」

と源氏は何気なく、文をとりあげるのを、命婦は目をつぶりたい思いでいた。

陸奥紙《みちのくがみ》の厚ぼったいのに、香だけは深くたきしめて、一生けんめい書いた、という筆蹟である。

〈から衣《ころも》　君が心のつらければ　袂《たもと》はかくぞ　そぼちつつのみ〉

源氏が首をかしげていると、命婦は大仰な包みの衣裳箱の、重々しく古めかしいのを置いた。

「これをあちらから元旦の御装束に、と持っていらしたのでございます。まあ、私、お目にかけるのがもうきまり悪くって……。でもお返しすることもできませんし、私がとりこんでしまってもあちらのお志を無にするようですし、ともかくごらんに入れての上でと存じまして」

「君がとりこんでしまったら私は怨《うら》む所だよ。着る物の心配をしてくれる人もない身なんだから、うれしい心遣いじゃないか」

と源氏は冗談でいったが、呆れていた。男の元旦の装束をととのえるのは、正妻たる北の方の仕事で、姫君が世話をする筋合いではないのである。しかもこの歌のぎごちないよみぶり、これが自分でできる精一杯の所なのだろう。侍従がいれば添削《てんさく》するのだろうけれど、それにしても、まあどんなに心をこめて作ったことだろうと源氏は姫君の様子を想像して、

「こういうのが、おそれ多い歌というんだろうね」

と微笑した。命婦は自分の顔が赤くなる。贈り物の衣裳は、艶《つや》もなく古めいた、これまたどうしようもないしろものだった。うーむと源氏は唸《うな》るばかりで言葉も出ない。手紙の端に筆をとって、源氏はいたずら書きをしていた。命婦がふとのぞきこむと、

〈なつかしき色ともなしに何にこの　末摘花《すゑつむはな》を袖《そで》にふれけん〉

などと書きつつ、ひとりごとに、

「色濃いはなだ……」

といっている。——好きな女でもないのにどうして、紅花の色の鼻をした女と契《ちぎ》ってしまったのか……という意味であろうか。命婦は折々かいまみた姫君の容貌を思い出し、おかしくてたまらなくなって、口ずさんだ。

〈くれなゐのひとはな衣うすくとも　ひたすらくたす　名をし立てずば〉

鼻が赤いからとて姫君をお見捨てなさいませんように……、という心だろう。源氏はせめて、命婦ぐらいの才分でもあの姫君にあれば、と思うのだった。

翌日、命婦が台盤所《だいばんどころ》（女房たちの詰所）にいると源氏がのぞいて、

「そら、昨日の返事だ。気が張っていけないよ」

と手紙を投げていった。そうして、「ただ梅の花の色のごと……」と歌を口ずさんでいく。命婦は（また、花の色のことを……）とおかしくなり、独り笑いをして朋輩《ほうばい》にとがめられた。

常陸の宮邸では、女房たちが集まって源氏の返事に感嘆していた。

〈あはぬ夜をへだつる中の　衣手《ころもで》に　重ねていとど　見もし見よとや〉

逢わぬ夜が多いのに、衣をかさねて、よけい仲をへだてようというのですか、という上品なよみぶり、白い紙に書き捨ててあるのもよい風情《ふぜい》だった。それに、姫君の衣

裳も色々と、贈り物にしていた。こちらから奉《たてまつ》ったものはお気に召さなかったのかしら、と老いた女房たちは思ったが、

「でも、あれは紅《くれない》の色が重々しゅうございました。向うさまからの贈り物にも負けぬ位ですよ。それにお歌だって、姫君のは堂々としていましたよ。あちらさまは、ただ口あたりがいい、というだけですもの」

などという。姫君も、一生けんめい考えて作った歌なので、書きつけておいた。

二條の院の紫の君は、とてもかわいく生《お》い立っていく。同じ紅でも、こんな美しい紅があるのだと、源氏は紫の君の美しい頰《ほお》をながめるのだった。

無紋の桜の細長を、やわらかく着こなして無邪気に源氏にまつわりついてくるのがたいへん愛らしい。古風なおばあちゃまの躾《しつけ》でお歯黒《はぐろ》もまだしていなかったが、源氏が、現代風なお化粧をさせたので、眉《まゆ》がくっきりして、美しく清らかにみえる。

（わが心からといいながら、こんなかわいいものと一緒にいればいいのに、どうして次々とわずらわしい女性関係をつくっていくのだろう）

と源氏は思うのである。

いつものように、紫の君と、人形ごっこをして遊んだりする。絵を描いて見せたり

などした。紫の君は絵に色をつけたりする。

源氏は、髪の長い女をかいて、鼻に、紅色を塗った。

絵にかいてもみっともないかっこうである。

源氏は鏡台にうつった自分の顔を見つつ、鼻に紅色をつけた。紫の君は見て、おかしそうに笑う。

「私が、こんなにみっともなくなってしまったら、どうしよう」

というと、

「いやよ、お兄さまがそんなにおなりになっては」

と少女はいって、染《し》みつきはしないかと心配そうだった。源氏は拭《ふ》きとるまねをして、

「しまった、大変なことになった。とれない……主上《うえ》はどんなにびっくりなさるだろう」

と、まじめにいうのを、少女は本気にした。

「どうしましょう、お兄さま……」

と一生けんめい、水で拭く。源氏は、

「平仲《へいちゅう》のように、墨の色をつけないでおくれ」

と冗談をいう様子は、仲のよい夫婦のようでもある。日はうららかに照って、かすみわたる梢《こずえ》の、花はまだ咲かぬが、梅だけははやほころびはじめていた。

燃ゆる紅葉のもと
人は舞われ巻

朱雀院《すざくいん》への行幸は十月の十日すぎということになっていた。その日は格別に盛大な舞楽の催しがあるのだが、行幸に従えない後宮《こうきゅう》の女御《にょうご》・更衣《こうい》がたは見られないので、残念がっていられた。帝《みかど》も、藤壺《ふじつぼ》の宮がご覧になれないのを惜しまれて、行幸の前に試楽《しがく》を御所で催された。これは当日と同じことを演ずるのであった。

源氏の中将は青海波《せいがいは》を舞った。舞の相手は左大臣家の頭《とう》の中将であった。頭の中将も、人にまさった風采《ふうさい》の青年だが、源氏と並ぶと桜のそばの深山木《みやまぎ》のように見えた。

夕日の光はなやかにさし、楽《がく》の音《ね》のひとしきり高まるなかを、源氏はみやびやかに舞う。この世のものとも思えぬ美しさだった。舞のあいだに、詩句の吟詠《ぎんえい》があるのだが、はたと奏楽のやむ静寂《しじま》の中、源氏のすずやかな吟詠は清らかに人々の耳を打ち、心にしみた。

帝は感動して涙ぐまれた。目がしらを押える親王《みこ》・上達部《かんだちめ》の方々も多かった。

吟詠が終り、舞手が袖《そで》を直すと、待ちうけていた楽の音が再びにぎやかにわきあがる、と、源氏の顔の色はほのぼのと冴《さ》え、光るように美しい。

弘徽殿《こきでん》の女御は、源氏の美しさをいまいましく思われるらしい。

「神などが魅入りそうなご様子だこと。却《かえ》って気味がわるいわね」

などといわれるのを、おそばの女房たちは、(お人のわるい……)とひそかに聞き咎《とが》めていた。

藤壺の宮は、わが心にやましい点がなくば、源氏の君の舞姿は、どんなに美しくみえただろうと思うにつけても、夢のような心地がされた。

その夜、帝は藤壺の宮を前に満足げに言われた。

「今日の試楽の最高の見ものは青海波だった。あなたはどうご覧になったか」

宮は、はっとしてお答えしにくく、

「格別に結構に存じました」

とだけ、言われる。

「相手の頭の中将も悪くなかったね。舞のさま、手づかい、名門の子弟はやはりどこかちがう。……試楽の日にこんなに歓を尽くしては、当日の紅葉《もみじ》の陰が淋《さび》しくなってしまうかと思ったが、あなたにお見せしたくてね」

と帝はやさしく仰《おお》せられた。宮のうつむかれたお顔は、美しい黒髪のかげに見えない。

翌朝、源氏は藤壺の宮に手紙をさしあげた。

「どうご覧下さいましたか。苦しい思いに心乱しつつ舞いました。

〈物思ふに立ち舞ふべくもあらぬ身の　袖うちふりし心知りきや〉」

心乱れて舞うべくもない私でした。この気持、おわかり頂けますか、というほどの意味である。宮もさすがにあでやかだった源氏の舞姿を思われると、文《ふみ》を捨ておきがたく思い給《たも》うたのか、お返事を賜わった。

「〈唐人《からひと》の袖ふることは遠けれど　立居につけてあはれとは見き〉

ひときわ、心しみて……」

珍しいお文であった。源氏は嬉《うれ》しさのあまり、少年のように心はずみ、まぶたまで熱くなってくる。なつかしいこのお手蹟《て》、美しい文字。青海波の舞は唐《から》から渡ってきたものであるが、宮はその方面にもご教養ふかくいらせられるようで、お歌の中にもうかがえる。

后《きさき》の品位がそなわっていらっしゃる方だと、源氏はうれしく笑みこぼれ、経巻のようにお文をおしいただいて、いつまでも見入っていた。

行幸の日は、親王方《しんのうがた》も一人のこらずお供した。東宮《とうぐう》もお出ましになった。奏楽の船は池を漕《こ》ぎまわり、唐・高麗《こま》の舞楽が数をつくして舞われる。楽の音、鼓《つづみ》の音は一日、空にひびいた。

試楽の日の源氏のあまりの美しさに、魔神が魅入らぬかと、帝はあれから、魔除《まよ》けの誦経《ずきよう》を寺々にお命じになったりしている。世の人々は「ご親子《しんし》のおん仲で、さもあろう親心だ」と共感したが、弘徽殿の大后だけは、あんまりな御偏愛だと、憎らしくお思いになるようだった。

この日の楽人は、殿上人《てんじようびと》・地下《じげ》を問わず、すぐれた技量をみとめられている人々が選《よ》られていた。舞手はそれぞれこの日のために、長い稽古《けいこ》にはげんでいたのである。

紅葉のかげに、四十人の楽人が、めでたく奏《かな》でる楽の音に、まるで合奏するような松風は、まさに「深山《みやま》おろし」というべく、さっと風がわたると色々に散りかう秋の紅葉の中へ、青海波の舞手の源氏があらわれたさま、――これほどの凄艶《せいえん》な美はまたとあるまいと思われた。

かざしの紅葉が散り乱れ、源氏の美しさに気圧《けお》されてみえるので、左大将《さだいしよう》が、御前の菊をとってさし替える。

日ぐれ、わずかばかり時雨《しぐれ》が通り、空までが感動の涙をこぼしたようだった。源氏は菊の花を冠にかざし、今日は技《わざ》をつくして舞った。入りぎわの舞など、そぞろ寒くなるばかりの美しさだと人々はいいあった。物の心知らぬ下人たちも、木かげや岩のもとでのぞき見しつつ、感に打たれていた。

承香殿《しょうきょうでん》のお生みになった四の宮が、まだ童形《どうぎょう》で秋風楽《しゅうふうらく》を舞われたのが、源氏につぐ見ものだった。この二つの舞に、今日の興は尽きた観があった。

その夜、源氏は正三位《しょうさんみ》に、頭の中将は正四位下に、ほかの上達部もそれぞれ昇進した。人々は、源氏の余光を蒙《こうむ》ったことを喜びあった。

藤壺の宮は、このごろお里帰りをなさっていられる、と源氏は聞いた。

もしやお目にかかる折はないかと、源氏はお里の三條邸をうかがい歩いていたが、ご様子が仄《ほの》かにでも知れるかもしれないと、思いきって参上することにした。

命婦《みょうぶ》や、中納言《ちゅうなごん》の君、中務《なかつかさ》、といった宮のおそばに仕える女房たちが出てきて、源氏を接待し、宮のお部屋から、遠く離れた所へ通される。

(よそよそしい、なされかただな)

と源氏はおだやかでないが、気をとり直して、世間ばなしをしている所へ、宮の兄君にあたられる兵部卿《ひょうぶきょう》の宮が来られた。源氏の君がお越しになっていられます、と聞かれて、こちらへやってこられたのである。

兵部卿の宮は艶《えん》なご風采でいられる。源氏は、藤壺の宮の兄君という点からも、紫の姫君の父宮という点からも、ことさら、兵部卿の宮をなつかしく思わぬわけにはいかなかった。それは、人知れず、源氏ひとりで心の内に思うことであるが……。

兵部卿の宮は、まさか源氏が、わが娘の婿《むこ》とは夢にもご存じないので、源氏がうちとけてなつかしげに話しかけるのを、快くお思いになっていた。

日が暮れると、兵部卿の宮は、御簾《みす》の内に入られた。源氏はうらやましく見送った。兵部卿の宮はご兄妹《きょうだい》のお間柄なので、心やすく藤壺の宮と、人を交えずお話になるのだろう。……その昔は父帝のおそばに侍《はべ》って、藤壺の宮のおひざもとへも近寄れたものを、いまは他人行儀にお疎《うと》み遊ばす、……と源氏はうらめしく思うのであった。

しかし、現世のおきてのきびしさを誰が破ることができよう。取りつぎを介して、

「宮へ度々参上いたすべきでございますが、何かご用でもございませんと、つい怠りがちになります。どうか、何事につけ、お心安くお命じ下さいましたら、嬉しく存じます」

と、固苦しい挨拶《あいさつ》をして、三條邸を退出した。

さすがの命婦も、手引きするすきはなかった。藤壺の宮は、源氏との辛《つら》い思い出を、お身重《みおも》のいまは前にまして苦しんでいられるようなので、命婦もお気の毒でならないのであった。こうして、逢《あ》う手だてはしだいに失われていった。「はかない契《ちぎ》り……」と源氏は嘆き、宮もともに思い乱れ給うのであったが、憂《う》くつらく日はすぎてゆく。

二條の院の幼い姫君の身分を、世間はむろん、邸内のものも知らぬのであった。邸内で事情を知る者は、惟光《これみつ》ばかりである。

源氏は、しばらく秘めておこうと考えていた。姫君の方のたてものには、別に、家《か》令《れい》や事務を司《つかさど》る者をつけ、不自由なく面倒をみている。教育にも心をつかい、まるで源氏は、よそにあずけてあった娘を、引きとったような心地だった。

紫の君は、それでもときおりは、亡《な》きおばあちゃまを恋しがって泣くことがある。源氏がいると気が紛れているが、あちこちへ通う所の多い源氏が、夕方になって出かけようとすると、

「お兄さま、お出かけになるの？……」

とあとを慕ってきて泣くので、源氏はいじらしくてならない。外へ泊まる夜を重ね

ると、どんなに淋しがっているかとおちつかないで、(これではまるで母のない子をもったようだ)と、苦笑された。

北山の僧都《そうず》は、こんな様子をきいて、ふしぎがりつつも、うれしく思っていた。源氏は、亡き尼君の法事も、ぬかりなくねんごろにするのであった。

紫の姫君の乳母《めのと》である少納言は、思いがけぬ幸運を、夢かとよろこんでいた。これも亡き尼君の、あの世からの加護であろうかと思った。源氏には高貴な身分の北の方、葵《あおい》の上《うえ》をはじめ、各所に愛人が多いので、姫君がおとなになられたら、いろいろ物思いのたねもできようが、いまとりあえず、こうも可愛《かわい》がられて生《お》い立つ姫君は、幸わせというべきであろうと、喜ぶのであった。

おばあちゃまの喪服は十二月末に脱ぎ、紅《くれない》や紫、山吹などの無紋の小袿《こうちぎ》を着た紫の君はいよいよかわいらしかった。

元日の朝、源氏は、御所の朝拝に参内《さんだい》のため、美々《びび》しく装束をつけて、姫君の部屋をのぞいた。

「おめでとう。今日から少しは大人《おとな》らしくなったかな?」

姫君は人形ごっこに夢中だった。三尺の対《つい》の御厨子《みずし》にいっぱい、人形の調度を並べたてて、いそがしそうである。小さい御殿なども源氏は作らせてやったので、そこら一めんにひろげているのだった。

「鬼やらいをするといって犬君《いぬき》が、これをこわしたの。……いま、つくろっている所よ」

と、一大事のように思っているらしい。

「しようのない犬君だね。よしよし、すぐ直させようね。今日はめでたい元日だから、泣いたら、いけないよ」

と源氏は微笑して出た。供の者があたりせまいまでつき従っているのを、女房たちも拝見し見送った。姫君は、

「いっていらっしゃいまし、お兄さま」

と送ってから、人形の中の、源氏に見たてているのを、御殿へ参内させて遊んでいた。

「一つ、年をおとりになったのですから、少しは大人らしくおなりなさいませ。十《とお》をすぎた方は人形あそびなどしてはいけないと申しますのに。あなたさまは、もう婿君もお持ちなのですよ、もっとおしとやかになさらなくては。お髪《ぐし》をお梳《と》かしするのも厭《いや》がられて……」

と少納言は姫君をたしなめる。

「わたくしの婿君は、それじゃお兄さまなの、少納言」

と姫君は、ふしぎそうにたずねた。

こんな、いとけない女君だとは、邸の内の者さえ、知らないのであった。

宮中の参賀を終えて、まっすぐに源氏は左大臣家へ来た。正妻と義父に対する源氏の心づかいなのであった。

しかし葵の上は、いつものようによそよそしく端麗な態度で、口かずも少ない。

「今年からは、もう少しうちとけてくれると、私は嬉しいのだがね」

などと源氏はいってみたが、葵の上は返事しない。

彼女は、迅《はや》い噂《うわさ》をもう耳にしていた……。二條の邸に、源氏の君は女を囲っていらっしゃる……至れりつくせりに大事に、かしずいていらして、まるで北の方をお迎えになったようなありさまだと申しますよ。……そこここのお忍びあるきでまだ足らず、わざわざ自邸に迎え取っていられるからには、よほどのご執心の女人《ひと》なんでしょうね……。そういう、さざなみのような、あるいは梢《こずえ》から梢へわたる風のような噂が、耳に入っていた。

（そのかたをこそ、あなたは生涯の妻、と思いきめていられるのではありませんか？）

と葵の上は、心の中で源氏に言い返している。

しかし、気位たかい彼女には、口に出して詰《なじ》ることはできないのであった。父の左大臣は最高の権力者であり、母は皇族の出身で、その間に生まれたただ一人の姫として、珠《たま》のようにいつくしまれ、大切にかしずかれて育った彼女は、おごりたかぶった気位をもっていた。いささかでも疎略《そりやく》に扱われるのは、堪えられなかった。源氏が、いかに帝の御愛子であろうとも、自分も宮腹《みやばら》の姫、同等の身分、育ちではないか、という気構えが、はじめからあった。それに、葵の上は、源氏より四歳の年長である。

源氏の方はまた、妻のたかぶった性質をすこし矯《た》めなおし、躾《しつ》けてやろうという、男の気概があった。

暗黙のうちに、かたみに自我を張り合い、いつか、しらずしらず、夫と妻の心は冷えてゆく。

（こうやってはなればなれになさったのは、あなたではございませんか）

と葵の上はいいたかった。

（あなたはそもそものはじめから、だれかに心奪われていらした……わたくしがそれ

に気付かぬと思《おぼ》し召すのですか？　あなたのお心は、いつも、どこかの空を翔《かけ》ってい
た。そうして、その女《ひと》を理想の女と思いきめ、何につけても、その女《ひと》と比較あそばす
……。それも、わたくしが知らぬと思し召されますか）
葵の上は、膝《ひざ》を崩さず、身じろぎもしないで、思いつづける。
（あなた。あなたが心奪われていらっしゃるかたは、いったい、どんな女《ひと》ですか？
それは二條の院に迎えられたという女《ひと》なの？　それともどこかの姫との忍ぶ恋なので
すか？）
けれども葵の上は、それをいえなかった。源氏にあからさまに問いただし、恨み、
拗《す》ね、嫉妬《しっと》の涙に黒髪もむれながら、物狂おしく源氏の膝をゆすぶったりすることは、
わが誇りにかけて、死んでもできない。
彼女にできることは、最高の身分の貴婦人らしい品位を崩さず、ひややかな沈黙で
答えることである。
源氏は葵の上が、もし、世間普通の妻のように「二條のお邸に女のひとをお迎えに
なったって、ほんとう？」と嫉妬と関心をはっきり示して聞いてくれれば、どんなに
たのしいか、と思う……。虚心に率直に、怒ってくれれば「いや、なあに、ほんの子

供なのだ、まだままごとをしているのだ」と打ちあけて笑いばなしにできようものを。あれこれとひとりで気を廻し、心をかたくなに閉ざして、気むずかしく構えている葵の上を、源氏は飽き足りず思う。こういう妻だから、自然に、浮かれ歩きもおきるのだと思いながら、いやいやどことい って一点、非の打ちどころのない美女の、葵の上にもともと落度があるわけではないのだ、とも思い返す。

すべて、自分の多情な男心のせいで、この人の恨みつらみを買うことになったのだ、とも思う。どんな女人よりも早くめぐりあった葵の上とは、さすがに断ちがたい愛のきずなでむすばれていた。――源氏の人生にとって、葵の上は、たしかな位置にいた。おろそかには思っていないつもりであった。

源氏は、葵の上の不機嫌《ふきげん》な沈黙に気づかぬふりをよそおって、肩を抱いてひき寄せる。――と、さすがに物がたくあらがわないで、沈んだ気色《けしき》ながら、引かれて寄り添うさまなど、美しく魅力があった。

翌朝、源氏が装束をつけていると、義父の左大臣が名高い宝物の玉帯《ぎょくたい》を持ってこられた。手ずから源氏の装束のうしろを引きつくろったり、沓《くつ》を取らぬばかりに世話をなさる。

大臣は、源氏と娘の仲のしっくりしないのを憂《うれ》い、源氏の浮気ごころを恨めしく思いつつも、顔を合わせると、それも忘れ、源氏を歓待し、大切に思わずにはいられなかった。源氏は、大臣の好意や親心が、しみじみと身に沁《し》みた。玉帯を手にとって、

「立派なものですね。これは宮中の内宴などに使いましょう」

というと、

「そういう折にはもっとよいのがございます。これはただ珍しいというだけのもので」

と大臣は強《し》いて着けさせられた。大臣は源氏の、人のなさけや好意をゆたかに汲《く》みとる人間性を、たぐいないものに思っていられた。そのすぐれた風采といい、気品ある物腰といい、教養学識といい、申し分ない婿であった。大臣はほれぼれと笑みをたたえて、飽かず源氏を見上げられる。

藤壺の宮の、御産の予定は十二月であった。

しかしその兆《きざ》しもなく、正月もすぎた。宮中でも準備をしていらしたのに、これはどうしたことか。……人々は物の怪《け》のしわざかとさわぎ嘆いていた。

宮は憂《う》くわびしく、人はどう思うであろう、わが身の破滅もこのことからあらわれるであろうと思い悩み給い、病気になられる位だった。

源氏は、御産のお気配がながびくにつけても、もしやわが子ではないかと思い合わされ、それとなく安産の御修法《みずほう》などさせていた。このままで、宮との仲は終ってしまうのだろうかと、あれこれ思いみだれているうち、二月十日あまり、男御子《おとこみこ》が、無事おうまれになり、世の人々も宮中も、愁眉《しゅうび》をひらいて祝いあった。

宮は、御産のときに死にたかったとひそかに嘆き給うた。しかし、弘徽殿の大后などがご安産をいまいましがっていられるという噂を聞かれるにつけても、もしあのとき死んでいれば、どんな物笑いになったかもしれぬとつとめて心を強く持たれ、ようやく、ご身心の衰弱も回復されていった。

帝は、早く若宮をごらんになりたいと、参内をまちかねていられる。

源氏もまた、誰知らぬことだが、ひそかな父親として一ときも早くあいたかった。

宮のいられる三條邸へ伺って、人のいないすきに、

「主上《うえ》が、若宮にお会いになりたく、待ちこがれていられますので、私が先にお目にかかって、ご様子を申上げましょう」

といったが、宮は取り次ぎの女房にこう返事をされた。

「まだ生まれたばかりで、見苦しゅうございますから」

宮の拒絶には理由があった。若宮のお顔は、おどろくほど源氏に生きうつしだった

からである。宮はお心の鬼に責められて苦しく、（これでは誰が見ても源氏の君と親子と思いはすまいか。わがあやまちも、このことから世間に洩《も》れ出て、人にうしろ指をさされることになろう）と悩みつづけられた。

源氏は命婦に会って必死にかきくどくが、命婦も、手引きする方法は、今はない。宮は用心あそばされて命婦を避ける気配を示していられる。

「せめて、若宮をひとめ拝見させてもらえないか」

と源氏は言葉をつくして懇願するが、

「いずれ、しぜんとお会いになる折もございましょうに、なぜそうおいそぎになるのでございますか」

と命婦ははぐらかしつつ、それでもたがいに言葉に出さぬ思いを分けあっていた。お気の毒な、と命婦は思いつつ、源氏の惑乱に同情しながら、どうしようもないのであった。

四月に若宮は参内された。なみの乳児よりもご発育がよく、そろそろ起きかえりもなさったりする。

まぎれもなく源氏に似ていられるが、帝はもとより夢にもご存じないこととて、美しいものは似るものだ、と思っていられる。

帝は若宮を格別に大切に思われていた。源氏をこよなく愛していられたが生母の身分が低いので東宮にもお立てになれず、臣下に降《くだ》されたことを今も心苦しく思っていられる。

しかし若宮は、母宮の身分も貴く、源氏と同じく光り輝くような美しさでお生れになったので、これこそ「疵《きず》なき玉」としてかしずいていられる。そのお心を思うにつけても宮はお胸の思いの晴れる間なく、辛く思われた。

源氏が、藤壺御殿の管絃《かんげん》の遊びに来合わせていた折に、帝は、若宮を抱いて出ていらした。

「美しい子だろう……。御子《みこ》たちはたくさんいるが、そなただけをこんなに小さい頃から、毎日見た。だから、そなたの幼な顔を思い合わせるのだろうか、この若宮は、そなたによく似ている。……尤《もっと》も、小さいときは、みな、同じようにみえるのかもしれないね」

と仰せられて、若宮をたいへん可愛いとお思いになっているご様子であった。

源氏は顔色も変る心地がした。

罪のほども空おそろしく申し訳なく、しかし反面、うれしくもあわれにも、さまざま思い乱れ、涙が落ちそうな気がした。若宮が何かお声をあげて笑っていられるのが、非常に愛らしく、源氏は、思わず呆然《ぼうぜん》として、

（似ているのか……いや、似ていられる）

と見とれた。

宮はあまりの心苦しさに冷や汗を流していられた。源氏は若宮を拝見してかえって心地が乱れ、夢の中のように迷いつつ、宮中を退出した。

二條の邸へ帰って、源氏は額《ひたい》を支えて、うつうつと苦しんでいた。庭の撫子《なでしこ》を折って、命婦への手紙に添えた。

「〈よそへつつ見るに心は慰《なぐさ》まで　露けさまさる撫子の花〉

若宮は立派にご成長になりましょう。今はただ、はるか遠くから人しれず私の思いを捧《ささ》げるのみです」

命婦は、それを、宮にそっとお目にかけた。

宮も、堪えられぬ思いのまま、ほのかにお返事を賜わった。

〈袖ぬるる露のゆかりと思ふにも　なほうとまれぬ大和撫子《やまとなでしこ》〉

（私にとっては、物思いのたねをつくる子でございます）……。

宮の高雅なご手蹟のお文に、源氏の涙がおちて、にじんだ。

物思いのあるときは、西の対《たい》の紫の姫君がこよないなぐさめなので、源氏はおとずれてみた。

姫君は撫子の花の露に濡《ぬ》れた風情《ふぜい》で、何やら物思わしげに所在なく坐《すわ》っていたが、源氏のやってきたのをみて、つんとして顔をそむけている。源氏が邸へ帰ったのに、すぐこちらへこなかったので、拗《す》ねているのであろう。

愛くるしい美少女の、拗ねた様子は、源氏には却って愛嬌《あいきょう》こぼれるばかりにみえて、ほほえまれた。端へ座をしめて、

「こっちへいらっしゃい」

といっても応じないで、すました顔で、

「入りぬる磯《いそ》の」

と、恋歌を口ずさんで、袖で口を掩《おお》っているさまがおとなっぽく美しい。

「おやおや、憎らしいことをいうね。だれだね、そんな早熟《ませ》たことを教えたのは。それは、〈汐《しほ》みてば入りぬる磯の草なれや見らく少なく恋ふらくの多き〉という歌だね……そんなことは、恋の手だれのおとながいうことだ。あなたはまだ早いよ、このおませさん……。それに、いつもそばにいると、却って見馴れてよくな

いものだよ」

源氏は女房をよんで琴をとりよせ、紫の君に弾かせた。

「箏《そう》の琴《こと》（十三絃）は、中の細緒《ほそお》の切れやすいのが面倒だな」

と平調《ひようぢよう》に調子を下げて弾いてみる。姫君の前に琴を押しやると、いつまでも拗ねている少女ではないので、たいへん可愛らしい様子で弾く。まだ体が小さいので、腰を浮かせて左手を伸ばし、絃を押える手付きが、源氏にはこの上なく、愛らしくみえる。

自身は笛を吹き鳴らしながら、姫君に教えた。怜悧《れいり》なたちで、むつかしい調子などもほんの一度でおぼえてしまう。何ごとにつけても、機敏でいきいきした資質の仄見《ほのみ》えるのを、源氏は、（期待通りだ）と嬉しく思わずにはいられない。「保《ほ》曾《そ》呂《ろ》倶《ぐ》世《せ》利《り》」という曲は、変な名であるが、源氏が節《ふし》おもしろく笛で吹くと、紫の姫君はまだ未熟ながら拍子もたがわず、上手に合奏するのだった。

灯ともしごろになった。二人で絵など見ているとき、かねて外出の用意をいいつけてあったので、供の人々が次の間へきて、

「いかがでございましょう、もうそろそろ……。雨になりそうな空模様でございますので」

と促すと、姫君は心細そうにしょんぼりしてしまった。絵を見かけたまま、うつむいているのが、源氏は可愛くて、姫君の黒髪の、美しくこぼれかかるのをかきあげてやりながら、

「私がよそへいっていると、寂しいの？」

ときくと、姫君は黙ってこっくりとうなずく。源氏はやさしく、

「私もだよ。私も一日でもあなたを見ないと寂しいのだけれど、あなたがまだ小さいから私は安心して置いて出られる点もあるのだ。よそには意地わるで気むずかしい人がいてね、まずその人たちを怒らせないように、今のうちはこうして出あるくのですよ。あなたがおとなになったら、私はもう決して、よそへなんかいくものか。ほかの人の恨みを買うまいと思うのも、みなひとえに、あなたと共に長生きして、幸福になりたいと思うからですよ。わかってくれるね……」

などと、こまごまと話すと、姫君はさすがに恥ずかしそうにして、何とも返事しない。

おとなしいな、と源氏が思ってふと見ると、姫君は、青年の膝によりかかったまま、寝入っているのだった。いじらしくなって、

「今夜はもう出かけないことにした」

と源氏がいうと、供人たちは一同立って出てゆき、やがて女房たちが、食事をはこんできた。源氏は姫君を起こして、

「もう出ていかないことにしたよ」

というと、

「ほんとう？　お兄さま」

と、みるみる機嫌がなおってほほえむ。

一緒に食べはじめたが、姫君は心もそぞろなさまで、しるしばかり食べて箸《はし》をおき、

「ではお兄さま、早くおやすみ遊ばせ」

と、源氏が、まだ言いこしらえて外出しないかと疑って、衣の裾《すそ》をとらえて放さない。

なんという可憐《かれん》の姫君か、こんな可愛いものを見捨てては、たとい死出の道であろうともおもむきがたいだろうと、青年は思った。

こんなふうに、源氏が外出の足をとどめられる折々も多いのを、人づてに左大臣邸でも聞いて、女房たちはこころよからず噂しあっていた。

「いったい、どんな女《ひと》なんでしょう。あつかましいではありませんか。今までそんな

噂も聞かなかったのに……」

「おそばにまつわって甘えたり媚《こ》びたりするなんて、きっといい身分の女《ひと》ではないのね」

「どんな素性《すじよう》か、わかるものですか。内裏《うち》あたりでふっと見染められた女《ひと》を、まるで北の方なみの扱いをなさって、世間に知れたら非難もあろうかと隠していらっしゃるのよ。まだほんの、ねんねなのだとわざと弁解がましくいわれるのは、その照れかくしなのではないかしら」

などとかしましいことであった。

帝にも、源氏が二條の邸に、「女を据えている」という噂をお聞きになって、

「左大臣が気の毒ではないか。……そちがまだ分別もつかぬ頃から心こめて後見をし、婿にしてけんめいに世話をしてくれたその志のほどを、わからぬ年頃でもあるまいに、どうしてそう、薄情な仕打ちをするのか」

と仰せになるが、源氏はかしこまって恐縮しながら、返答も申上げられない。帝はお心の内に、(左大臣の姫君が気に染まぬのであろう)と源氏を可哀《かわい》そうに思し召された。

「それにしても、かくべつ好色者《すきもの》の噂もきかず、婦人とのもめごとも見聞きせぬのに、

いったい、どこを隠れ歩いて、こう、舅《しゅうと》や妻に恨みを買うのだろう」

とふしぎに思われるらしかった。なるほど源氏は、宮中でも世間でも、うわべはまじめな貴公子で通っていた。

帝はお年たけていらしたが、この方面にはさばけていられて、お食事係りの采女《うねべ》や、雑役の下級女房である女蔵人《にょくろうど》に至るまで、美貌《びぼう》で才気ある女人を喜ばれたので、宮中には美女才女が多かった。

そうした女人たちに、源氏は心動かされないらしくみえた。源氏がほんのたわむれ心に言葉をかけても、彼女たちはたいてい、たやすくなびいたから、源氏は珍しくなくなったのかもしれない。中には女人の方から、たわむれに見せかけて、言い寄るものもあったけれど、源氏は不風流でない程度にあしらって、情事にまで深入りすることはなかった。それで、女人たちの中には「物堅すぎてさびしいわ」などと思う者もあった。

しかし源氏は、たやすく手に入れられる恋には心動かぬという、厄介な癖をもった青年なのである。かの、年老いた色好みの、宮中に仕える女官とのおかしい情事も、その風変りさのゆえに、ふと源氏の興をひいたのであろうか。

五十七、八の典侍《ないしのすけ》——家柄もよく、才女で、宮中でも一目おかれながら、色の道にかけては軽々しいと、かげ口利《き》かれている婦人である。
源氏はかねて、(あんな年輩で、なぜああも色好みなのだろう)とふしぎがっていた。

たわむれに言い寄ってみると、彼女は、不似合な仲とも思わぬのか、なびいてくる。呆《あき》れたものだなと思いながら、さすがに、こんな色ごともふと面白くて、ついつい源氏はかかわりをもってしまった。

しかし人に噂されてもあまりに不釣合な相手なのできまりわるくて、源氏はことさらつれなくよそおっているのを、老いた典侍はうらめしく思うようだった。

ある日、典侍は帝の御髪上《みぐしあ》げの役をつとめていた。それが終ったので帝は、御袿《みうちぎ》の係りを召し、お召し替えに出ていかれた。あとには人もいず、源氏と典侍だけだった。

典侍は常よりもさっぱりと、姿かたち見よく、あたまの恰好《かっこう》もなまめかしく、衣裳《いしょう》も花やかに派手なものを身につけている。

(いつまでも色気たっぷりの厚化粧だな……)

と源氏はうとましく思いつつも、いかなる男の好きごころか、ふと好奇心も動いて、いたずらをしてみたくなった。

裳《も》の裾を引いてみると、典侍は、相手を源氏と知りながら、

「まあ、どなた……」

と婀娜《あだ》っぽくいって、派手な絵をかいた扇で顔をかくし、こちらを流し目で見返る。その目も、まぶたはたるみ、黒ずんで落ちこんで、扇の外へこぼれる髪も、そそけ立っているのだった。扇も、年に似合わぬものよと目をとめて、自分の扇と取り換えて見ると、赤い紙の、顔が映るほど濃い色をしたのに、木高《こだか》い森の絵を、金泥《こんでい》で塗りつぶしてあるというものだった。

片面には、古めかしい手蹟ながら、さすが趣きあるさまで、〈森の下草老いぬれば〉と書き散らしてある。

「ほほう……〈大荒木《おほあらき》の森の下草老いぬれば駒《こま》もすさめず刈る人もなし〉……年老いれば、男も寄りつかぬというなぞですか。しかし、大荒木といえば、こんな歌もあるじゃありませんか。〈ほととぎす来《き》鳴くを聞けば大荒木の森こそ夏の宿りなるらし〉……どうしてどうして、あなたのご艶聞《えんぶん》は耳に入っていますよ。ほととぎすならぬ、いろんな男たちが慕い寄ってくるそうではありませんか」

などとたわむれて源氏はささやきながら、もし人にこんな場面をみつけられたら、体裁《ていさい》が悪いな、と青年らしい虚栄心で人目を気にするのであった。

女の方はそんなことは全く気にかけぬさまで、

「森の下草は盛りすぎていますけれど、あなたのような若駒がいらしたら喜んで刈りますわよ」

などというのも若づくりに色っぽい。

「そうかな。たくさんの駒が、くつわをならべてせり合うことになっては難儀だよ」

と立とうとすると、女は青年の袖を捉《とら》えて、いまは恥も外聞もなく、

「ねえ、お待ち下さいまし。……打ちあけて申しますと、この年になるまで、わたくし、こんな物思いをしたことはございません……どうせなら、はじめからお情けをかけて頂かなかったらよかったのに……今となっては身の恥ですわ」

と泣くので、青年は閉口してしまった。

「そのうちにたよりをしますよ、いつも思いながらつい……」

と袖をふり放して出るのへ、典侍は追いすがって、

「〈橋柱〉……というところでございますわね」

と、恨めしげにいう。――それは、〈津の国の長柄《ながら》の橋の橋柱古《ふ》りぬる身こそ悲し

かりけれ〉の歌からであろう。

帝は御袿をお召しになり、御障子《みそうじ》のすきまから覗《のぞ》いていらしたのだが、あまりに不釣合な仲だとおかしく思われ、

「あれがまじめすぎるとみな心配していたが、結構、浮気もしているのだな」

と破顔された。

典侍はきまりわるく思いつつも、憎からぬ人のためには濡衣《ぬれぎぬ》をさえ着たがる心のならいとて、あながちに弁解もせぬのであった。

御所の内に、源氏と典侍の浮名がぱっと立ってしまった。

誰よりも驚き、かつ、してやられた、と思ったのは、親友の頭《とう》の中将である。源氏のかくれた色恋沙汰《ざた》を一つのこらず知りつくしているつもりだったのに、なるほど、典侍とは気付かなんだ、と思った。

しかし、これが男心のふしぎであろうか――色好みの多情女、という評判の典侍に、中将もまた、ふと心動かされたのである。そうして、いつとなく言い寄って、とうとう、彼までも、典侍の数多い情人の一人になってしまった。

頭の中将も人にすぐれた貴公子なので、五十七、八の典侍には、じつに好もしい情

人とうつった。典侍はうれしくてならないのである。

けれども本心をいうと、つれない源氏の方に、典侍の心はよけいかたむいていた。もう恋をやめようと思いながら、四十代では四十の恋を、五十代で五十の恋を、飽きずに典侍はくり返してきた。

自分のとしの半分にもならぬ若い恋人を得て、身も心もみずみずしくたっぷりとうるおい、命の華やぎにほてりながら、典侍にはまた、物思いも、それに比例して深くなってゆくのである。

典侍は、頭の中将のことを隠していたので、源氏は全く知らなかった。

あうと、典侍は、源氏の袖をとらえて怨《うら》みごとをいうので、源氏は敬遠していた。

しかし、源氏には、つねに女に対して、一抹《いちまつ》のやさしみが失われずあるので、いちど軀《からだ》をかわした女を、すげなくあしらうことはしないのである。

(何といっても、お祖母《ばあ》さま、といった年なんだからな……年齢に対しても敬意を表《ひょう》さなくては)

と思い、やさしい言葉をかけてやろうと思いつつも、つい、おっくうなままに日がたってゆくのであった。

夕立がして、涼しい宵闇《よいやみ》のころだった。

温明殿《うんめいでん》のあたりを源氏が歩いていると、典侍が、美事《みごと》な琵琶《びわ》の音をひびかせていた。

いったいこの典侍は、音楽の道にもたけた才女で、男ばかりの管絃のあそびにも、一人女の身でうちまじって、まさる者ない、琵琶の名手なのである。そういう女が、ことさら、わが身、わが恋のはかなさを思い、もの思いに沈んで恨みがちに弾きすます楽の音色であってみれば、源氏の心を、あわれに打たずにはおかなかった。

（………）

源氏は、思わず足をとどめて、耳をすませた。と、典侍は歌のひとふしを声あげて歌っている。声を聞くと、どうも若作りですこしきざにも思われたが、折からの風趣にかなっていないこともない。

源氏は小声で、歌のひとふしを合わせつつ、近寄った。と、典侍はすぐ悟って、誘うような歌を口ずさむ。そのへんの呼吸も、恋の手だれ、というところで慣れたものである。

「軒に立っていらっしゃらないで、どうぞおはいり下さいまし……」

典侍は浮き立つ心をしずめて、ささやく。

「いや、ほんの雨やどりですよ……楽の音色にひかれて、つい」

と源氏も応酬する。

「雨やどりのお人の袖よりも、内にいるわたくしの袖のほうが、濡れているのは、なぜでございましょうかしら」

典侍は、思わせぶりにほうっと、つややかなためいきをついてみせる。

「さて、誰のために濡れた袖でしょうかね。あなたは私ばかりお恨みになるが、あちこちに、恨む相手は、たくさんおありではないのですか？」

「まあ。あなたではございませんよ」

源氏は笑って行きすぎようとしたが、どうも、さすがに薄情な気がして、思い返して典侍の部屋へはいった。典侍はさすがに年の功で、そのやりとりに手ごたえがあり、それにたくみに恋の気分を演出する力量充分である。

若い源氏はその面白さに、つい、ひきこまれ、典侍の部屋に泊まった。

頭の中将もゆくりなく典侍を訪れてきたのだが、源氏の姿をみつけて、嬉しくてたまらなかった。

かねて中将は、源氏が、まじめな顔をして、中将の浮気沙汰をいさめるのが、いましくてならず、いつかは源氏の忍んだ浮かれあるきのしっぽをつかまえようと思っていた。

　全く、じつに幸運の機会である。

　すこし脅して困らせ、「まいった」といわせようと中将は思った。

　風が吹いて涼しく、夜はやや更《ふ》けたころ、内部《なか》の恋人たちは寝入ったようなので、
　中将は、折を見はからってそっと入った。

　源氏はおちついて眠れなかった時なので、物音をききつけて、中将とは思いもよらず、

（さてはいまも典侍に未練があるという、修理《すり》の大夫《かみ》だな……）

　と思った。（あの爺さんと顔を合わせるなんて、ぶざまだぞ）

　引きあげるには、いい機会《しお》だ。

「ひどいじゃないか。あなたの恋人が来たらしいね。今まで私にいろいろ甘いことをいったのは、みな、いつわりなんだね」

　などと巧みに責めながら源氏は直衣《のうし》だけ取って屛風《びょうぶ》のうしろに入った。

　中将はおかしくてたまらない。

　源氏のかくれている屛風のそばに近づき、わざとばたばたと音たてて、荒っぽい動作でたたんでいく。典侍は、老いたとはいえ、浮気女のことで、こんな場面にも今ま

での人生でたびたび遭遇しており、なれているのである。心をどきどきさせつつも、

（この人、源氏の君をどうするつもりかしら？）

とまずそれが気になって、震えながら中将の袖をつかまえていた。

源氏は、自分と知られないでこっそり忍び出よう、と考えていたが、しどけない姿で、冠もゆがんだまま走っていく後姿のぶざまさを想像するにつけても、あまりにもみっともないと、ためらっていた。

中将の方も内心、（私だと源氏の君に悟られるまい）と思うので、物もいわない。ただ、嫉妬の怒りに燃え狂った態《てい》をよそおって、ぎらりと太刀《たち》を引きぬくと、典侍は、腰を抜かさんばかりにおどろいて、

「あなた、……な、なにをなさるの……」

と中将に向って手をすり合わせるので、中将はあやうく、ふき出すところだった。若作りの厚化粧をしているときは、かなりな美女にも見えるが、何といっても五十七、八の老女、あわてふためいてなりもかまわず、美しい二十代の貴公子の間にはさまれ、腰を抜かしているさまは、こっけいな見ものだった。

中将があまり大げさに、怒り狂った演技を見せるので、かえって源氏にはわかってしまった。

（ばかばかしい。中将じゃないか……私だと知って、わざとやったんだな）

と思うと、おかしくて、中将の太刀を抜いた腕をとらえて、したたかつねった。

中将は、残念だったが、たまらず笑い出してしまった。源氏は、

「おどろかすのではないよ、中将。わるい冗談だ。さあ、直衣を着よう。その袖を放せ」

「いや、そのまま。そのまま。しどけないお姿の方が、お浮かれ歩きの証拠になりますからな」

「どっちのことだね。それなら、君も一緒に脱ぎたまえ」

と、中将の帯をとって源氏がぬがせると、中将はそうさせるまいと争う。そのはずみに縫目がほころび、中将は叫んだ。

「これでは、隠せどもあらわるる、というところで、恋の冒険が表沙汰《おもてざた》になってしまう」

「どうせ、そうなるのはわかりきったことじゃないか」

二人の貴公子は、同じようにしどけない姿で、そろってかえった。

源氏は、中将に現場をみつけられたことを残念に思いながら、自邸の二条院で寝て

いた。

典侍のほうは、このさわぎをつらいことに思った。翌朝、落ちていた源氏の指貫《さしぬき》や帯を届けて、手紙をつけてきた。

「嵐《あらし》のような一夜でしたわ。あの嵐は、あなたとわたくしを引き裂いたばかりか、なごりの波が、こんなものを残してゆきました」

どうも、場馴《ばな》れしたようすが小つらにくいと源氏は思ったが、かわいそうでもあるので、

「波の荒いのには驚きませんが、次々と寄せる波の多いのにはびっくりしました」

と、典侍の浮気を諷《ふう》した返事をやった。

帯の色がちがうと、よく見ると中将のだった。中将の方からは、源氏の袖を、得意顔で届けてきた。全く、恋の冒険というのは、どんな目にあうかわからぬもの、好きごころでうかれあるいていて、たいへんなことになってはとりかえしつかぬと源氏は自戒したが、これも男心の常とて、いつもそう思うのはひとときだけのことである。

清涼殿《せいりようでん》で源氏は中将にあった。

この日は公用が煩多《はんた》な日であった。源氏も中将も役目がら、いそがしかった。

源氏は、中将が、威儀を正して役職に精励しているのを見て、片はらいたくて、お

かしくてたまらない。

中将もまた、源氏が重々しい顔で、公事《くじ》を議している姿に、ふき出しそうになる。二人の仲の良い貴公子は、ひそかに顔を見合わして微笑し合っていた。

七月に、藤壺の宮は、中宮にお立ちになった。源氏は、宰相《さいしょう》にすすんだ。

帝は御譲位を考えていられた。ついては、若宮を、次の東宮に、と思し召されるが、後見をされる方がいない。おん母方の親族はみな皇族方とて、後見になれない。皇族は政治にたずさわれないきまりであった。

せめて母宮の藤壺の宮を后の位に据え、ゆるぎない地位に置きたてまつって、若宮のお力添えに、と思し召されたのである。

弘徽殿の女御は、非常に、御不満に思われたが、それも道理である。女御は、いまの東宮の母君で帝とご結婚以来二十余年にもなられる。その方をさしおいて、お若い藤壺の宮を后の位に据えられることは理にかなわぬように、世間もうわさしていた。

しかし帝は、

「東宮の御代も近いことです。そうなればあなたは皇太后ではないか。お心安い日々が待っているのですよ」

と慰められた。

中宮が入内《じゅだい》される夜のお供に、源氏も加わった。同じ中宮でも、この宮は先帝と皇后の間に生まれられた内親王で、その上、玉のような若宮もおできになり、帝のご寵《ちょう》愛《あい》も深いところから、世の人は格別に尊《たっと》んでいるのであった。

源氏は、中宮の乗っていられる御輿《みこし》ばかり、ひそかにみつめていた。御位もいよいよ高く、わが手のとどかぬところへ去っていかれる宮に、源氏はますます思慕を燃やさずにはいられない。

華やかにもおごそかな中宮入内の儀式のあいだ中、供奉《ぐぶ》する源氏の顔は、暗く沈んでいた。

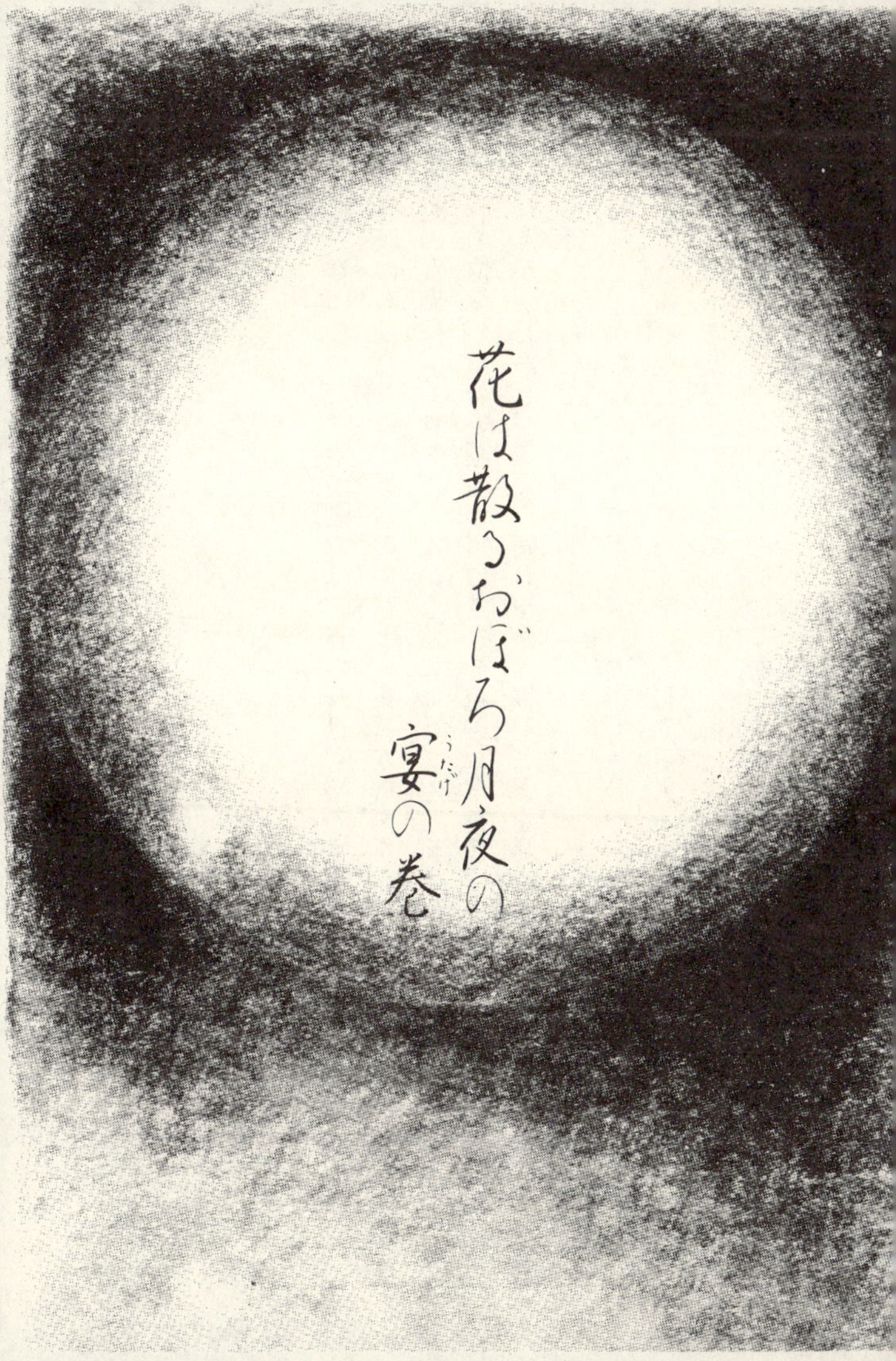

花は散るおぼろ月夜の宴《うたげ》の巻

年あけて春になった。紫宸殿《ししいでん》では、春の一日、桜の宴が催されることになった。帝《みかど》の玉座の右ひだりに、藤壺《ふじつぼ》の中宮と、東宮《とうぐう》が御座《ござ》を占められる。弘徽殿《こきでん》の女御《にょうご》は、それをごらんになるにつけても、御不快であった。当然自分がふむべき后《きさき》の位を、年若い藤壺の宮にさきを越され、身は、下座《しもざ》についているのが無念に思われたが、しかし、こんな晴れやかな催しごとを見物するのはお好きなので、やはり出かけていらした。

よく晴れて、うららかな春の青空、鳥の声もさわやかな日だった。

親王方、上達部《かんだちめ》などをはじめ、文学に心得ある人々は、みな、探韻《たんいん》を賜わって詩を作った。詩の中に踏む韻の字を紙に書いて、御前に伏せてある。それを各自取りにゆき、その場で開いて、わが名とその韻字を声高《こわだか》に披露《ひろう》するのである。

源氏は、

「『春』という文字を賜わりました」

と披露したが、聞く人々は、その態度や声音《こわね》の、凜《りん》として気品高いのに、すでに圧倒されるように思った。

つづく頭《とう》の中将は、源氏と見くらべられて気の張ることだろうと人々には思われたが、この青年もまた、なかなかに威《い》あって負《ひ》けめをとらぬ態度でよかった。

その他の人々は気圧《けお》されたかして、見栄《みば》えせぬものになってしまった。

帝や東宮をはじめ、学才・見識のある方々の多い御代《みよ》なので、人々は心が置かれるのである。

年老いた博士《はかせ》たちの、風采《ふうさい》はみすぼらしいが、さすが文学の道でもって仕えている身だけに、こういう折は場馴《ばな》れた様子でいるのが、帝には、おもしろくお目にとまったらしかった。

長い春の一日も、ようやく暮れようとするころ、「春鶯囀《しゅんおうでん》」の舞が面白く舞われる。

東宮のご所望で、源氏はひとさし、ゆるやかに袖《そで》をひるがえして舞う。

「中将はどうした。舞え」

と帝の仰《おお》せで、頭の中将もつづいて柳花苑《りゅうかえん》という舞を舞った。これは、かねてこんなこともあろうかと心づもりしたらしく、ねんごろな美しい舞いぶりだったので、帝のご満足を賜わり、御衣《おんぞ》を賜わって、中将も面目をほどこした。

詩の披講《ひこう》がはじまった。源氏の作る漢詩が、一句よみ上げられるたびに、声ないどよめきや讃嘆《さんたん》が、宴につらなる人々の間に走る。珠《たま》をつらねたように流麗な詩句、奔放に躍動し、きらめく詩想、一句は一句と、聞く人々は耳洗われるように思った。その道の博士や学者たちも嘆息して、うなずき交していた。帝のご満足もさりながら、中宮も、内心、動揺していらした。源氏の舞姿の美しさや、ゆたかな才分のほとばしりを、今さらのように目《ま》の当りにされ、必死にわが手で封じこめていらっしゃる心の底の恋が、また燃え上るのである。

この、心にやましい秘めた恋がなくて、源氏を見るのなら、どんなにかはればれと、この宴席の人々と同じように源氏を賞《ほ》めそやしたろうものを、とひとりお心に辛《つら》く思われた。

夜はふけて、やっと宴は果てた。

上達部はそれぞれに散り別れ、中宮も東宮もおのおのの御殿へ帰られた。あたりは静もり、月はあかるく照って、何ともいえぬ美しい春の宵である。

源氏は快い酔心地《よいごこち》に、このまま引きこもるのも惜しくて、そぞろ歩いた。

やわらかな、かんばしい夜気。

心そそられる、夜のしじまである。

殿上《てんじょう》の宿直人《とのいびと》もみな寝入っているらしい。もしやこういう夜に、思いがけなく宮にお目にかかれはすまいかと、藤壺御殿をうかがってみたが、例の、手引きしてくれる折の戸口もみな、しまっていた。

源氏は失望したが、なおも物足らぬ心地で、弘徽殿の細殿《ほそどの》に寄ると、三番目の戸口が開いていた。

女御は、宴のあと清涼殿《せいりょうでん》の上《うえ》の御局《みつぼね》にあがっていられるので、御殿の中は、人ずくなの様子で、静もり返っている。

(不用心な……こういうことから、まちがいはおこるものだ)

と思いつつ、そっと長押《なげし》をのぼって、内をのぞいてみる。女房たちはみな寝入っているらしかった。

そこへ、若々しくきれいな声で、(たぶん女房ではあるまい。姫君と思われるような品のいい声だった)

「朧月夜《おぼろづきよ》に似るものぞなき……」

と歌いながら、こちらの方へ女がやってくるではないか。たぶん彼女も、宴のあとの火照《ほて》りさめず、春の夜の快さにさそわれて、心ときめきをもてあましていたのであろう。

源氏はうれしくて、突然、彼女の袖をとらえた。女はおびえて、

「まあこわい。どなたなの……」

と逃げようとする。源氏はささやいた。

「あやしい者ではありませんよ……こんなおぼろ月夜にお目にかかれるなんて、おぼろげでない前世の約束ごとですよ」

と静かに女を抱きあげ、部屋へはいって戸をしめてしまう。

女は不意の出来ごとに動転してこわがっている様子が、愛らしく美しかった。ふるえながら、

「だれか、来て。……ここに知らない人がいるわ」

というのだが、源氏は女を安心させるようにやわらかく手を握りしめ、耳にささやく。

「人をお召しになってもむだですよ……。私は何をしても許される身なのでね……それよりも、静かになさって下さい」

源氏のしのびやかな声音と、微笑をふくんでおちついた口吻《こうふん》に、女は、すぐ、何者かを悟ったようだった。そうして、ややほっとしたらしい。

「ひどいことをなさるのね」

という声には、なかば媚《こび》めいた声音も添っていた。

「私が悪いのではありませんよ……春の宵のせいです」

源氏が引き寄せると、女は若々しいせいか、あらがうような手強《てごわ》さはない。こんな冒険の相手が源氏と知って、女にもたわむれ心がきざしたらしかった。興ざめな抵抗をして、情け知らずのかたくるしい女、と思われたくない気もあったのだろう。

源氏は酔っている。

酔いごこちに身を任せて、それを口実にしているような、と自分で知りながら、もう引き返せない。

女が少しもあらがわずに、源氏のいうままになるのを、源氏は可愛《かわい》く思う。

夜は早くあけて、いかにもあわただしい。

「お名前を知りたい。そうでなければどうして連絡ができよう。このままとは、あなたも思われないでしょう」

と源氏はいった。

「ほんとにお知りになりたければ、ご自分でおさがし下さいまし。それだけの熱心もおありにならないとしたら、それは、あたくしへの愛が足らないという証拠ですわ」

というさまが、なまめかしく見え、源氏はさらにこの、何ものともしれぬ女に魅力をおぼえる。

「しまった、これは私の言い方が悪かった。しかし、あなたの身もとを探ったりしていると、いつとなく噂《うわさ》が立って、私たちの仲に邪魔が入るのですよ。——なぜお名前を隠される。私をはぐらかすおつもりですか。まさか、もう二度とあわぬと思っていられるのではありますまい」

いううちに、はや、人々が起き出して、上の御局へ女御を迎えにいったり、あちらから退《さが》ってきたりして、ざわめきだした。

もう、とどまっていては人目に立つ。

「好きだよ……もういちど、あなたに会わずにおくものか」

と青年は女にささやいて、

「扇をとりかえよう。春の夜の思い出だ」

と、自分のを与え、女の扇をとって、そっと忍んで出た。

源氏の部屋に仕えている女房たちの中には、もう起きている者もいたが、源氏の帰りを見つけ、

「よくもまあ、お忍びあるきに精の出ること」

と、仲間どうしで、つつき合いしつつ、寝たふりをしていた。

源氏は横になったが、ねむれなかった。

(誰だろう?……美しい人だったが)

弘徽殿の女御の妹君の一人にちがいなかった。

妹の姫君はたくさんいて、その中には、親友の頭の中将の夫人で、中将とあまり仲がよくないという四の君や、帥《そち》の宮の夫人なども いる。みな美人のうわさ高いが、

……しかし、かの、朧月夜の姫は処女だった。すると、五の君か六の君だろうか。

(いっそ、四の君のような、人妻だったらな。むしろあわれふかい恋のかけひきができて面白かったろうに……)

源氏はためいきをついた。

(六の君だったとしたら……これはたいへんなことになる)

六の君は、東宮と結婚の予定の姫君である。

つまり、源氏にとっては、兄君の婚約者ということである。

だが、五の君か、六の君かを知る手だてはいまのところ、全然ない。

源氏は、弘徽殿の女御にこころよからず思われている存在だから、あの御殿に、気を許せる手づるはないのである。

（あの女《ひと》も、このままで終るつもりはなさそうだったが……）

と、源氏は、なぜ手紙を通わすすべだけでも打ち合わせてこなかったかと、くやまれた。

「ただいま北の御門から、女人衆のお車が出てゆくところでございます」

帝の御前から退った源氏に、良清《よしきよ》と惟光《これみつ》がさっそく報告にきた。

源氏は、ゆうべの朧月夜の姫君が、御所を退出するころではないかと、気が気でなく、心利《き》きたる従者の良清たちにいいつけて、見張らせておいたのだった。

「女御更衣《こうい》がたの御実家の方々らしゅうございますが、その中に、四位《しい》の少将や右中《うちゆう》弁《べん》といった方々が急いで出て来て、送っていられたのが、まさしく弘徽殿のお里のお車と見えました」

「四位の少将たちが送っているのならば、身分ある姫だな。やはり妹君たちか……どの姫かわからなかったか」

「さあ、それは……。お車も三つばかりございましたので」

源氏は手のうちの小鳥を、空へ放したようにがっかりした。

あの姫の身もとを探るにはどうすればいいか。

しかし、もし探ったとしても、姫の父、右大臣にまで知れたらどうしようか。大げさに婿《むこ》あつかいされたら、源氏としては進退に窮する。すでに源氏は、左大臣の婿である。左大臣と右大臣は、かねて政敵の間柄ともいうべく、いまここで右大臣の姫君との仲が公然のものとなると、政治的にむつかしい状況に追いこまれてしまう。いや、それよりも何よりも……あの朧月夜の姫君が、どんな人柄、どんな気立ての女《ひと》ともわからぬままに、いつとなくずるずるに、婿あつかいされては、これもやりきれない。

あのときの様子では、愛らしく、人なつこいように思われたが……どちらにせよ、五の君か六の君か、はっきりわからないのは残念だった。

(どうしたものだろう……)

と源氏は物思いにふけった。あのときかたみに取り交した扇は、桜の地色に、霞《かす》んだ月が水面に映っている図柄だった。よくある絵だけれど、使う人の心がらのしのばれて、何となし、やさしい風情《ふぜい》がある。

あのときの、あの女《ひと》のものいいざま、なよなよしたしぐさ、いまも源氏の眼にのこるようで、しばらく扇をみつめていた。

左大臣邸にもしばらくご無沙汰で、心苦しく思ったが、かの紫の姫君も気にかかるので、

（淋《さび》しがっているだろうなあ）

と思うと、いじらしくなって二條院へ、源氏はいってみた。

「おお……すこし見ないあいだに、何だかぐんとおとなびたね」

源氏は紫の君を見て思わず嘆声を洩《も》らした。

姫君は、童女期を抜け出して、匂《にお》やかな少女《おとめ》に変貌《へんぼう》しつつあった。愛嬌《あいきよう》ある、愛くるしい笑顔に、明るい気立てが、源氏にはことにもうれしかった。……彼の年上の妻や情人たちの、重々しいつくろった雰囲気《ふんいき》を見なれていたので。

（充分だ……これなら、全く理想通りの、好みの女に生《お》い立っていきそうだ）

と、青年は深く満足した。思う通りに不足なく教育しようという源氏の期待に、この姫君なら、こたえることができそうであった。

ただ、男の教えることなので、すこし世間なみでない点もまじるかもしれない。世

の深窓の姫君たちとちがって、幼いときから男に慣れて育ったので、開放的すぎるかな？　と気にならないでもなかったが。

「あたくし、そんなにおとなになりました？　ほんと？　お兄さま」

と紫の君は、青年に見つめられると、すこしはにかんでいった。

「自分ではわからないけど……。でも、おとなになるの、いや。いつまでも子供でいたい」

「おとなになれば、子供のときよりもっと面白いこと、たのしいことがあるのさ……つらいこと、悲しいことも増《ふ》えるがね。でもそれは、面白いことや、たのしいことの味を、より深くする香辛料のようなものだ」

姫君は、つぶらな眼を青年に向けて、じっと彼の言葉を聞いていた。怜悧《れいり》な少女には、青年のいう言葉の一つ一つが、心の砂地に沁《し》みこんでゆくようにみえた。

いつものように琴を弾いたり、あそびごとに日を暮らして、宵になると源氏は外出の用意をはじめた。

「もうお出かけになるの、お兄さま」

と紫の君はつまらなそうにいったが、以前のようにしょんぼりしたり、裾《すそ》にとりついたりせず、物足らぬながらしかたないと、あきらめた風で、

「いってらっしゃいまし」

と可愛くいって送り出すのである。

「やっぱり、おとなになったよ。姫君は」

と、源氏は、見送りについてきた乳母《めのと》の少納言《しょうなごん》に笑いながらいった。

「おばあちゃまを慕って、しくしく泣いていたのは、ほんの昨日のことのようだのに」

「そうでございますね。お心ばかりでなくお身のほうもこの程、おとなになられました」

少納言は、よしありげにほほえんでいた。

源氏は少納言を、ちら、と見て、

「それはよかった……もう一人前の淑女あつかいしなくてはいけないんだな」

「おすこやかにお育ちでいらっしゃいます。これもみな、お殿さまのおかげでございますわ」

二条院へくると、たのしい明るい話ばかりなので源氏はここへくるときは心弾《はず》む。

しかし、二条院から左大臣邸へ向うときは、まるで義理にひかれるように気が重い。

妻のもとへいくというのに、車の中で青年は、屈託ありげに嘆息をもらしたり、爪《つめ》を嚙《か》んだりしていた。

源氏が来たというのに、葵《あおい》の上《うえ》はなかなか顔を見せない。化粧に手間どるのだろうか、もったいぶっているのだろうか……夫婦らしく、ふだん着の素顔を見せてくれればいいのに、と源氏はいつものことながら、手持ちぶさたに、物淋しい。

(男に、こうも所在ない気持を味わわせていいと思っているのかなあ)

などと、それからそれへと考えつづける。

(男に、いろんなことを考えさせるひまをあたえて、いいと思っているのだろうか、あの人は)

男が、女のもとへきて、さまざまな感慨にふけっているようでは、その男女の仲はおしまいである。

源氏は琴をとりよせ、かき鳴らして小声で、

「やはらかに寝《ぬ》る夜はなくて」

とはやり唄《うた》をうたっていた。

そこへ、義父の左大臣が来た。左大臣は婿のおとずれを、娘よりも喜んでいるのだった。

「花の宴は面白うございましたな。私もこの年になるまで、四代の帝にお仕えしましたが、このたびのように詩文の出来栄えがみごとで、舞や楽がすぐれていたのははじめてで、命も延びる気がいたしました。あなたがそれぞれの道の、物の上手をよくご存じで、おえらびになったためでしょうな。この年寄りまでも舞い出したくなる心地でございましたよ」

「いや、特に私の心くばりのせいではありませんが……それよりも、頭の中将の舞が美事《みごと》でしたね」

源氏は心やさしいところがあるので、左大臣の愛息をほめるのだった。

「大臣ご自身もお舞い下さったら、どんなにか世の晴れでしたろうに」

そこへ、中将や弁《べん》といった子息たちもやって来て、管絃《かんげん》のあそびがはじまった。みなが高欄に背をもたせ、思い思いの楽器を手にして音色をしらべはじめてゆく。源氏はやっと心が明るんだ。この邸《やしき》へくるたのしみは、妻よりもむしろ、男どうしのつきあいの面白さにあるように思われる。男性の身内に恵まれなかった源氏にとって、義父や義兄弟とむつみあうのは、たのしいことなのだった。

右大臣家の六の君は、四月ごろ、東宮妃として入内《じゆだい》することに内定したらしかった。

源氏はその噂を聞くにつけても、朧月夜にあった女《ひと》が、その人かどうか、わからないのが気がかりである。

三月の二十日すぎ、右大臣邸では賭弓《のりゆみ》の勝負の催しが行なわれ、親王方や高官を招待した。そのまま、引きつづいて藤の花の宴がある。万事派手ごのみの右大臣家であるから、弘徽殿の女御のお生みになった姫宮たちの御裳着《おんもぎ》（はじめて女性が裳をつける祝いの儀式）の日のために、邸も新築されて磨き立てられていた。

右大臣は源氏を、ぜひに、と招待していた。

「まあお越し下さいませ。なみの宴会ならばこうも強いてお招きいたしませんよ」

源氏が帝にこのことを告げると、

「得意そうだな、右大臣は」

とお笑いになって、

「せっかくの招待なのだから、早く行っておやり。そなたにとっては異母姉妹の内親王たちも育った邸なのだから、右大臣も、そなたを他人とは思っていないだろう」

と仰せられた。

源氏は身だしなみに心をつかって、かなり暮れたころ、人々に待たれてから右大臣邸に着いた。

桜襲《さくらがさね》の直衣《のうし》である。表は、唐織《からおり》の白いうすもの、裏は紅だった。白のうすものには金糸がきらきらし、裏の紅が透けて優美にみえる。葡萄染《えびぞ》め（赤紫色）の下襲《したがさね》の裾を長く引き、源氏は人々に鄭重《ていちょう》にかしずかれて席へ入ってくる。ほかの招待客たちは、みな黒の正装なので、その中でひときわ目立ってなまめかしくみえた。源氏は身分がら、うちとけて洒落《しゃれ》た平服を、どんな席でも許されているのだった。

管絃のあそびに面白く夜はふけた。

源氏は酔って苦しくなるふりをして、そっと宴席をすべり出た。

寝殿には、姫宮たちがいらした。源氏は東の戸口に出て寄りかかっていた。藤の花はこちらの端に咲いているので、それを見ようとて、格子《こうし》はみなあげてある。女房たちもいっぱいいた。色とりどりの袖口が派手やかにこぼれ出ていて、浮わついたあたりの雰囲気である。——それにつけても、源氏は、藤壺御殿の、たしなみある落ちついたたたずまいが、おくゆかしく思い比べられた。

「酒を強いられて、苦しくなりました。おそれ入りますが、ここへかくまって下さい」

と源氏が御簾《みす》の内へ上半身を入れると、

「まあいけませんわ、女の部屋に……」

という女性の声は、品よく美しかった。

部屋にたきこめた香《こう》が匂っていた。内親王方が見物なさるのに随《つ》いて、右大臣家の姫君たちも、ここにいるのにちがいない。香のくゆり、衣《きぬ》ずれの音……高貴な女人たちが幾人かいるらしい気配《けはい》がする。内親王方がいられるとしたら、遠慮しないといけないところだが、源氏は心がおどるのを抑えかね、立ち去ることができない。源氏はそっといってみた。

「扇に思い出はおありですか？」

「え？　なんのことをおっしゃいますの？」

という一人の女人は、これは目当ての人とちがうらしい。が、その奥で、もうひとり、ひそかにつぶやく女《ひと》がいた。

「朧月に道をお迷いになりませんでしたこと？」

源氏は嬉《うれ》しさでとび立ちそうだった。まさしく、あの女《ひと》の声ではないか。

めぐる恋ぐるま

葵《あおい》まつりの頃の巻

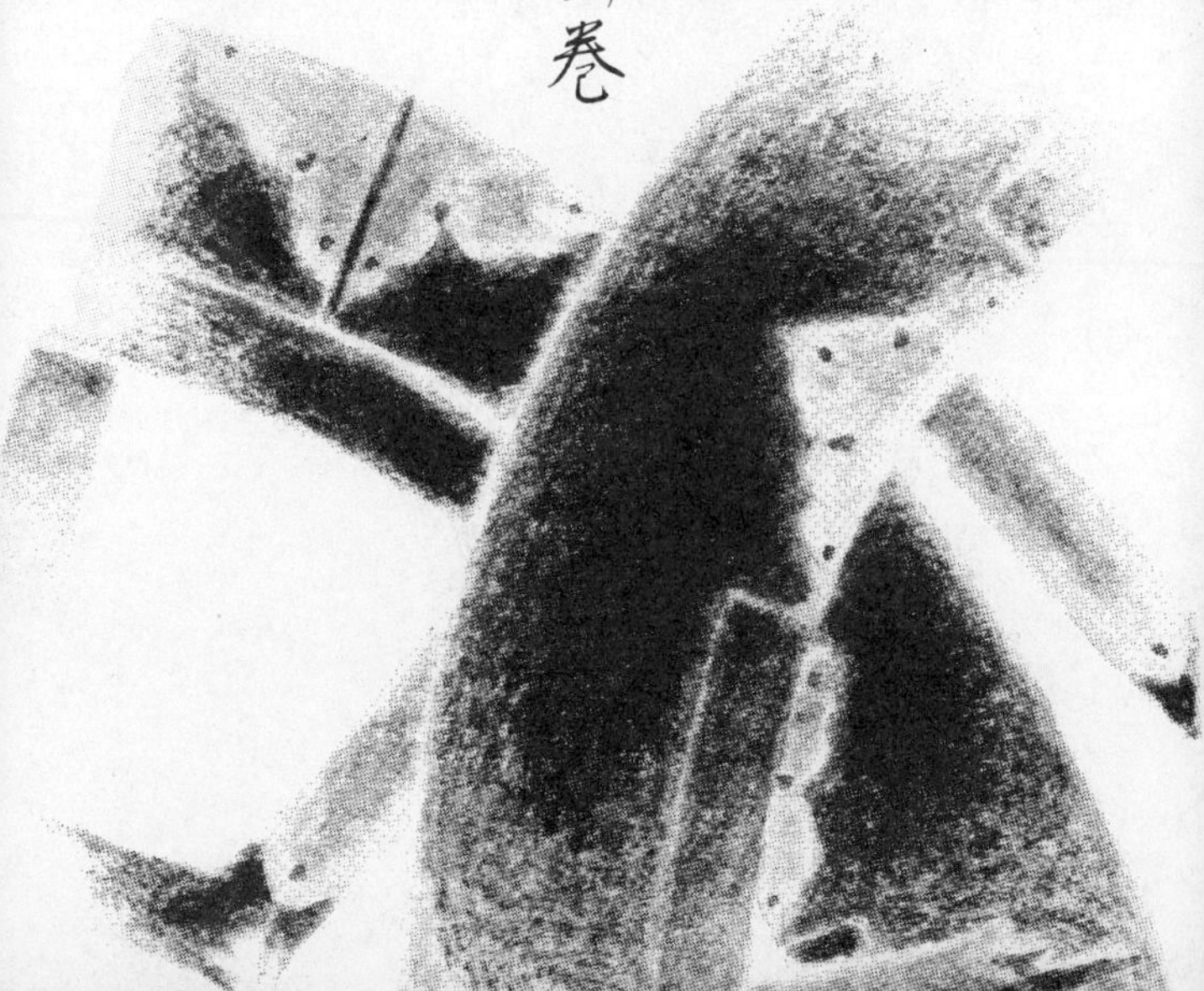

父みかどが退位されたので、世の中はすっかり変ってしまった。弘徽殿腹《こきでんばら》の朱雀帝《すざくてい》が即位され、東宮《とうぐう》は、藤壺《ふじつぼ》の宮のお生みになった若宮である。

源氏は、世のありさまがすべて昔と変ったので何となく物憂《ものう》く、それに、いまは右大《うだい》将《しょう》という重い身分にもなったので、以前のように気軽な忍び歩きもできにくくなった。あまたの情人たちをたずねていく機会も、なかなか作れないので、彼女たちから人しれず、恨まれていた。

そして源氏自身はといえば、藤壺の宮が、あいかわらずつれなく、源氏のひめやかな文や、ことづてを無視されつづけているのを、お恨みしているのであった。

御位《みくらい》を譲られてのちの桐壺院《きりつぼいん》は、宮中を去られて、院の御所で、藤壺の宮と仲むつまじく寄り添いお暮らしになっていらっしゃる。

そのご様子は、全く、世の常の夫婦にたがわずお見受けされる。

弘徽殿の大后《おおきさき》はそれを嫉《ねた》ましく思《おぼ》し召すのか、いまは新帝とともに宮中にばかりいられる。それゆえ、藤壺の宮は、院とお二人きりのご日常に、お心も安らかであった。桐壺院は、折ふしに管絃の催しなどなさって、お気楽に楽しい余生を送っていらした。

ただ以前のように、気ままに東宮にお会いになれないことだけを気がかりに思し召していられる。

「東宮にはしっかりした後見がいられない。ひとえにそなたに頼むぞ」

と院は仰《おお》せられ、源氏はうしろめたく面《おもて》を伏せつつも、東宮を托《たく》されたことを嬉《うれ》しく思うのであった。

帝《みかど》の代が替ったので、伊勢神宮の斎宮《さいぐう》も、このたび替られることになった。新斎宮は、六條御息所《みやすんどころ》の姫宮である。亡《な》き前東宮《さきのとうぐう》との間に儲《もう》けられた姫であった。

御息所は、この際、斎宮となった姫宮について伊勢へ下《くだ》ろうかと考えている。まだ少女といってもいいほど幼い姫宮を、手許《てもと》から放して、伊勢へやるのも気がかりだし、何より、源氏の心があやふやで頼りにならぬのを思うからだった。御息所は、不安定な恋を、いっそ、わが手で断ちきりたかった。

桐壺院は、御息所が伊勢へ下るという決心をしたのを、人づてに聞かれたとみえ、源氏にいわれた。

「そなたは、あの方をどんなつもりで扱っているのか。あの方は、私の弟になる亡き東宮が、こよなく愛された人だ。そなたが軽々しく、なみの女人と同じように扱っていい人ではないのだ。私も、忘れがたみの斎宮を、わが子と同じように思っている。どちらの縁からいっても、あの方をおろそかにしてはならぬ。……男というものは、女人に恥をかかせたり、悲しい思いをさせたりしてはならぬ。女の恨みを買うようなことを、するものではない」

と、ご機嫌《きげん》がわるかった。

源氏は仰せがことごとく尤《もっと》もだと思われるので、恐縮してうなだれていた。それにつけても、深く秘めている大それた罪がもし、院に発覚した場合はどうしようと、心から恐ろしくなり、怱々《そうそう》に退出した。

院に訓戒されるまでもなく、源氏は、御息所を、もっと鄭重に扱わねばならぬことは、よく知っている。あの貴婦人を、ただの情人としておくのは不当である。

正妻に葵《あおい》の上《うえ》がいても、もし源氏がその気になれば、ちゃんと結婚して御息所を、晴れて源氏の夫人と世間に公表できるのだ。

身分ある男たちは、正式の妻を、二人三人と持つのが、世の習いだから……。

しかし源氏は、そこまで決心がついていない。

御息所もまた、年のちがいを思い、たえず控えめになってしまうし、それが愛情に屈折した影をもたらす。源氏もそれにつけこむような感じで、すっかり心を開かず、距離をおいた愛し方をする。そうして御息所の恋が燃えれば燃えるほど、男女《ふたり》の仲は微妙にたゆたい、ともすれば、ほどけがちな、きずなとなってしまう。御息所はあけても暮れても物思いは尽きなかった。

（疲れた……）

と御息所は思う。

それに彼女の恋には、高貴な身分ゆえの悩みもまつわって、よけい苦しくさせていた。

世間の人のみか、院のお耳にまではいってしまった二人の仲。年のちがいも恥ずかしく不似合いな、と御息所は思っているのに、まして年若の恋人に捨てられようとしているわが身。

世の人々はどんなに嗤《わら》っているであろうかと、御息所は貴婦人としての誇りを踏みにじられた気がしていた。前東宮妃という身分も名誉も地に堕《お》ちて泥にまみれた気がする。すまじきは恋。――御息所は思い屈し、嘆きながら、日も夜も迷う。

（あのひとときっぱり別れて、伊勢へ下ろうか？……）

（もしそうすれば、都へ還《かえ》る日はいつのことかわからない。あのひとともう二度とあえないかもしれない。わたくしにはそれに堪える力があるだろうか？）

そんなときにも、野末《のずえ》の風のように噂《うわさ》はわたってくる。

「源氏の大将の君の、北の方はご懐妊だそうでございます」

「左大臣家では、たいへんなお喜びで、もう今からご安産のご祈禱《きとう》がはじめられているとか……」

「源氏の君にははじめての御子《みこ》。さぞ珍しくも、いとおしくも、お思いでございましょうね……」

ひそやかに身辺にささめく噂話は、そのまま、心に降りつむ、まがまがしい暗い雪のように御息所には感じられた。それは御息所の恋をとじこめ、心のすみずみまでを凍らせる。

嫉妬《しっと》と愛執につかれて、彼女は、あるときは今すぐにでも伊勢はおろか、もっと遠い国へいってしまいたいと思う。

またあるときは、こういう不安定な恋だからこそ、去れないと思う。どちらかに決着がつくまで見届けないと……。もし、源氏がほんとうに彼女を愛しているとの確信を得られたならば、御息所は喜んで即座に都を捨てることができるのに……。

愛されていると信じる女は、男と別れることができるのだ。

いちばん別れにくいのは、相手の心がつかめないときなのだ……。

さて、ここにこんな御息所の恋の苦しみを、ひそかに察している女性がいた。

式部卿《しきぶきよう》の宮の姫君である。

式部卿の宮は、桐壺院や、亡くなられた前東宮とは御同胞《ごきようだい》でいらっしゃる。その宮に姫君がいらして、美女の聞こえたかい。

源氏はかねて、式部卿の宮の姫君に懸想《けそう》して、文《ふみ》をとどけて言い寄っていた。美しく、心ざま深い姫君、という噂に心ひかれ、どうかして会いたいと思うのだった。いつぞや、朝顔の花につけて文を送ってから、源氏はその姫君を「朝顔」の姫、と呼んでいた。

朝顔の姫君は、いつも源氏にはさりげない返事ばかりを返していた。何かの折に、美貌《びぼう》の源氏をかいまみる時は、乙女《おとめ》らしい心さわぎをおぼえぬではなかったけれど、源氏の数ある情人の一人と指折られるようなことは決してするまいと、乙女らしい潔癖さで、わが身をいましめていた。源氏と契《ちぎ》った女人たちがそれぞれに苦しむさまを、風の便りに聞くたび、姫君は、自分はその轍《てつ》をふむまい、と思った。――六條御息所の苦悩に同情しながら、姫君は、自分はちがう人生をえらぼう、と決心していた。

といって、きっぱりと憎々しげな、痛烈な返事を源氏に書いて、男に恥をかかせる、というような人柄では、姫君はなかった。

源氏の手紙は、四季につけて興ふかく、面白かったので、教養ある姫君には好ましいたよりだった。姫君は折々に風情《ふぜい》あることばや歌を返して、才気ある趣味人同士としての応酬をたのしんだ。

けれども、源氏が仄《ほの》めかす色めいたことだけは気付かぬふうに、さりげなくかわしつづけていた。軽率に情にほだされたりはしなかった。

源氏の方では、それゆえになお、朝顔の姫君が印象ぶかく心にのこる。

ここ幾年か――源氏と、朝顔の姫君の間には、文通のみの、恋とも友情ともいえぬ、一種の親愛感が通《かよ》っているのであった。

そのころ、賀茂《かも》の斎院《さいいん》も替られて、弘徽殿の大后の第三皇女が、新斎院になられた。

院も大后もことのほか愛してらした姫宮なので、神に仕える身となられたのを心苦しく思われたが、ほかに適当な内親王がいられないので、よんどころなかった。

儀式など、ひときわさかんに行なわれる。

斎院の御禊《ごけい》の日、供奉《ぐぶ》の高官は慣例通り、数はきめられているが、ことに名士たち、それも風采《ふうさい》もりっぱな人々をえらび、装束《しょうぞく》から馬具に至るまで一式、みごとにととのえられた。

特別の勅命で、源氏もお供した。

この一行の行列を見ようとして、世間の人々は物見車を出そうとかねて用意している。

一條の大路《おおじ》は早くから空いた所もなく、大混雑である。

所々の桟敷《さじき》に、それぞれ好みの飾りつけをしたり、そこから着飾った女たちの袖《そで》や裾《すそ》が見えたりして、これもまた、見ものといっていいであろう。

左大臣邸の葵の上は、もともと、物見に出たりしない上に、懐妊中で気分もすぐれないから、外出するつもりはなかったのだが、若い女房たちが、

「せっかくのお殿さまの晴れ姿を、北の方さまがご覧なさらない、なんて残念ですわ」

「私どもだけで、こっそり拝見するなんて張り合いもございません。今日の物見は、ただ光の君さまだけに世間も注目しているのですもの。いやしい下々《しもじも》の人々も、ひと目拝もうと、遠い所から家族連れではるばる集まってくるそうでございます」

などと口々にいうので、母君の大宮が、

「ご気分も今日はよろしいようだし、みんなも、ああいうのだからいってらっしゃい」

とすすめられ、急に車の用意をいいつけて葵の上は物見に出かけることになった。

日が高くなってから出かけたので、もうすきまもなく物見車が立ち並んでいて、何輛《りよう》もの車をつらねてきた左大臣家の一行は場所が取れなかった。

やっと、身分ありげな女房車がつづくあたり、賤《いや》しげな者のいない所をさがして、そのへんの車をのけさせることにした。

その中に、のかぬ車があった。

すこし古びた網代車《あじろぐるま》の、しかし下簾垂《したすだれ》の上品なさま、内なる人は、奥に引きこもって、ほのかに袖口や裳《も》の裾などの清らかな色がこぼれてみえるだけである。どうやら、なみなみならぬ身分の人が、しのんでの見物と思われる。――その車の供の男たちは権高《けんだか》に、

「手を触れるな。このお車は、のけさせてよいようなものではない。無礼を働くな」

と、頑として動かない。

「何を！　こちらのお車こそ、どなただと思うのだ」

左大臣家の供人もいきりたった。

「これ、そう手荒なまねをするものでない」

と、左大臣家の従者の中でも年かさの人々はおしとどめるが、若い男たちはどちらも酒が入っていて騒ぎたち、手のつけようもないのであった。

その、よしありげな車の主は、誰あろう、六條御息所なのだった。物思いのなぐさめにもと、思い立って忍んできたのだが、左大臣家の従者たちにも自然にわかってしまった。

「それぐらいの車に大口を叩《たた》かせるな。大将殿をかさに着ていばっているのだろうが、こちらをどなたと思うのだ」

などと荒けなくいい募る。

左大臣家の供人の中には、源氏の家人《けにん》たちもまじっているので、御息所を気の毒に思ったが、しかし葵の上は源氏の正妻ではあり、どちらにつくこともできない。面倒なので誰も知らぬふりをしていた。

とうとう衆をたのんで左大臣家の供人は、車を何台もたてならべてしまったので、御息所の方の車はうしろへ押しやられてしまって、何も見えなくなった。

それも残念だが、御息所は、わが忍び姿をそれと見あらわされたことがくやしくてならなかった。聞くまいとしても、向うの従者たちの心ない罵《のの》り声は耳にはいってい た。左大臣家ではあんな卑《いや》しい下々の者にいたるまで、正妻であることを鼻にかけて、わが身を数ある情人の一人と思い貶《おと》しめているのだ。

御息所はくやしさと切なさに身も震えるばかりだった。

車の、轅《ながえ》をすえる台もみな押し折られてしまって、そのへんの車の筒《どう》に引きかけてあるのも、みっともないことだった。高雅な趣味人の御息所とすれば、堪えがたいはずかしさである。

もう行列も見ないで帰ろうと思ったが、車の抜け出るひまもなく、そのうち、

「来たぞ、来たぞ」

と人々のどよめきが渡ってくると、さすがに「にくいあの男《ひと》」の姿をひとめ見ようと待たれるのも、恋する身の心弱さでは、あった。

源氏は、後方に押しやられている御息所の車など、むろん気づかないから、つれなく過ぎてゆく。

どの車も、常よりも趣向をこらして、下簾垂のすきまには、とりどりの女の衣裳《いしょう》や、微笑や、色っぽいながし目がこぼれていた。

源氏はそしらぬ顔をしつつも、それと思いあたるあたりには、さりげない目くばせや微笑を送ってゆく。

左大臣家の一行はすぐ分るので、源氏はまじめに重々しく通ってゆく。供人は、葵の上の車の前は、かしこまって敬意を表しつつ、過ぎるのだった。御息所はそれを見るにつけても、屈辱感に心は蝕《むしば》まれた。

とはいうものの……。

あの日もあやに美しい源氏の晴れ姿を見なかったならば、それもそれで残念だったろうと御息所は思った。

美しいだけでなく、源氏は若々しく輝くばかりだった。供奉の人々も美々《びび》しくきらびやかに飾りたてていたが、源氏の水際《みずぎわ》立った容姿の美しさ、威《い》あってしかも瀟洒《しょうしゃ》で、凛《りん》とした気品にあふれながらも、愛嬌《あいきょう》こぼれるばかりの魅力的な風采、挙措《きょそ》には、だれ一人かなうものもなく、光を失ってみえた。

恒例とちがい、今日は重々しい身分の人々まで源氏の供をしている。随身《ずいじん》として特別に、右近《うこん》の将監《ぞう》の蔵人《くろうど》が仕えていた。まことに世にもてはやされ、かしずかれている源氏の様子は、草木もなびく人望・威勢と思われた。

中流階級の娘たちも飾った車に乗って衣裳の裾を気取って出し、源氏の注意を引こうとしているのも面白い。世すて人や、卑しい下人たちまで、押しあいへしあい、こけつまろびつしつつ、源氏を仰ぎ見ていた。中には合掌して源氏をおがんでいる者どももあり、一條大路は、源氏のゆく道々、沸き立っていた。

源氏が忍んでかよう情人たちのうちには、このありさまを見て、

（こんなにもてはやされる方だもの……私ひとりのもの、というのはやはり無理だわ）

とひそかにため息をつく女たちも多かった。

折しも、式部卿の宮が、朝顔の姫君と共に桟敷から行列をごらんになっていらした。

「年を加えるにつれて、ますますすぐれた風采になられる人だな」

と姫君に仰せられ、

「あの源氏の大将の君は、そなたに長らく思いをかけて文《ふみ》をよこすと聞くが……。こんな、美しい公達《きんだち》ぶりを見ては、さしもに物堅いそなたの心も、とけるのではない

か」

とたわむれられた。

「ほんとうにりりしい殿方ぶりですわ……変らぬお心で、長年、お文をお寄せ下さるまめやかさも、もったいのう存じますが、でもわたくしは、それゆえにこそ、あのかたと、現し身《うつみ》の上で、愛を契ったり恋をささやかれたりするのは避けよう、と決心いたしましたの。……こんな、男女《おとな》の愛もあるのですわ……わたくしは充分、あのかたと愛を交しあっていますの。お文のやりとりで……。心のうちで……。わたくしは生涯、それを貫きとうございますわ」

朝顔の姫君は、ものしずかに父宮にそう答え、けがれを知らぬ聡明《そうめい》な、澄んだ瞳《ひとみ》を、去りゆく源氏の行列にあてていた。

祭りの当日は、左大臣家では見物にいかない。

源氏は、車争いの一件を従者の一人から聞いて、御息所を気の毒にもいとおしくも思った。

それにしても——葵の上も、あまりに思いやりが足らぬではないか、と源氏は不満に思った。あたら重々しい身分の貴婦人でありながら、やさしい情愛に欠け、自身は悪意はないのだろうけれど、結果として御息所に思いがけぬ侮辱を与えることになってしまった。

夫にゆかりある婦人、と思えば、さりげなくいたわり、思いやりをわかちあうべきであろうものを。

葵の上は、そこまで人柄が練れていないので心くばりが冷たく、それにならって下々の者まで御息所に狼藉《ろうぜき》を働いたにちがいない。

御息所は繊細で、傷つきやすい感受性の、たしなみふかい女人《にょにん》なので、どんなに辛《つら》い思いをしただろうと源氏は同情した。

さっそく六條邸を訪れたが、「斎宮がまだ邸《やしき》にいられますので、神へのはばかりもございますれば」ということで、御息所は会うのを拒んだ。

その気持もわからなくはないが……。

(ああ、なんだってまた、こうも気むずかしい女《ひと》が多いのだ……どちらもこちらも、かどの多い女ばかり、そう、自我を張らずとも)

と源氏はむなしく帰る車のうちで嘆息が出るばかりであった。

祭りの日、源氏は二條邸から見物にいくことにした。西の対《たい》にゆき、惟光《これみつ》に車の用

意をいいつける。源氏は、

「みんなもゆくかね」

と紫の姫君に仕えている女童《めのわらわ》たちに、快活にいった。

姫君は美しく着飾って待ちかまえていた。

「お兄さま、祭り見物に連れていって下さるのでしょ、あたくしも」

「むろんだよ。一しょに車に乗って見よう」

「嬉しい」

源氏は姫君の清らかな黒髪を撫《な》でながら、

「先を、久しく切ってないね。今日は髪そぎには吉日だろう」

と、暦《こよみ》の博士を呼んで、髪を切るのに縁起のいい時間を調べさせたりしている。

可愛《かわい》く化粧した女童たちは、そわそわとおちつかぬ風である。

「みんな、先にもう行っているがいい」

と源氏は、微笑していった。少女たちは髪の裾もかわいく、花やかに切りそろえて、
浮紋《うきもん》の上の袴《はかま》にかかっているありさまが、目もさめるばかりだった。

「あなたの髪そぎは、私がしてあげよう」

と源氏はとりかかったが、

「これはまた、多すぎてこまるくらいだね。今にどんなになるだろう」

と切りにくそうにしていた。

「長い髪の人でも額《ひたい》ぎわは短いものだが、……きれいに長くそろいすぎて愛想がないくらいだね」

といいつつ、切りおわると、こういうときの習わしで、

「千尋《ちひろ》」

と縁起のいい言葉で祝った。千尋の長さにも黒髪ゆたかに伸びよ、という心である。乳母《めのと》の少納言《しょうなごん》は、源氏の、父とも兄とも夫ともつかぬ愛の深さを、しみじみうれしく思った。

「千尋の海の底まで——いつまでもゆく末長く、あなたを見守ってゆくからね」

と源氏がいうと、紫の君はさかしく、

「海はだめよ、お兄さま。潮がみちたり干《ひ》いたりして頼りにならないわ。お兄さまのお心がたのみがたいという証拠だわ」

「これはやられた、また、おませさんにやられた」

いっぱしの淑女ふうだが、まだどこか子供っぽい姫君が、源氏は可愛くてならなかった。二條邸の西の対には、あかるい笑い声がみちた。

今日も物見車がすきまなく立てこんでいる。

馬場《うまば》の殿《おとど》のあたりで、車をたてる所にこまって（上達部《かんだちめ》の車が多いからうるさいな）とためらっていると、ちょっとした女車の、たくさん婦人連が乗っているらしいそれから、扇をさし出して招くではないか。

「ここへお車をお立てなさいまし。場所をお譲りしますわ」

源氏は、どんな風流女だろうと好奇心をもち、場所もいい所なので、車をそこへ寄せて、

「どうしてこんないい場所をお取りになったかと、うらやましくて」

というと、女は、上品な扇の端を折って、

「まさか、あなたが、どなたとも知れず同車なさっているなんて知らないものですから、今日の葵《あおい》まつりを待っていましたの」

と書いてよこした。葵《あおい》（旧かなづかいであふひ）は逢う日、にかけてあるのだろう。

手蹟《しゆせき》をみれば、かの色好みの老《おい》女房、源典侍《げんのないしのすけ》である。

呆《あき》れたな、若いつもりでいつまでも色っぽいことだと源氏はおかしくて、

「今日の葵は、みな人のかざすもの、あなたの逢うのは私だけではありますまい」

と、つれない返事を返した。

源氏が、誰ともしれぬ女人と相乗りして、車の簾垂《すだれ》を上げないのを、妬《ねた》ましく思う女たちが多かった。彼女たちは、

「先日の御禊の行列のときは威儀を正してらしたのに、今日はお気軽にくつろいでらっしゃるのね」

「どなたでしょう……ご同車の方は」

「あの方のことですもの、そりゃあ、なみなみの女《ひと》ではないと思うわ」

などと口々にいって推量していた。

六條御息所はあけくれ、物思いが深まさっていく。――ことにうとましいのは、この頃、何だか、わが心がふわふわと、身から離れていってしまうような、おぼつかなさであった。御息所はそれを、物思いがこうじての、病のせいかと思った。

葵の上には物の怪《け》がとりついて苦しんでいるので、左大臣邸では心配していた。熟練した修験者《しゅげんじゃ》たちが熱心に祈禱するのだが、さまざまの物の怪や生霊《いきすだま》の中で、ことに執念ぶかくとりついて離れないのがある。

葵の上は、その物の怪に苦しめられ、胸がせきあげて、しくしくと泣いているので、

どうなることかと、両親も邸の者たちも恐れ、狼狽《ろうばい》しているのだった。源氏も、さすがに妻のことなので気遣いもただならず、ことに懐妊中という大事の身ゆえ気がかりで、自室でも御修法《みずほう》をさせたりしていた。

桐壺院からもお見舞いがひまなくあって、祈禱のことまでお心にかけて下さる。世間の人々も葵の上の病気を案じ、関心を寄せた。

六條御息所はそれを聞くにつけても、ただならぬ嫉妬と憎悪《ぞうお》に心は燃えた。

今までは葵の上に対して競争心のようなものなどは決してなかった。だがあの車の所争いという、ごくささやかな事件が引き金となって、御息所の胸の業火《ごうか》は、一気に燃え上ったのだった。左大臣邸の人々は、まさか、そんなことになっていようとは、夢にも思っていなかった。

源氏は、御息所が病に臥《ふ》し、斎宮を憚《はばか》って、別の邸に移り、ひっそりと療養していると聞いた。そちらの様子も気になるので、見舞いに出かけてみると、御息所はふだんでも、しっとりと口少なの女《ひと》なのが、いっそうやつれて、うち沈んでいた。その風情をみると、源氏もしみじみと、この女《ひと》がいとしくなる。

「私は、そう心配はしていないのですがね、妻の両親が、年よりのことで気遣《きづか》いしておろおろしているのがいたわしくて、私も手を放せないのですよ。どこへも出かけられない現状でね。お心を広くもって許して下さると嬉しいのだが……。あなたのことは忘れたことはない。誓って」

源氏は御息所の手をとり、握りしめ、つめたい白い手の甲に唇をあてた。

「でも、そうはおっしゃっても、わたくしが伊勢へ下るのをおとめにはならないのでございましょう？」

御息所のささやきは小さいが、鋭く源氏の耳を打った。源氏は一瞬、口を噤《つぐ》んだが、

「私のような者に愛想をつかして去られるのを尤《もつと》もだと思わぬわけにはいかない。……しかし、今はやっぱり、数ならぬ私でも末々まで変らぬ心でいて下さるのが、縁というものですよ」

と、あいまいな言い方をした。源氏は御息所と持つ屈折した複雑な愛情の時間を、重苦しく感じはじめている。――それが、そんな捉《とら》えどころのない、どっちつかずの返事を、源氏にさせるのだ。御息所はそれを直観で知った。

二人の別れを意味する伊勢ゆきを、男が必死に反対してくれたら、御息所はどんなに嬉しかろう。また、いさぎよく承知してくれたら、このしぶとい煩悩《ぼんのう》からきっぱり脱《のが》れられるのだ。いっときは苦しいかもしれないけれど。

源氏のやさしさからかもしれないけれど、そんな優柔不断な返事をされると、迷い多い女心はよけい迷ってしまう。

たがいに心うちとけず、しっくりしない夜をすごして、未明に源氏は帰っていった。朝霧にまぎれて去ってゆく美しい青年の姿を見ると、御息所はまた思い乱れてしまう。

ほんとうに、彼を手放して、遠くへ行けるのか、と。

しかし、こんどは彼の正妻で、身分高い女人に、彼のはじめての子も生まれるのだ。どうせ、都にとどまっても源氏の心は、葵の上で占められるだろうと御息所は考えあぐねた重いまぶたを閉じた。

夕方、源氏が、「病人の具合が思わしくなくて、うかがえません。お許し下さい」と御息所に手紙をやると、折り返し、返事がきた。

「あなたは、深い泥田に働く、農夫をごらんになったことがありまして？　わたくしがそれですわ。袖をぬらすのみの不幸な恋だと知りながら、いつとなく、しだいに深みへはまってしまった自分を、心憂く存じます」

とあった。

その筆蹟は洗練されて高雅に美しい。おそらく、源氏の知るかぎりの女人の中でももっともすぐれた書き手であろう。最高の教養、最高の趣味をもつ、稀有《けう》な女人だと源氏は今更のように御息所に惹《ひ》かれる。

（ああ、なんとまあ、――思い通りにいかない世の中だろう）

と源氏は嘆息せずにはいられない。

（あの女、この女、心立てもみめかたちも、それぞれとりどりに、いいところがありながら、さりとてまた、この女《ひと》一人、と思い定めることもできないのだ）

葵の上の容態は重くなっていった。

物の怪がついて離れないのを、「六條御息所の生霊か、もしくは御息所の亡き父の大臣の霊ではあるまいか」と世上で噂しているらしかった。源氏と深い仲にある御息所は、いわばこうしたとき、もっとも世の人の疑いを招きやすい立場にあった。

御息所は噂を聞いて、堪えられぬ思いを味わった。

彼女は、わが身一つのつらい不運を嘆きこそすれ……人の身を「悪《あ》しかれ」と詛《のろ》う心などさらにないつもりであった。ねたみ憎しみを感じこそすれ、それを力にして、人をそこなおうなどとは、誇り高い彼女には、思いもそめぬことだった。

しかし、御息所は、ふと不安である。物思いがこうじると、魂がいつとなく現し身をぬけ出し、あくがれ出ると聞くけれど、そうかもしれぬ、とひそかに思いあたることがあった。

この年ごろ、辛《つら》い思いはしつくしてきたけれど、あの御禊《みそぎ》の日からこっちのような惑乱はまだ知らなかった。あのとき、葵の上にさげすまれ、おとしめられたという屈辱感が、御息所の心にふかい刻み目をつけたせいだろうか……。うとうととまどろんでいるときの夢に、かの葵の上とおぼしい美女が、美しい姿で、ものにもたれている所へいって、自分がその人を押し倒している。

夢の中の自分は、自分であって、常の自分ではない。

野卑《やひ》で粗暴で、本能のままに猛々《たけだけ》しく、美しい姫君を打ちすえたり、黒髪をつかんで引きずりまわしたり、胸もとをつかんで烈《はげ》しくゆさぶったり、逃げようとする姫君の裾を踏んで引きおこし、頬《ほお》を平手うちしたりする。

とうてい現実の自分のすることではなかった。そんな夢をしばしば見た。

御息所は絶望した。魂がわが身を離れていくのだろうか。こんなことを世の人が知ったら「やっぱり……」としたり顔にうちうなずくのは目にみえている。

(なんという罪ふかい宿世《すくせ》のわたくしだろう……これも、つれない男《ひと》を恋した罪だ)

と、源氏を思い切ろうとするが、それは却《かえ》って、思いの深まさってゆくことでもあった。

斎宮は九月には野の宮《のみや》にお移りになるはずで、その準備もさまざまあるのだが、母君の御息所がこのさまなので、邸の人々は心配してしきりに祈禱していた。

御息所は、うつつ心を失ったように、ぼんやりと臥せって、はかばかしくない病状である。

源氏は御息所も気にかかるが、葵の上のことも気がかりで、心の休まるときもなかった。

まだその時期でないので、左大臣邸の人々が油断していると、にわかに葵の上は産気づいた。邸内にはいよいよ祈禱の声が高くなる。

しかし葵の上についている執念ぶかい物の怪だけは一向、離れない。こんなことは珍しいと、修験者たちもいっそう力をこめて祈ると、やっと調伏《ちょうぶく》されたのか、辛そうな泣き声をあげ、葵の上の口をかりて、

「すこし祈禱をゆるめて下さい。源氏の君に申上げたいことがございます」

といった。

さあ、きた、やっぱり何かわけのある物の怪だろうと、人々は、葵の上の臥床《ふしど》にちかい几帳《きちょう》のうちへ、源氏をみちびき入れた。

まるで最期《いまわ》のような葵の上のようすなので、源氏にいいおくこともあるのだろうかと、父の左大臣も、母宮も、席をはずされた。その間も加持《かじ》の僧たちは彼方《かなた》で低く法《ほ》華経《けきよう》をよんでいるのが尊く聞かれる。

葵の上は苦しげに臥していた。

美しい手弱女《たおやめ》の、お腹《なか》が高くなって苦しげにしているさまを源氏はかわいそうにもいじらしくも思った。出産のときの習わしで、白一色の衣裳に着更《きが》えているが、頬が上気して薄紅に美しく、長い黒髪は一つに引き結んで着物の横に添えてある。こういう、うちとけた、つくろわぬ姿で居てこそ、この人は愛らしく、艶《えん》にみえるのだと源氏は思った。

葵の上は、もしやこときれるのではないか、と思うと、源氏の眼に涙が浮んだ。

「気をたしかに持っておくれ――私に悲しい思いをさせないでくれ」

と妻の手をとると、ふだんは、恥ずかしそうにうちとけず視線をそらせてばかりいる葵の上が、ひたと源氏を見守って、ほろほろと涙をこぼすのだった。

残してゆく親のことを思うのか、また、自分との夫婦の縁の浅かったことを名ごりおしく思うのかと源氏は悲しかった。

「思いつめてはいけないよ……いまによくなる……大丈夫だよ。たいした病ではないのだから負けてはいけないよ」

源氏は、妻の髪を額からかきやり、力づけるように、手をにぎりしめてささやいた。

「私がついているからね……どんなことになっても、夫婦は夫婦だ。必ずまた、来世でめぐりあう縁は尽きないのだよ……お父上や母宮とも、親子という深い契りはあるのだから、この世であえなければあの世で再会できるのだ。みんな、あなたを愛している……安心して、病気に克《か》とう……いいね」

となぐさめると、葵の上は、ふかぶかと息を吸いこみ、細い声でゆっくり、いった。

「いいえ。そのことではございません。あまり調伏がきつうございますので、しばらくお祈りを止《や》めて頂こうとお願いしたかったのですわ。……こんな所へ迷ってくるなんて、思いもかけぬことでした。ほんとうに、物思う人の魂は、現し身をはなれて宙をとぶ、ということはあるものでございますね」

となつかしそうにいって、ほのぼのと、

〈嘆きわび空にみだるるわが魂《たま》を　結びとどめよ　下がひのつま〉

という声、その様子、それは全く、妻ではない。みるみる、御息所に変貌してゆく。

源氏をみつめて、にっこりほほえむさま、かの御息所その人である。

源氏はかねて、御息所の生霊うんぬんの噂をきいていまいましく打ち消してはいたが、目の前にみて、世の中にはこんなこともあるのかと、総身に水を浴びたようにぞっとした。

「あなたはどなただ。私には判《わか》らぬ。名をいわれよ」

と源氏がいうと、

「申上げるまでもございますまい。おわかりでいらっしゃるくせに……」

という声も顔も、もはやまがう方なき御息所であった。源氏にあるのは、今は、御息所に対する恐怖と嫌悪《けんお》の念のみである。

源氏は戦慄《せんりつ》した。

まるで縛られたように身が動かなかった。

どれほどの時間がたったものか、それともほんの一瞬のことか。几帳の外では、

「いかがなされました」

と女房たちの声がする。御息所の顔になった妻を見せたくないと源氏は胸がとどろいたが、面影はいつか消えて、葵の上がそこにいた——几帳のうちの声がやんだので、

「すこしお楽になられたのかしら」

と母宮が薬湯を持ってこられ、女房たちが抱き起こした。と、——まもなくお産がはじまった。男君だった。

「よかった、よかった」

と両親も源氏も、うれしさは限りなく、邸内にはいっぺんによろこびの声がどよめいた。

憑鬼者《よりまし》に憑《つ》いた物の怪たちが、出産を妬《ねた》ましがってわめき叫ぶ声がかしましく、こんどは後産《あとざん》のことも心配になる。

あるかぎりの願《がん》を立てたせいか、後産も平らかに終ったので、比叡山《ひえいざん》の座主《ざす》や、名僧たちも、やれやれとほっとして、得意げに汗を拭《ふ》きつつ、邸を退出した。

両親も源氏も、邸の人々も、やっと胸をなでおろした。

院をはじめ、親王たち、上達部から贈られた産養《うぶやしな》いのお祝いが並んだ。男君なので、作法がさまざまあり、みんなはめでたく酔った。

御息所は、葵の上ご安産、という噂をきいて、心がおだやかでなかった。

(一時は危篤《きとく》、と伝えられたのに……)

と思うのも、われながらうとましい心の動きだった。あれこれ思いつづけているうち、ふと気付くと、着物に、護摩《ごま》に焚《た》く芥子《けし》のにおいがしみついていた。ぶきみな気持で、髪を洗ったり、着物を着かえてみたりしたが、芥子の香は消えない。

もとより、御息所の邸で芥子のにおいはあるべくもないのに、どこからもたらされたにおいであろうか……。

われながら、自分の身があさましくなってくる。人にいえることではないので、心一つにおさめておくと、よけい夢うつつに胸は乱れるのであった。

源氏はやや気持がおさまってから、おそろしかった御息所の生霊のことをつくづくと思い返していた。あのときのぞっとするうとましさを、今後、あの女《ひと》と会っているときにも思い出さずにはいられないだろう。

そう思うと、いまあの女《ひと》に会うことはためらわれた。源氏の心には御息所への愛がまだためらいがちに残っていて、御息所を悪く思いたくないのであった。とかくして訪れは間遠になるが、青年は御息所の誇りと体面を重んじて、せっせと手紙だけを送りつづけた。

重態だった葵の上は、無事に出産が終った今も、油断はできない様子だった。父の大臣も母宮も心配そうなので、源氏も外出はせず、左大臣邸にこもりきりになっている。

葵の上はまだやつれて病に悩み伏しているので源氏を避けて、病室に籠《こも》りきりである。

源氏は生まれ出た小さな命に感動して、可愛くも珍しくも思い、大切にしていた。父大臣はそれを見て、すべて自分の願う通りに事がはこんでゆく、と嬉しくてならなかった。この上は、葵の上の回復だけが待たれるが、何といっても、あれほどの重病だったのだから、快癒《かいゆ》するには日もかかることだろうと、思っていられた。

源氏は、夕霧《ゆうぎり》とみな人の呼ぶ小さな若君が、東宮に似ているのを、ひそかにみとめていた。

そう思うと、東宮恋しさで胸は熱くなる。

藤壺の宮の面影をも宿された東宮は、今はおん年四歳の可愛ざかりで、源氏はひそかな愛着を寄せていた。夕霧と東宮は美しい目もとがそっくりである。

久しぶりに東宮にお目にかかりたいという気持が募ってきた。源氏は病室へゆき、

「御所にもここしばらく参内《さんだい》しないので気がかりだから、今日はじめて出てみようと

思うが」

と物越しに、葵の上にいった。

「そばへよって話をしたい。病気でやつれているといって私をへだててばかりいるのは、すこし、よそよそしすぎはしないか」

と怨《うら》むようにいうと、女房たちも、

「ほんとうにそうでございます」

と葵の上にいった。

「ご夫婦の仲ではございませんか。いまさら身だしなみばかりをお気になさることもございますまい」

と源氏を、葵の上の臥しているそばへ案内する。葵の上は返事をする声もたよたよと、まだ弱々しい。

「夢のような心地がする。……ひとときはあなたを失うかと、胸がつぶれそうだったが、こうやって元気なあなたを見ると、奇蹟のようだよ」

源氏は妻の手をとって、やさしくいった。

「何もおぼえていませんの……ただ、たいそう息苦しかったのだけが……」

と葵の上はいうが、あのとき、一瞬、息絶えたかにみえた妻が、みるみる御息所に変貌していった恐ろしさが、源氏には思い出され、話を転じた。

「いろいろ話したいことはあるのだが、まだ、大儀そうだね。……しかしもう、危機は脱したのだから大丈夫だよ」

源氏は手ずから薬湯を捧《ささ》げて、

「お薬をおあがり……」

と夫らしい心づかいを見せて、病妻の介抱をする。女房たちは、(いつこんなことをおぼえられたのかしら)と源氏のやさしさを、しみじみ、あわれ深く思った。

美しい人が、ひどく弱ってやつれ果て、消えそうな露といった風情で臥しているさまは、源氏には痛々しく、いじらしくみえた。

髪は乱れた筋もなく、はらはらと枕《まくら》にかかっている、その美しさ。なぜ自分はこんな美しく、しおらしい女《ひと》を、長い年月、あきたりなく、不満に思ったのだろうと源氏は思った。

妖《あや》しいまでに心をひきつけられ、源氏はじっと妻をみつめる。

「院などへ参って、すぐに退出してくるからね。こんなふうにして、いつも気兼ねなく会えるのなら私も嬉しいのだが。母宮がずっと傍《そば》につき切りになっていられるのに遠慮して、私は離れて気をもむばかりだった」

源氏が妻にささやくと、葵の上はほほえんだ。

「あなたのお気持は、わかっていましたわ、わたくしにも」

「私の愛を知って頂けたか……あなたに、もしものことがあったらどうしようと、私は生きた空もなかった。あのとき、心から思った。あなたは私の妻だ、と」

「気を失っていたときに……」

と葵の上はとぎれとぎれだが、ぜひこれだけは言いたい、というふうなひたむきさでいった。

「気がつくと、まっさきに、あなたが目にはいりました。あのときはうれしゅうございました。わたくしはあなたに守られている、とわかったからですわ」

「私たちは遠いまわり道をしてきたね。……でも、これからは新しい人生がはじまる気がする。かわいい子供も、私たちの間にはいるのだし。以前とはもう、ちがうんだよ」

「ほんとうに……あの子は、あなたそっくりですわ。色ごのみの点も似るかしら」

「おやおや。すこし快《よ》くなると、もう耳痛いことをいうんだね。意地悪さん」

こんな楽しい妻との会話は、はじめてであった。源氏はいまやっと、妻と心が一つに溶けあう気がする。

「早く快くなっておくれ。いま、はじめてあなたと結婚した気がする」

源氏は妻の耳に口をよせて、

「はやく、お前を愛したい」

とひめやかにいう。——はじめてそういう、うちとけた呼ばれかたをした妻は、やつれた白い頰に、いきいきと血の色をのぼらせた。

「自分でも気を強く持って、私たちの居間へ早く移って欲しい。ここではいかにも病人らしく、薬臭くなってしまう。母宮が子供扱いなさるので、あなたもつい、甘えが出るのだよ」

「ええ……早くなおるようにしますわ。なんだか、張りが出てきたような思い……」

「病気になったことで、かえってよかったのかもしれないね、私たちの仲にとっては……」

葵の上は、疲れたのか、だまってうなずきつつ、微笑している。

源氏は清らかに装束をととのえて出てゆく。ふだんよりは、葵の上は心をとめてじっと見送った。

源氏がふりかえってほほえみつつうなずくと、妻は寝たまま、視線をあてて、

「いってらっしゃいまし」

といった。それは源氏が耳にした女の声のうちで、もっとも深い、やさしい声だった。

この日は、秋の恒例の、司召《つかさめし》(官吏任免の評議)がある日であった。左大臣も参内し、子息たちも、望んでいる官職を得んがために左大臣のそばについていたから、みな宮中へつめていた。

会議もはじまらぬ間に、あわただしい使いが来た。

葵の上が危篤になったというのだ。

追いかけて、

「ただいま、おなくなりになりました」

という知らせだった。

誰もかれも、足を空に御所から退出した。

源氏は悪夢を見ている心地がする。

葵の上は、急に胸がせきあげて苦しみ、御所へ参内した人々の帰邸をまつ間もなく、こときれたという。

邸の人々は狼狽し、泣きさわいで、うろうろするばかりだった。

夜中なので、比叡山の座主《ざす》や、聖《ひじり》たちを呼ぶこともできない。（もう大丈夫だろう）と油断していたときに、こんなことになってしまったので、みなみな悲しみにとり乱し、邸のうちには慟哭《どうこく》の声がみちみちた。

いままでに物の怪が憑いて、気を失うことがたびたびあったので、今度もそれではないかと、枕の向きも生前のままに、二、三日をすごしてみたが、ようやく、死相があらわれてくるので、今はかぎりと、両親や源氏はかなしく思いあきらめた。

悲しみのあまり、源氏も呆《ほう》けたようになり、浮き世がうとましく、あちこちからの弔問にも、ものうく、味気ないばかりだった。

桐壺院も嘆かれて弔問の使者をつかわされた。それにつけても左大臣はその栄《は》えが却って悲しみを増すように思った。そうしてなおも、

「生き返るかもしれない……もしや……」

と、親心の闇《やみ》は尽きるときなく、葬送を見合わせていたが、いつまで待ってもせんないことであった。ついに鳥辺野《とりべの》に送った。

会葬の人々、寺々の念仏の僧などで、さしもに広い鳥辺野も埋まる位だった。院はむろん、中宮、東宮からも使者を遣わされた。

が聞こえている。

源氏は秋の有明《ありあけ》の野に、じっと立ちつくしている。彼の耳には、まだ妻の最後の声

源氏は深い悔恨にうちのめされていた。

（そのうちには、とのんびりかまえて、妻の心を解く努力もしないうちに、彼女《あれ》は亡きひとになってしまった。最後に、やっと心が通い合ったと思ったのも束《つか》の間《ま》、もはや遅かった――自分という男に、妻こそ飽き足らず、いいたいことも多かったろうに……薄幸な結婚生活で終らせてしまった……）

思いつづけると、源氏は辛くてたまらなかった。鈍色《にびいろ》（薄墨色）の喪服を着るのも夢心地で、もし自分が妻より先に死んでいたら、葵の上はこれよりも濃い喪服を着ただろうと思いやるさえ、悲しかった。

ひまなく唇からひとり洩《も》れるのは、しのびやかな経である。「法界三昧普賢大士《ほうかいざんまいふげんだいし》」と唱える源氏の声には、心からの悲しみが湛《たた》えられていて、勤行《ごんぎょう》になれた僧のそれよりも、尊く聞かれた。

小さな若君をみても、源氏は涙ぐまれてならない。それにしても、この忘れ形見があることが、今はせめてもの慰めだった。

左大臣は、

「こんな老齢になって、若い者に先立たれて悲しい目をみようとは」

と涙にくれ、まして母君の大宮に至っては悲しみに沈んで、起き上ることもおできにならず、お命もおぼつかなく見えた。そのため、邸《やしき》ではまた祈禱《きとう》などをさせていた。

はかなく、日はたってゆく。七日ごとの法事も、悲しいかぎりであった。源氏は自邸の二條院にも帰らなかった。紫の姫君が淋しがっているだろうと思ったが、亡き妻に、心さびしい日を送らせた自分ばかり責められて、いまは仏への勤行にあけくれていた。あちこちの愛人には、手紙だけをやっている。

源氏は、小さな忘れがたみがなければ、出家《しゅつけ》したいと思うほどだった。

夜は、御帳台《みちょうだい》の内にひとり寝た。

宿直《とのい》の女房たちは、御帳台をとりまいて控えているが、かたわらに臥していた葵の上はすでにいないのだ。

人との別れはいつも悲しいものを、折しも秋のこととて、思いは一そう断ち切りがたい。

声のよい者をえらんでおいている僧たちの、暁《あけ》がたの念仏の声などは、耐えられぬまで切なく聞かれた。

深まる秋の風の音も身に沁《し》む。

ならわぬ独り寝の床に、めざめがちな朝、霧の中から、文がとどけられた。

咲きかけた菊の枝に、喪の色の青鈍《あおにび》の紙を結んである。

（心にくい文を……。誰だろう？）

と手にとってみると、かの御息所《みやすんどころ》の筆蹟だった。

「お便りをさしあげるのをご遠慮しておりました私の気持、お察し下さいますかしら。

〈人の世をあはれと聞くも露けきに　おくるる袖を思ひこそやれ〉

秋の空の色をみるうちに、さまざま思いあまって、ついお文をさしあげたくなりましたの」

常よりも優美な字だと、源氏はみとれたが、それにしても〈おくるる袖を思ひこそやれ〉——愛する人に先立たれたあなたのお悲しみはどんなでしょう——というしらじらしい弔問が、源氏にはうとましく思えた。御息所の生霊《いきりょう》が、葵の上の命を縮めたということは、源氏のひそかな確信になっている。

死者は、いずれにしてもあれだけの寿命であったのだろうが、なぜ自分はああまで、はっきりと生霊の正体を見てしまったのだろうと、源氏は残念に思った。

御息所の怖《おそ》ろしい本性《ほんしょう》を見たという事実を、源氏は忘れることができないのである。さりとて、このまま、ふっつり交際を断つのも残酷だし、あの高雅な女人の名誉を傷つけることにもなると、源氏は思い乱れた。

御息所の姫宮の斎宮《さいぐう》は、御潔斎《ごけっさい》のため、左衛門《さえもん》の司《つかさ》にお入りになっている。それゆえ、喪でけがれたこちらからは、御息所に返事をするわけにいかない。

しかしせっかくの手紙に返事しないのもつれないことだと源氏は思い返し、紫の鈍色がかった紙にしたためた。

「長く御無沙汰しました。いつもあなたのことは忘れてはいないのですが、何分、この日頃、喪に服しておりますこととて。

〈とまる身も消えしも同じ露の世に　心置くらん程ぞはかなき〉

——生き残ったこの身も、死んだ者も、同じ露のようにはかない存在なのです。こんな露の世に生きて、ひたすらな執念を燃やしつづけるなんてやりきれぬことだとお思いになりませんか——どうか、いちずに思いこまれませんように。執念もお憎しみもさらりとお忘れ下さい。喪中の消息は、ご覧になって頂けぬかと、こちらも遠慮していたのです」

御息所は源氏の手紙を読んで胸をつかれた。

源氏は、やはり、御息所の生霊のことを悟っていたのだ。彼は、そのことを仄《ほの》めかしている。

御息所は、わが身の呪《のろ》われた宿命を自分で責めているだけに、源氏に言われるとなおさら辛《つら》く、身のおきどころもなく心苦しかった。

源氏は、四十九日まではなお左大臣邸にこもりきりになっている。

源氏のなれぬ独り住みを、親友の三位《さんみ》の中将は気の毒がって、いつも源氏の部屋にやってきては話相手になる。

時雨《しぐれ》が降って物あわれな夕方、中将は、鈍色の直衣《のうし》や指貫《さしぬき》の、今までのよりやや色うすいのに着更えてやってきた。たいそう男らしく、さっぱりと美しい風采《ふうさい》である。

源氏は西の妻戸の高欄《こうらん》によりかかって、霜枯の庭をながめながら、ぼんやり頬杖《ほおづえ》をついていた。風が荒々しく吹き、時雨がさっと通りすぎるのも、涙と争うように思われた。源氏は中将が来たので、今までくつろいで解いていた直衣の紐《ひも》をかけた。

源氏の方は、中将のより濃い色の喪服だった。亡き妻への哀惜の心が、いつまでも一段濃い鈍色をまとわせるのだった。やつれてなまめいてみえる源氏は、つねよりも一段と美しい青年である。

(なるほど……女だったら、こんな男を置いて死ぬのは、さぞ心残りだろうなあ)

と中将はひそかに色めかしい心で思った。

源氏の心を引き立てようと、中将は、いろいろとおかしい話などする。若者のうちとけた話題とて、いずれ女の話、色恋沙汰《ざた》のことどもである。中でも、かの色ごのみの典侍《ないしのすけ》の話は、いつも二人の笑いの種だった。それにいつぞや末摘花《すえつむはな》の邸で二人が出あった折のこと、あの女、この事件と興がりつつ、やはり果てには、亡き人の思い出話になってしまう。

そして世の中のあわれをいって、源氏は涙ぐむのだった。

中将は、源氏の悲嘆が深いのをみて、

(ああ、ほんとうに、心から妹を愛していたんだな、彼は)

とふしぎにも、物悲しくも思った。今まで中将が見た所では、源氏は必ずしも、妹の葵の上を愛しているようではなかった。桐壺院《きりつぼいん》がつねにおさとしになり、大臣なども手厚くもてなされるし、また大宮は源氏にとっての叔母宮である。どちらへつけても振りすてがたい絆《きずな》でしばられているので、いやいやながらも葵の上を妻にしているのであろうと、中将は内心、源氏を気の毒に思っていたのであった。

しかしいま、源氏の悲しみを見ると、源氏は、やはり心から葵の上を愛していたのだ、とわかる。それがわかった今、葵の上は亡いのだ。中将は世の光が消えた気がして、気落ちするのだった。

このごろのやるせない気持をうちあける相手としては、源氏にとって朝顔の姫君しかなかった。何といっても、おとなの情趣を解してもらえる相手だから……。空色をした舶来の紙に、

「〈わきてこの暮こそ袖は露けけれ　物思ふ秋は　あまた経《へ》ぬれど〉
物思いの多い秋は、何度も経験しましたがこの暮れ方ほど、袖のしめりがちな時はありませんでした」

と書いて遣《や》った。

つねよりも美しい手蹟に姫君は心動かされて、

「おさびしい御日常のほど、お察し申上げておりますわ。
〈秋霧に立ちおくれぬと聞きしより　しぐるる空も　いかがとぞ思ふ〉」

と書いた。

源氏が見るに、墨色も仄かにうすく、いかにも奥ゆかしかった。うちとけず距離を保ちつつも、しかも折々の風情《ふぜい》につけてやさしい情愛を示す、そんな仲であってこそ、

男も女も終生変らぬ愛を抱き得るのだ、と源氏は思った。

暮れると源氏は灯をつけさせ、亡き人にそば近く仕えた、馴染《なじ》みの女房たちを召して、さまざまな思い出話をする。

その人々の中に、中納言《ちゆうなごん》の君という女房がいる。源氏は年来、ひそかに彼女を情人にしていた仲なのだが、葵の上の不幸があってのちは、却《かえ》って、ふっつりと情けをかけることもなくなった。中納言の君はそういう源氏にしみじみした、男の誠実を見せられて共感し、また感動しているのであった。

源氏は、女房たちみんなに、なつかしそうにしんみりといった。

「この日頃、悲しみが仲立ちとなって、みんなが心ひとつに結ばれて、今までになく親しんだ気がするね。しかしこれからは淋しいなあ。葬式よりあとが辛いね」

と源氏がいうと、女房たちはみな泣いた。

「御方《おかた》さまのご不幸はいってもかえらぬことでございますが、殿さままでこのお邸からお出《い》でになってしまわれますのが……もう、こちらにご縁のない方におなりになりますようで」

「縁がないことなど、あるものか。私をそう心浅い人間と思うのか。いつまでも気長く私の誠意を見てほしい。とはいうものの、人の命はあてにならぬものだからね。こんどのことで思い知らされた。いつまでも、とはいえないのが人間の運命だね」

源氏は涙ぐみながら灯を見ている。その睫毛《まつげ》の涙に濡《ぬ》れたさまを女房たちは美しく見た。

亡き葵の上が、ことにも可愛がって召し使っていた女童《めのわらわ》が、親もないみなしごである上に、このたび女主人にも死に別れたので心細そうにしているのを、源氏は尤《もっと》もだと見た。

「あてきよ。お前はこれから、私を頼りにするんだよ、いいね」

というと、その子は泣きむせぶのもいじらしかった。

「亡き人を忘れない人は、淋しくても若君を見捨てないで、この邸に今まで通り仕えていてくれないか。みんなも散り散りになったら、亡き人の思い出さえ消えてしまう。私もそうなると心細いよ」

と源氏はいうが、女房たちは、今まででさえ源氏の来訪は間遠だったものを、こうなればひとしおうとうとしくなろうと、不安に思った。

大臣の悲嘆はいうまでもなかった。若君がいるのだから、よもや源氏はこのまま見限るということは、あるまいと思うものの、愛した娘婿《むすめむこ》と、今は縁が切れた気がして、辛くも残念にも思い、泣くのだった。


源氏が、久しぶりに御父の院に参上すると、

「たいそう面痩《おもや》せたではないか。毎日精進《しょうじん》していたためだろうか」

とご心配になって、御前で、お食事をとらせられた。そうして何かとお心遣いされるのを、源氏はうれしくも勿体《もったい》なくも思った。


中宮の御殿へ参上すると、しばらくぶりなので女房たちは源氏の姿を珍しがった。中宮も命婦《みょうぶ》を取り次ぎにして、お言葉を賜わった。

「お悲しみは尽きることがあるまいとお察しいたします。日がたちましても、さぞお淋《さび》しさが増すばかりでございましょう」

源氏もしめやかに答えた。

「世の無常はかねて思い知っているつもりでございましたが、身近に不幸を見まして、改めて辛い思いをいたしました。浮世がいとわしくなりましたが、度々のおなぐさめのお言葉に勇気づけられて、今日まで生き長らえたという気がいたします」

つねのときでも、物思わしさのただよう源氏なのに、今は、一層沈んだけしきにみえた。

無紋の袍《ほう》に、薄墨色の下襲《したがさね》、纓《えい》を巻いた冠《かんむり》という喪服姿の源氏は、花やかなよそおいよりも、艶《えん》にあわれふかいと、女房たちはささやきあって見とれた。

二條の院では、どの部屋も掃除がゆきとどき、清らかに磨き立てて、男たち女たちが源氏を待ちもうけていた。女房たちもそろってきれいに着飾り、化粧して並んでいる。源氏はそれを見ると、かの左大臣邸の人々の、悲しみに沈んでいた様子が思い出され、胸が痛む。

源氏は着物を着更えて、西の対《たい》へいった。

冬の衣更《ころもが》えの季節のこととて、室内の調度から、若い女房、女童たちの衣裳まで、すっかり冬装束になって、目がさめるよう。

源氏は、乳母《めのと》の少納言の配慮がゆきとどいているのに満足だった。

紫の姫君は、美しく身じまいして坐《すわ》っていた。

「おお、久しくあわぬ内に、ぐっと大人《おとな》びたねえ」

と、源氏が小さな几帳《きちよう》の帷《かたびら》をひきあげていうと、姫君はやや顔をそむけて恥じらう。

そのさまも、艶に風情があって、匂《にお》うような乙女になっていた。

灯影《ほかげ》の横顔、あたまのかたち、（ああ、よくも、あの恋しいひとにそっくりになってゆくものだ）と源氏はうれしくてならない。

「長く逢《あ》いに来ずにごめんよ、許しておくれ」

というと、姫君はかぶりを振った。

「そんなこと……。お兄さまはたいそう、悲しい目におあいになったのですもの。わたくしのことどころでないの、あたりまえよ。……おかわいそうなお兄さま、どんなに悲しかったでしょう」

姫君が純粋なやさしさと同情こめてささやくのを、源氏はうれしく聞いていた。悲愁にそそけ立っていた心を、やわらかにうるおしてくれるようであった。堂々たる一人前の男子の源氏が、幼いといっていいほど稚《わか》い姫君に、いたわられ、なぐさめられているのだった。

「辛かったよ、ほんとうに」

素直に源氏がいうと、姫君はうなずいた。

「わたくしはね、おばあちゃまのお亡くなりになったときのことを思い出していたの。お兄さまも、きっと、あのときのわたくしのように悲しんでいらっしゃるのだ、と想像したら、何だか、お兄さまがおかわいそうで、わたくしまで悲しくなって、泣けてきたの」

姫君は、いううちに、おのが言葉に誘われたのか、それともその時の悲しみを思い出したのか、ふと瞼《まぶた》を赤らめつつそれを自分で恥じて微笑《ほほえ》む。

そのさまを見る源氏は、いとしくてならず、思わず姫君を抱きしめて、その清らかな額に口づけする。この姫君のもっている心やさしさに、源氏は、永遠の母なるものを見る心地さえする。

「ありがとう。あなたになぐさめられて、私は元気になった気がするよ――これからはもうずっとこちらにいることになるからね、却って私のことを、うるさく思うかもしれないな」

などと源氏は姫君の髪をかきなでつついう。

少納言は几帳のうしろでそれを聞き、うれしく思いつつも、やはり心もとなかった。源氏は、正妻を喪《うしな》ったといっても、なおまだ身分高い情人があちこちにあるので、いつ、葵の上に代る女《ひと》が現われないとも限らない。そんなことに、あれこれ取りこし苦労をするのも、女心のつねかもしれないが、乳母としては、気を揉《も》まずにいられないのであった。

源氏は二條邸にひきこもったまま、まめやかな便りだけを、左大臣邸に遣っていた。

外出もおっくうで、どの女のところへもゆく気がしなかった。

いまは紫の姫君とともにいることが、源氏のたのしみだった。

姫君はたおやかながら肉体も健康に、そして心ざまも深く、りっぱに完成された一人前の女性といってもいい。――もう、実質的な結婚をしてもいい時期ではないかと源氏はひそかに考えた。

つれづれなままに、姫君と碁《ご》を打ったり、偏《へん》つぎ（漢字のあそび）などして終日遊んだ。姫君は利発で、しかも愛嬌《あいきよう》があり、はかない遊びごとにも、すぐれた素質がみえる。源氏はますます、姫君にひかれてゆく。

紫の君が、ほんの子供で、女として見ていなかったころは、肉親のように可愛がるだけだったが、源氏は、今では、その愛が微妙に変化して、押えがたい悩ましさになっている。

それとなくすずろごとを言いかけてみても、紫の君にはまるで通じない。姫君のほうは無邪気そのものだった。

源氏は、ともに過ごす日を重ねるにつれて、物思わしく、苦しくなり増さるばかりである。

「お兄さま。どうか、なさったの。お兄さまの番よ」

と姫君にうながされるまで、呆然《ぼうぜん》と姫君に見とれていたりする。源氏は苦笑して、

「もう、そろそろ、お兄さまと呼ぶのは止《よ》そうじゃないか。あなたはもう、りっぱな淑女なのだから」

「お兄さまといってはいけないの？　ではお殿さまと呼ぶの？　惟光《これみつ》たちがいうように」

「それは召使いのことばだ。あなた、と呼びなさい。もう、妻になるのだから……。ほんとうの結婚をするのだから」

「いまは結婚しているのではないの？　わたくしは、お兄さまの妻ではないの？」

と、姫君は美しい目を見はった。

「少納言は、お兄さまはわたくしの婿君ですよ、といいましたもの」

「子どものときの結婚と、おとなになってからの結婚はちがうよ」

姫君は納得したような、しないような表情だった。そしてすぐ碁に心うばわれ、

「また、お兄さまの負けよ」

と嬉しそうに笑った。

小さいときから、一つの御帳台のうちに、ひとつ衾《ふすま》を被《かぶ》って、添臥《そいぶ》しする習慣にな

っていることとて、紫の姫君はいまも、源氏に抱かれて眠ることをなんとも思っていないらしかった。

そうして、たのしくとりとめもない話を交しているうちに、姫君は、いつかすこやかなねむりに落ちるのがきまりだった。

「おやすみなさい、お兄さま」

と姫君は、重そうな瞼を、もう開《あ》けずにいう。

「私を愛しているかい？」

と源氏がいうと、姫君は半分、とろりと睡《ねむ》ったまま、ゆるんだ愛らしい花の唇から、

「だい好きよ」

と、ためいきとともにいう。

「ほんとう？」

「ほんとうよ、お兄さま」

「その証拠をみせてくれるかい？」

「証拠って――？」

姫君はそういったなり、うつつに寝入ってしまう。源氏の手枕《てまくら》が重くなった。姫君の愛らしい重みが、源氏にはもう堪えられない。

こんな無垢《むく》のおとめには、もうすこしの間、ときを与えて、おもむろに開花をまつべきかもしれない。しかし若い源氏はもう待てない。

長いあいだ、心からいとしんだものを、もう待ちきれない気がする。源氏は姫君にそっと唇を重ねる。やわらかい少女のままの唇。

「私の愛に免じて、私が何をしても許してくれるね？」

「いいわ、お兄さま……。何を？」

姫君は夢うつつのやさしい声音《こわね》でいった。けれども、それにつづくものは、源氏の若々しさを示す性急な男の動作だった。

「今朝は、お姫さまはおめざめが遅いのね」

「殿さまはもう、早くに東の対《たい》へいらっしゃいましたわ」

と女房たちが、言い合っていた。

「ご気分でも悪いのかしら」

と姫君を案じていたが、姫君は寝所にひきこもったきり、声もしない。

姫君の枕元に、硯《すずり》の箱がおいてある。

これは、源氏が、朝早く、自室へゆく際に、そっと置いていったものである。

人のいない暇に、姫君は辛うじてあたまをもたげてみると、引き結んだ文があった。

〈あやなくも　へだてけるかな夜を重ね　さすがになれし　中の衣《ころも》を〉

源氏の手蹟である。（今までなんというよそよそしい二人の仲であったことか。あんなに馴れ親しんだようにみえながらね。……これでやっと、二人のへだては、なくなったわけだよ）というような心であろうか……。

こんな気持でいる人とはつゆ思わなかった、と姫君は打撃を受けて混乱していた。（こんな、ひどい人とは思わず、なぜわたくしは、心から頼っていたりしたのかしら）と思うと紫の君は、なさけなく悲しくなった。

昼ごろに源氏はやってきた。

「気分が悪いって。どうしたの？　今日は碁も打たないで淋しいではありませんか」

と御帳台の内をのぞくと、紫の君はいよいよ衾をひき被ってこもってしまう。女房たちはかなたへ退いたので、源氏は紫の君に近づいてささやいた。

「どうしてそう怒ってるの？　私を愛しているから、何でも許す、とあなたがいってくれたのは嘘《うそ》だったのか。さあさあ、起きなさい。みんなもへんに思うから……」

と衾をとりのけると、紫の君は汗びっしょりになって、額髪（頬のあたりに垂らす前髪）も濡れていた。

「いや、これは大変だ、――そうご機嫌悪くては困ってしまうな。たのむから、ご機嫌を直しておくれ」

とさまざま言いなだめてみても、紫の君は心から源氏をひどい人と恨んでいるので、ひとことも、ものいわない。

「よしよし、それじゃもう、私はあなたの前から消えるよ。私の方がきまり悪くなってきた」

と恨みごとをいって、硯の箱をあけてみたが返事は入っていない。子供っぽいことだと一そう可愛かった。その日は一日、寝所につききりで、あれこれ慰めたが、紫の君の心はとけない。源氏にはそれもいとしかった。

その夜は、亥《い》の子《こ》の餅《もち》をたべる日だった。

十月はじめの亥の日に餅をたべると、万病を防ぎ、子孫繁昌《はんじょう》すると信じられている。

源氏は服喪中なのでことごとしくせず、ただ姫君の方にだけ、綺麗《きれい》な檜破籠《ひわりご》（檜の薄板の折箱）にいろいろ、趣きありげに詰めて持ってきてある。

源氏はそれを見ると南面《みなみおもて》に出て、

「惟光」

と呼んだ。

「この餅は、こうたくさんに大げさなものでなくて、明日の暮れ方、持ってまいれ。今日は、日が悪いのだ」

「は？」

と惟光はいぶかしげに見上げたが、源氏が微笑しているのを見ると、心利《き》いた、カンのいい男なので、すぐ悟ってしまった。くどくたずねもせず、

「心得ました。まことにおめでたのお餅は、日をえらんで召上るものでございますからね。――ところで、明日のお餅はどれほど作ってまいりましょうか」

と尤もらしい顔でいうと、

「今夜の三分の一ぐらいかな」

源氏はそう答えた。それで惟光はすっかり心得て、万事、飲みこみ顔で退《さが》っていく。

気の利いた男《やつ》だと源氏は思った。

――新婚三日めの夜に、新郎新婦は、紅白の餅をたべるのが、めでたい習わしとなっている。「三日夜《みかよ》の餅」と呼ばれているのがそれだが、惟光は人にもいわず、自分で手を出さぬばかりに心を用いて、ひそかに家で作った。

源氏は、紫の姫君をいろいろなだめたが、ちっとも機嫌の直らないのに手を焼いてしまった。まるで、姫君をいまはじめて盗んできたような心地がするのも、（ありていにいうと）男として楽しかった。

（この何年か、姫君を可愛いと思ったのは、今の気持にくらべると物の数でもなかったのだ……。人間の心というものはふしぎなものだ。今はもう一夜さえ、離れられないというほどになってしまった）

と源氏は思っていた。

源氏のいいつけた餅を、惟光はたいそう夜がふけてから、こっそり持ってきた。少納言のような年輩の者では姫君もきまり悪く思われるだろうと、惟光は察しよく気をつかって、少納言の娘の弁《べん》というのを呼び出した。香壺《こうご》の箱を一つ手渡して、

「これをね、こっそりと姫君に差し上げて下さいませんか。たしかに姫君のおん枕上《まくらがみ》にさし上げるべきお祝いのものなんです。たのみましたよ。あだやおろそかに思わないで下さい」

というと、弁は、

「あだな女じゃありませんわよ、私」

などと、わけが分らないので、思い違いをして答え、箱をうけとった。惟光はあわ

てて、

「あだとか浮気なんて、忌《い》みことばなのですよ、今夜は言葉をつつしんで下さいよ、おめでたい日なんですからね、いいですね」

そう念を押されても、弁にはさっぱり分らない。若い女なので、事情を深く察することもなく、いわれるままに姫君の枕上の几帳から箱をさし入れた。

源氏は、拗《す》ねたままでいる姫君に、やさしくいった。

「ごらん……三日夜の餅だよ。紅白の餅が美しく作ってある」

「………」

姫君はまだものをいわないが、さすがに素直に、長い睫毛《まつげ》を上げて、ながめた。綺麗な台に、美事《みごと》な皿、そこへ餅が清らかに盛られてある。それを見る姫君の白い頬に、薄紅の血の色がのぼった。

「私たちは棚機《たなばた》の星たちのように、鴛鴦《おしどり》のひとつがいのように、たのしい妹背《いもせ》になろう。愛し合っているということは、生きていてよかった、ということなんだよ。——私と、あなたとならば、きっとそういう妹背になれると思う」

青年は坐っている姫君をしずかにうしろから抱きしめ、匂いのいい黒髪に顔を埋めていた。

「朝、目をさますのはお互いをみる喜びのため。離れていても心はいつも一つ、死が二人を裂くまで、かわらない。互いにあいてにのぞむのは、生きるのも死ぬのも一緒に、ということ。そういう男と女の仲を、ほんとうの妹背というのだ。……私と、あなたのことだよ。その、契りの餅なのだ、これは」

「…………」

姫君はやっぱり黙っている。そうして拗ねたように、つと顔をそむけるのだった。

女房たちは何も気づかないでいたが、翌朝、この箱が下げられたので、姫君のそば近く仕えている人々は、思い合わせることがあった。

惟光がいつのまにととのえたのか、台も皿も、普通のより美事でりっぱだった。

乳母の少納言は、うれしさに涙ぐんでいた。

源氏が、こうも本格的に結婚の儀式作法にのっとり、姫君を尊重するとは思っていなかった。その気持がありがたく勿体《もったい》なくて、少納言は泣かずにはいられない。

「それにしても、私たちに内々でおっしゃって下さればいいものを。惟光さんはどう思ったでしょうね」

などと女房たちはささやきあった。

紫の姫君と結婚したのちの源氏は、御所にも桐壺院にも、ちょっと参っている間でさえ、おちついていられず、姫君の面影ばかり目にちらついて困った。(何ということだ、これは)と自分であやしみつつ、一夜も離れていることができない。以前の情人たちからは、うらめしそうな手紙がたえずくるし、中には(悪いな)と思う婦人たちもあるのだが、はじめてわがものにした若い紫の君がいとしくて、源氏は外へ足が向かない。

「この頃は、身近に不幸をみて、ただもうはかなく憂《う》く日を過ごしております。そのうち、気も落ちつきましたなら、お目にかかりたく」

などというような返事ばかりを、女たちにあてて、源氏は書いていた。

弘徽殿《こきでん》の大后《おおきさき》——ただいまの帝のおん母君である——は、お妹の六の君が、源氏に心寄せているのをいつかご存じで、腹を立てていられた。それに父の右大臣が、

「そういえば、左大臣の姫君も亡くなられたことではあり、源氏の君には北の方がいられないのだ。六の君と結婚されても何の不都合があろう」

といわれるのを、よけい憤《いきどお》っていらした。

大后は昔から源氏を目の敵《かたき》にしていられるのである。源氏などを妹婿にするものか、

と六の君の宮廷入りをうながしていられた。

その噂《うわさ》をきくにつけても、源氏は朧月夜《おぼろづきよ》の君に未練があるので、残念だった。

しかし、何といっても只今《ただいま》は、紫の姫君のほかには心を分けることもできず、

（こんな、みじかい人生になぜそう迷うのだ？　自分はこの姫君を生涯の妻、と思い定めよう。人の恨みは二度と負うまい）

と、六條御息所の生霊で、こりごりしている。

御息所を、愛人としてのみ遇して、ついに妻としなかったのは気の毒なことだったが、生涯の妻とするには、何か気が重い。こんな愛人関係で、もし御息所が納得してくれるのならば、おりおりには会いたいと、源氏は虫のいいことを考えているのだった。さすがに長年の仲なので、御息所を思い切ることはできないのである。

紫の姫君の素性《すじよう》を、源氏は今まで世間に秘めてきたが、こうなったからは、社会に公表すべきだと思った。世の扱いもそれによって重々しくなろう。お父宮にもお知らせしようと源氏は考えていた。裳着《もぎ》（はじめて女性が裳をつける祝いの儀式）のことなど並々ならずりっぱに準備した。

源氏の心づかいを、紫の姫君は、ちっともうれしいと思っていなかった。

姫君はいまだに源氏をうとましく思って、つんとしている。

（いままで何もかもお兄さまにたよってきて、何ておろかな、わたくしだったのかしら。まつわりついて何心もなく甘えていた自分が、ほんとにいやになる）

とくやしく思うばかりで、源氏と視線も合わせない。

源氏は何かと冗談をいうが、紫の君はつまらなさそうにふさぎこんで、まるきり浮き立たず、すっかり以前の明るさを失ってしまった。

源氏はそれも面白く、可憐《かれん》に思う。

「いままで仲良くしてきたのに、ずいぶん冷淡になってしまったのだね」

などと恨みごとをいい、あやしているうちに、その年もくれた。

正月元日は、例年のように桐壺院に参上してから、御所や東宮へ源氏は拝賀に参った。

そこから左大臣邸へいった。

大臣は、新年というのに昔のことを思い出し、亡き姫君のことをいって悲しんでいられるところだった。そこへ源氏が訪れたので、よけい大臣は切なく思われた。

源氏は年を加えるにつれ、重々しい威厳も出て来たようで、以前よりりっぱに大臣には見えた。

亡き葵の上の部屋へ源氏がいってみると、女房たちも珍しく見て、涙をおさえかねるようだった。

若君を見ると、少しのまに大きくなっていて、声あげて笑うのがあわれである。目や口のあたり、東宮にそっくりで、

（人が見咎《みとが》めて、不審に思わぬだろうか）

と源氏はひそかに思う。

部屋の装飾も、ありし頃に変らず、そのままである。衣桁《いこう》に、例年の如《ごと》く、新年のための新調の装束が掛けられてあるが、女の衣裳の並んでいないのが、さびしかった。

母君の大宮からお使いがきて、

「元旦なので、けんめいにこらえておりましたが、あなたが早々とお越し下さいましたので、かえって悲しみが深くなりました。あの姫がおりました頃のように、新年のならいのお衣裳を作りましたが、涙で目がくもって、色合いもわからず、お気に召さぬかもしれませぬ。でも、今日ばかりは、お召し替え下さいまし」

ということで、みごとに豪華な衣裳《いしょう》をそろえていられた。

源氏は、大宮の志を無にしては、と着更えることにした。ああ、今日伺ってよかっ

た——もし、今日ここへ来なかったら、悲しみにくれている老いた人たちは、どんなに残念に思われただろうと、源氏はいとおしい。

大宮への返事に、

「春がきましたとお知らせしたく参上しましたが、あまりに切ない思い出ばかりがよみがえりまして、心乱れるのみでございます。

〈あまた年《とし》　今日あらためし色ごろも　きては涙ぞふる心地する〉」

大宮のお返事には、

〈新しき年ともいはずふるものは　ふりぬる人の涙なりけり〉

この邸では、悲しい新春であった。

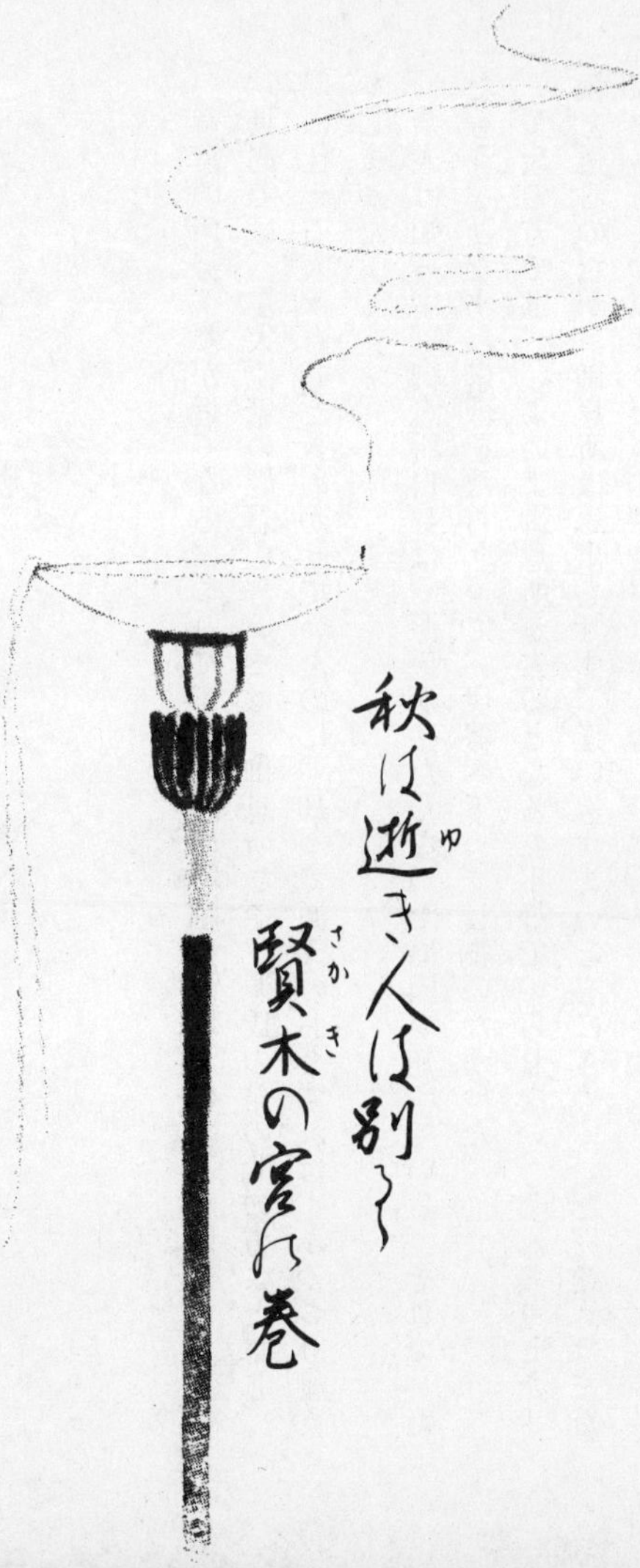

秋は逝《ゆ》き人は別る
賢《さか》木《き》の宮の巻

斎宮《さいぐう》の伊勢下りが近くなるにつれて、御息所《みやすんどころ》は心細さが増すのであった。

世間では、左大臣家の姫君亡《な》きいまは、御息所こそ、源氏の君の北の方よと噂《うわさ》し、邸《やしき》に仕える人々も心ときめかせていたのに、却《かえ》って源氏のおとずれは、ふっつり絶えてしまった。

余人は知らず、御息所自身は、源氏が冷たくなった原因を知っている。それで、ただもう、ひたすら未練をたちきって、伊勢へ下ってしまいたかった。

源氏の方では、いよいよ御息所が去るとなると平静でいられない。しんみりした手紙を送るのだが、御息所は返事もせず、逢《あ》いもすまいと心にきめていた。逢えばまたもや心乱れるのはわかっていた。

御息所の住まいしている野の宮は、神事のための潔斎《けっさい》の宮で、けがれを忌《い》むところだから、男が情人をたずねていくというような場所ではなく、源氏も気にかかりつつ、そのままになっていた。

それに近頃、桐壺院《きりつぼいん》が、折々ご健康をそこねられることなどもあって、源氏も心安まらない。そんなこんなで、日はすぎてゆくが、

（あのひとは、私を怨《うら》んでいるだろうなあ）

と、心やさしい青年は気になってならないのだった。

（自分の冷淡な仕打ちは、あのひとを世の物笑いにするのではあるまいか）

とも思うと、御息所がいとおしい。足は重いが、気を引き立てて野の宮を訪れることにした。

九月七日の頃なので、伊勢下向《げこう》はもう今日明日に迫っている。御息所は心あわただしくおちつかないのだが、

「ほんのちょっとだけでもお目にかかりたいのです」

という青年の手紙にやはり迷った。

御簾《みす》をへだて、それとなく逢おうと思う。

これで最後。これであのひとともお別れ。

そう思いきめると、はや、御息所の心も身も、恋人をまつ情念に濃く染まって、痺《しび》れてゆくようだった。

源氏が広々した嵯峨野《さがの》に分け入ると、秋のあわれは野にみちていた。花はすでに散り失《う》せ、浅茅《あさじ》の原も枯れ枯れに、とだえがちの虫の音、松風の音《ね》も荒々しい。その中を、野の宮の方から風に乗ってきれぎれに、楽《がく》の音色が聞こえてくるのは、やさしい風趣があった。

源氏は少ない供人《ともびと》に、忍び姿の外出だったが、心を用いた装《よそお》いで、それは折からの秋ふかい野の景色に、いかにも似つかわしい。

源氏自身も、(なぜもっと、しばしばここへ訪れなかったのか。いい風情《ふぜい》のところなのに)と残念に思った。

野の宮は、はかない小柴垣《こしばがき》をかこいにして板葺《いたぶき》の家があちこちに建っている。黒木の鳥居も神々《こうごう》しく、神官たちがたむろして、咳払《せきばら》いしたり、話し合ったりしているさまも、神域らしい、よそとは全くちがう趣きである。

神に捧《ささ》げる供物《くもつ》のための、神聖な火を守る火焼屋《ひたきや》のみ、ぼっと明るい。あたりは人けもなく、しめっぽく、身のひきしまる感じだった。女のもとへ忍んできた身には、おのずと気の負《ひ》ける思いである。

こんな淋《さび》しい所に、あの女《ひと》は物思わしい日を送っていたのかと、源氏はあわれで、胸がしめつけられるようだった。

北の対《たい》のものかげに源氏は身をひそめておとなうと、音楽の音色がはたとやんで、女房たちのひそやかな衣《きぬ》ずれの気配がした。

御息所は、女房たちを取り次ぎにして、自分は会おうとしない。源氏は語気を強めた。

「今の私の身の上では、世間へのはばかりもあって、こういう忍びあるきはできないのです。それを無理して、やってまいりました。どうかよそよそしいお扱いはなさらず、直接お目にかからせて下さい。今宵《こよい》こそ、ゆっくり、日頃の思いをお話ししたいのですよ」

源氏のまじめで思い迫った態度に、女房たちも心打たれた。

「ほんとうに、大将の君を、ああして外へお立たせするなんてお気の毒でございますよ」

御息所はまだ迷っていた。この野の宮では人目も多く、また斎宮であるわが娘にも思惑があった。年甲斐《としがい》もなく、若い恋人を引き入れたと思われはせぬかという気はずかしさ、さりとて、つれなくあしらうこともできない。

例の、屈折した重苦しい思いにうちひしがれ、なげきつつ、ためらいつつ、ため息をつきつつ、しずかに膝《ひざ》をすすめる御息所のたたずまいは、やはり源氏にとって魅力だった。

「この宮では簀子《すのこ》（縁）へ上ることはせめてお許し頂けますか」

と源氏は上って坐《すわ》った。

花やかな夕月夜となった。しかし二人の恋人は胸迫ってものがいえなかった。

青年は、折って手に持っていた榊《さかき》の枝を、御簾の下へさし入れた。

「この榊の葉の色のように私の心は変っていませんよ。だからこそ、こうして神聖な場所をもはばからず訪ねてきたのだ。それをあなたは、冷たくあしらわれる」

「榊は、神さまの木ですわ。あだめいて、お手折《たお》りになるなんて……」

と御息所はつぶやいた。

「あなたのいられるあたりに、ゆかりのものはみな、なつかしいんですよ」

野の宮の雰囲気は、神事の場所だけに重々しく、源氏は気圧《けお》されつつも御簾の中へ身を入れ、長押《なげし》に寄りかかっていた。

久方ぶりの逢瀬《おうせ》は、青年の心を昔に引きもどしていた。

思えば——青年がいつも欲するときに御息所に逢うことができ、御息所の方が、彼をよりふかく愛していたときは、青年は彼女の愛に慢心して、かえりみなかった。そうして、彼女のすさまじい嫉妬《しっと》や怨念《おんねん》の本性をかいまみてからは心冷えて、青年は離れていった。

しかしいま、こうして向きあってみると、昔の愛はまざまざと立ち戻ってくる。この年上の恋人の、深い愛に気付かず、それに狎《な》れ、心驕《おご》った日のことが、くやしく思い返される。

「ほんとうに、伊勢へ下られるのか。私を捨てて行けると思われるのか」

この女《ひと》に心ひかれた昔の日の恋は、まだ源氏には強い力をもっていた。この女《ひと》を失ってしまったあとの空虚をどうしよう。良《あ》くも悪しくも、この貴婦人は、源氏の青春を埋めた重要な恋人だった。

「思いとどまってほしい。私はあなたを失うのに堪えられぬ」

「わたくしは、あなたには、もう過去そのものですわ……何をしてさしあげることもできないのでございますもの」

御息所は堪えかねて顔を掩《おお》った。

「いいや、そんなことはない。もし私が、力ずくでもあなたを伊勢へ遣《や》らぬ、といったら——」

「考えてもごらんなさいまし」

御息所は必死に涙をこらえ、微笑を浮かべようと努めていた。

「あなたとわたくしの仲が終ったいまは、もう、人に笑われるだけなのですわ、未練がましいそぶりは。……恋の邸は空家となり、人手に渡ったのでございます。わたくしたちはごきげんようと言い合って、おだやかにたのしく、お別れするのですわ」

いううちに、彼女の言葉を裏切って涙はひまなく流れおちた。それを見る青年も胸がせきあげて思わず御息所のそばに迫り、抱きしめてささやいたのだ。

「もういちど、やり直したい、すべてを水に流して、一から手習いをはじめよう、あなたも私も、ともにはじめからやり直すのだ、あの恋のはじめの日をおぼえていられるか？……はじめて会った日のように私たちは……」

「取り返しのつくことと、つかぬことがございます」

「いや、取り返しはつく」

青年の涙に御息所の涙がまじりあった。彼女は青年の頰《ほお》を撫《な》でて静かにいった。

「あなた……。あなたには新しい運命が待っていますわ。運命に、待たれておいでになるかたですわ。……もうわたくしではお役にたてないのです」

「あなたは強い女《ひと》だ」

「すべてを失うと、人は強くなりますわ。……さあ、月も落ちましたわ。やがて夜があけます」

それでも青年は恋人の軀《からだ》を離すことはできなかった。二度と恋人として逢う日がないとは信じられなかった。愛の日が終ったとは思いたくなかった。今は源氏の方が、御息所に執心して焦《こ》がれていた。

「あの昔の恋の日々を、まぼろしにしないでくれ」

青年は悲鳴のようにいった。この美女の中の美女、よき趣味人であり、当代きっての教養ある淑女、気位たかき貴婦人、愛執が凝《こ》って物の怪《け》となるまで青年を恋してくれた女《ひと》、その人を失うというのは、一つの世界が潰《つぶ》れるようにも、青年には思われた。

「さようならは、おっしゃらないで下さいまし」

御息所は低く哀願した。

「それから、お帰りのとき、こちらをお振り向きあそばさないで下さいまし。いつものように、明日か明後日とおっしゃって下さいまし……明日か明後日、また来る、と」

御息所はほそい指に力をこめ、青年の軀にすがっていた。

「さよならという言葉を、あなたからうかがうのが辛《つら》くて怖くて、わたくしはおびえておりました。こんなになった今も、その言葉をおそれております……」

御息所の胸から、この年月、つもりつもった恋のうらみは消えていた。青年の真率《しんそつ》な悲しみと懊悩《おうのう》をみると彼へのうらみつらみも溶けた。その代り、別れの決意もゆらぐようで、彼女は思いみだれ、よろめいた。

空は、いつか夜明けの色に変りそめ、風が出ていた。虫の音も秋のやるせなさを添えるかのようである。

「離したくない、あなたを手ばなせない」

青年は御息所の手をとって、にぎりしめ、口づけする。

「私はおろかだった、あなたと別れるときに、どんなにあなたを愛しているかがわかった。もう、永久にあの楽しい日は去ったのか」

「いいえ。あの日は去ったのではございません。生きているかぎり、忘れはいたしませんもの。あの恋はまぼろしではございませぬ」

青年は夜明けにうながされて去るとき、約束どおりふりむかず、「さよなら」ともいわなかった。しかし悲しみに茫然《ぼうぜん》として涙ぐみ、秋の野をやみくもに踏みしだいて歩いていた。

御息所の方も、心まどいはなおさらだった。(彼を失った、彼を手放した、ついにそのときが来たのだ)源氏のわかい唇、熱っぽい細い軀、彼のやさしさ、彼のわがまま、彼の身勝手、彼の笑い、彼のあの男の動作、あれらを永久に失うのだ。なんと年上の女は、失う能力に(不幸にも)多く恵まれていることか。

部屋にまだのこる青年の衣の香り、月かげにみた姿が目にのこって、御息所はしばし、秋の未明の空へ物思わしげな視線をさまよわせていた。

源氏から、きぬぎぬの文《ふみ》がきた。ふつうの仲の女ですら、手紙はこまやかに情《じょう》ふかく書きしたためる源氏の、ましてこれは格別のかかわりある相手、それも二度と会えるか会えないかというわかれの際《きわ》の文であってみれば、いっそうしみじみと、女心にふれるのだった。

御息所は、

(ああ、もういっそ、再び昔のように……)

と思い乱れぬばかりだったが、むろん、ここまでことが運んで、公的《おおやけ》にも発表されている以上、ひき戻すすべもなかった。

源氏からは御息所の旅装束《たびしょうぞく》をはじめ、女房たちのもの、また調度品など何くれとなく立派な餞別《せんべつ》を贈られてきた。御息所はそれをうれしく思う心のゆとりもなく、軽はずみな浮名を流して源氏に捨てられ、伊勢へ落ちてゆく身のなりゆきを、ただただ、はずかしく思っていた。——その辛さは今はじまったことでもないのに、伊勢下向の日が近づくにつれて、あけくれ嘆くのであった。

斎宮は若いお心に、いつまでも見通しのつかなかった伊勢出発の日取りが定まったことを、無邪気に喜んでいらっしゃる。世間の人は、母君が同行するのを前例のないことと非難もし、またある人は同情したりして、いろいろ噂していた。身分たかい人は、何をしても人目について窮屈なものなのだった。

十六日、桂川《かつらがわ》でお祓《はら》えをされる。常よりも儀式のりっぱさはまさっていた。長奉送使《ちょうぶそうし》（斎宮を伊勢まで送る役）やそのほかの上達部《かんだちめ》なども身分高い、世に重く思われている人々を、朝廷ではえらばれた。院の思《おぼ》し召しによるものらしかった。斎宮が野の宮を出発されるころ、源氏からの文がとどいた。

「雷でさえも、恋人たちの仲は裂けぬ、と申しますものを。

〈八洲《やしま》もる国つ御神《みかみ》も心あらば　あかぬ別れの中をことわれ〉」

国を守られる神よ、私の恋に同情して、二人が飽かぬ仲なのに別れねばならぬ事情をお考え下さい。……国つ御神というのは斎宮を指しているのだった。あなたが斎宮におなりになったがゆえに、私はかくも思いのほかの別れを味わわねばならぬ、という口吻《こうふん》が感じられる歌である。

たいそうあわただしい時だったが、斎宮はご返歌を、女官長にお書かせになった。

〈国つ神空にことわる中ならば　なほざりごとをまづやたださむ〉

国つ神がご判断なさるお二人の仲だとしたら……まず、あなたの実意のなさをおとがめになるでしょうね。

(あなたの不実な、あだし心のゆえに、お二人は別れる運命になられたのではありませんこと?)

斎宮のご返歌には、そんな意味がひびかせてあるようであった。

源氏は、御所での斎宮の別れの儀式を見たかったが、いま人々の前に出るのは外聞《がいぶん》がわるい気がした。源氏は源氏で、御息所に捨てられた男、という印象を世間に与えているのではないかと気がひけるのだった。

二条院にひきこもって、うつうつと物思いにふけっていたが、届けられた斎宮のご返歌の、大人《おとな》びていられるのに、ふとほほえまれた。

(年齢以上におもむき深い方のようだな)

と心が動く。源氏のくせで、恋してはならぬ人に限って胸が鳴り、心ときめくのだから、始末がわるいのである。

（惜しかったな。いくらでも親しくなれた姫宮の幼いころに、無関係ですごしてしまった……しかし世の中というものはどう変るかわからないのだから、また会えるときもくるだろう）

と源氏は考えた。斎宮は、その帝《みかど》の御在位中は伊勢で神に仕えていられるものだから、時としては、永久《とわ》のわかれ、ということにならぬとも限らぬのだったが……。

奥ゆかしく、みやびやかな斎宮御母子の出発をみようと、当日は物見車がたくさん出た。

斎宮は申《さる》の刻（午後四時）に御所に参上された。御息所は、輿《こし》に乗るにつけても、わがこしかた、女の生涯が一瞬に思い返され、いいつくせぬ感慨が胸にあふれた。

思えば亡き父大臣が、娘を、ゆくすえは皇后にもと志して、大切にかしずいて下さったのだった。時うつり星かわり、わが身は年たけて、すべて運命は狂ってしまった。こんな身の上になったいま、御所を見るにつけても、さまざまの物思いに心は濡《ぬ》れる。

御息所は十六で、亡き東宮《とうぐう》の妃《きさき》として入内《じゅだい》し、二十《はたち》で先立たれ、三十すぎたいままた、九重《ここのえ》の内裏《うち》を見ることになったのだった。

(わたくしの生涯は、何だったのだろう)

と御息所は悲しく思った。

斎宮は十四歳になられる。もともとお美しい姫宮であられる上に、今日は晴れのご装束に身を飾っていられるので、この世の女人ともみえないほどである。

若い帝は、この美しいおん従妹《いとこ》の姫宮に、お心を動かされたらしかった。

別れの儀式では、帝は斎宮のお額《ひたい》に、「別れの小櫛《おぐし》」といって、櫛をさして、

「こののち、京をふり返りなさるな」

というお言葉があるのだが、帝はあわれに思われたのか、すこし涙ぐんでいらした。

この若く美しい少女《おとめ》の姫が、あたら神に捧げた身として潔斎の人生を送られるのを、可哀《かわい》そうにも可憐《かれん》にも、思し召すのであろう。

式果てて、斎宮ご一行が退出されるのを人々は待っていた。八省院《はっしょういん》の前に立てつづけたお供の女房たちの車から、のぞいている衣裳《いしょう》の、袖口《そでぐち》の色合いなども、御息所にお仕えする人々らしく、趣味がよくて平凡ではなく、人目を引いた。

殿上人《てんじょうびと》なども、女房たちと個人個人で別れを惜しむ者が多かった。

暗くなってから行列は出立《しゅったつ》した。二條から洞院《とういん》の大路を曲ると、二條院の前に出る。

行列は邸の前を通ってゆくのだ。さすがに源氏は堪えかねて、榊の枝につけて歌を送った。

〈ふりすてて今日は行くとも鈴鹿川《すずか》　八十瀬《やそせ》の波に　袖はぬれじや〉

（私をふりすててあなたは伊勢へゆく。しかし鈴鹿川を渡られるとき、別れの悔いの涙に、あなたの袖はぬれるのではあるまいか）

その夜は暗く、あわただしかったからだろう、次の日、逢坂《おうさか》の関《せき》の彼方《かなた》から、御息所の返事があった。

〈鈴鹿川　八十瀬の浪《なみ》にぬれぬれず　伊勢までたれか思ひおこせむ〉

（たとえ鈴鹿川の浪に、私が泣きぬれたとしても、誰が伊勢の空まで思いやってくれましょうか……）

旅の空の走り書きだが、かえって筆蹟《ひっせき》はけだかく、それでいて優美で、風情がある。これで、歌にもう少し情《じょう》を添えたらと、源氏は惜しく思った。

霧のたちこめる秋の朝、源氏は、旅空の人を思いしのんですごした。西の対の紫の姫君を訪ねることさえもせず、青年は終日、たれこめて物憂《う》いためいきを洩《も》らしていた。

桐壺の父院のご病気が、十月に入っていよいよ重くなられた。世はあげて憂色に閉ざされた。この君を惜しまぬ人とてないのである。

帝もご心配のあまり、お見舞いに行幸《ぎょうこう》される。院はご衰弱されていられるが、東宮のことをかえすがえすおたのみになり、ついで源氏のことをも言い置かれた。

「私の在世中と変らず、あれを後見と思って、大小となく相談するように。若いが、あれは国の政治をとることのできる才幹がある。天下を任せられる相のある男だ。だからこそ、私は、あれが煩《わずら》わしい誤解を受け、政争にまきこまれたりするのを避けようとして、わざと親王にはせず、臣下に降《くだ》した。ゆくすえは大臣として国家の後見とさせようと思ったからです。わが亡きのち、私の配慮にそむかないように」

としみじみしたご遺言《ゆいごん》があった。

帝も悲しく聞かれた。「決して、お心にそむくようなことはいたしませぬ」とくり返しお誓いになる。

若い帝の、お年を添えられるにつけ、ご風姿もいよいよ清らかに立派になっていかれるのを、ご病床の院はうれしくも頼もしくもご覧になっていた。

お心はかたみに残るが、帝の行幸とあれば時刻も限りあり、いそいで還御《かんぎょ》になったが、ご対面ののち、かえって悲しみがまさるようだった。

東宮も、ご一緒にお見舞いにと思し召されたが、物騒がしいので日をかえて行啓《ぎようけい》された。

東宮はおん年五歳であられる。年よりはおとなびてかわいく、父院を恋しく思うていらしたが、やっとお目にかかれて、無邪気に、うれしそうにはしゃいでいらっしゃる。

そのおありさまがいじらしくて、藤壺《ふじつぼ》の中宮《ちゆうぐう》は涙に沈んでいらした。

院は最愛の人の悲しみを目にされるにつけても、さまざまお心が乱れ、お辛いごようすだった。東宮に、いろんなことをいいきかせられるが、まだがんぜないお年頃なので他愛もなく、院は、この幼い宮と、愛《いと》しい君を残してゆかねばならぬのを気がかりに思し召すのであった。

源氏にも、国務にたずさわる上の心がまえ、東宮後見の役目について、くり返しくり返し、いい置かれることがあった。

東宮は夜ふけておかえりになった。供奉《ぐぶ》する人々の多さ、そのざわめきは、主上の行幸にも劣らない。いとけない東宮との飽かぬ別れを、院はしみじみ悲しまれた。

弘徽殿《こきでん》の大后《おおきさき》も、お見舞いにと思っていられたが、中宮がずっと付き添っていられるのでお気がすすまず、ためらっていられるうちに、院は格別のお苦しみのご様子もなく、崩御《ほうぎょ》になった。

足も地につかず、悲しみまどう人々が多かった。

院は御位《みくらい》こそ去られたが、御在位中と同じく世の政治のかなめでいられた。それが、突如、崩御になったいま、これからどうなっていくのだろう、帝はまだお若くていられるし、御外戚《ごがいせき》の祖父・右大臣は、たいへん短気な、偏屈者という評判の方で、そういう人が政権を握る世の中になったら、どうなるのだろうと、上達部や殿上人はみな、不安がっているのだった。

藤壺の中宮や、源氏などの悲嘆はいうまでもなかった。

おかくれになってのちの御法事など心こめてつとめる源氏のさまを、世間も、（あの君は、亡き院の、ことにもご秘蔵の愛子でいらしたものを……）と、あわれに見るのだった。

源氏は喪服の藤衣《ふじごろも》に着更《きが》え、去年、今年とひきつづいて鈍色《にびいろ》をまとう身となった。

中宮は四十九日までは院にいられたが、のちは三條の宮へお移りになるのであった。

十二月も二十日のこと、——世の中の空のけしきも寒く暗いのにまして、中宮のお胸のうちも冷たい風が吹き荒れている。かの大后の、きびしくむごいご性格を知っていられるので、そのお心のままになるこれからの世の中は、どんなに住みにくく辛いだろう、と不安に思し召されていた。

しかしそれにも増して宮のお心を占めるのは、ここ幾とせ、いのちを傾けて熱愛して下さった亡き桐壺院のおもかげであった。院の大きな暖かい愛情が、今更のように切なく宮には思い返されるのであった。

年はあらたまったが、諒闇《りょうあん》の世の中はしんとして寂しかった。源氏はまして物憂くてひきこもってばかりいた。

かつては、一月の県召《あがためし》（地方官任命の公事）の頃など、桐壺院の御在位中はいうまでもなく、御譲位後も変らず、源氏の勢望はたいへんなものだった。二條院の門前はすきまもなく来客の車や馬で埋まったものなのに、いまは打って変って訪れる人の数も少なく、詰所に宿直《とのい》のための寝具の袋を運んでくる者もいない。

長らく、親しく仕えている家司《けいし》（執事）たちばかりが、ひまありげに邸うちをぶらぶらしていた。源氏はそれを見て、

（今からは、こんな状態になるのだろうな）

とあじけない思いに胸がふさがる。

政権が右大臣側に移ったいま、源氏に任官のとりなしを頼んでも益《えき》ないことと、世

の人の心はすばやく変ってゆくのだった。

弘徽殿の大后は、院がご在世の頃は遠慮もされていたが、お崩《かく》れになった今は、その烈《はげ》しいご気性《きしよう》から、いまこそ、年頃積もった怨みをむくいようと、源氏に対して目をつけていられるらしい。

ことごとにつけて源氏には心外で不快な仕打ちが加えられてゆく。かねて予期していたこととはいえ、今まで経験したことのない逆境に立たされて、源氏は人まじわりがしだいにいやになってきた。

左大臣も不快で、あまり御所へも参内《さんだい》しない。かつて、亡き葵《あおい》の上《うえ》を今の帝へとの内意があったにかかわらず、左大臣はそれを拒んで源氏と結婚させたことを、大后は今も根にもっていらした。だから左大臣への風当りも強い。

左大臣と右大臣の仲も、元来、あまりよくない所へもってきて、昔、故院のご在世の頃は左大臣が政治を専《もつぱ》らにしていたのが、時勢が変った今は、右大臣が得意顔にわが世の春をうたっている。左大臣が面白くないのは当然だった。

源氏は、葵の上がいた頃と変らず、左大臣邸をしばしば訪れて、若君を大切にし、古いなじみの女房たちにも、あたたかい思いやりを示していた。左大臣はそういう源氏の気持を、しみじみうれしくありがたく思い、娘の生きていたころに変らず源氏を大切にかしずくのだった。

源氏は、近頃あちこちの忍びあるきも気がすすまず、今までの情人たちとの関係もいつとなくうち絶えたままになっている。二條院にばかり引きこもっているために、かえってのんびりとした日常である。

世間では、二條院の西の対に住む紫の姫君の幸福をもてはやしていた。乳母《めのと》の少納《しょうな》言《ごん》はひそかに、

(亡き尼上さまが、心こめてみ仏にお祈りして下さっていたしるしだわ)

と喜んでいた。

いまは、父宮の兵部卿《ひょうぶきょう》の宮にも晴れて披露《ひろう》したので、思うままに文通もできるようになった。正妻のもうけられた姫君たちには、はかばかしい縁談がないのに、紫の姫君は思いがけぬ幸福な結婚生活を送っているので、継母《ままはは》の北の方は、ねたましく思われるようだった。——まるで古物語にあるような話である。

賀茂《かも》の斎院《さいいん》は、桐壺院の第三皇女でいられたので、このたび亡き父院のおん喪に服されるため、斎院を退かれた。その代りに朝顔の姫君が立たれることになった。

伊勢神宮に奉仕する方を斎宮、賀茂神社にお仕えする方を斎院と申上げるのである

が、これらはいずれも未婚の内親王がたが当られるのが恒例である。朝顔の姫君は式《しき》部卿《ぶきよう》の宮の姫で、孫王《そんおう》にあたられる方なのだが、しかるべき内親王の姫宮がいられなかったためであろう。

源氏は年月を経た今もこの姫に想《おも》いを懸《か》けているので、神に仕える身となられたことを残念に思った。姫君のおそばにいる中将と呼ぶ女房にずうっと連絡はしていて、姫君への便りは欠かさないでいる。源氏も今は昔とちがい、万事逼塞《ひつそく》した身の上であるのだが、そんなことは気にもとめず、権勢の中心から離れてひまあるままに、あたらしい恋を夢みていた。

いったいに、この青年は、やさしげにみえながら、一面、剛腹《ごうふく》なところがあるのであった。不遇のときも、その運命に捲《ま》きこまれて萎縮《いしゆく》したりしない、ふてぶてしいものを秘めており、美貌《びぼう》に似合わぬ気骨のある青年なのである。彼は、失意の運命に挑戦して、かえって奔放に生きようとするかにみえた。

帝は、院のご遺言を違《たが》えず、弟の源氏を大切にお心にかけていらっしゃるのだが、何といってもお若いことではあり、お気立ても柔和すぎて、強いところはおありにならなかった。それゆえ、母君の大后や右大臣のいうままになられ、世の政治も帝の思われるようにならぬことが多かった。

こうして、源氏にとっては面白くないことのみ積もってゆくが、かの朧月夜《おぼろづきよ》に会った姫君、——右大臣家の六の君とは、人知れず心を通わし、無理な逢瀬をつづけていた。

姫君は、二月に尚侍《ないしのかみ》になって、かんの君と呼ばれ、後宮《こうきゅう》にあまたある妃たちの中でも、ことに帝のご寵愛《ちょうあい》がまさっている。

大后は、この頃お里にいられることが多く、たまに御所においでになるときは梅壺《うめつぼ》にいられるので、弘徽殿には、いま、尚侍《かん》の君が住まっている。

大后は、尚侍の君を重くお扱いになる上に、帝がことのほか愛していられるので、尚侍の君は、後宮で花やかにときめいていた。

しかし、心の中では、源氏が忘れられず、ひそかに文を通わせあっている。源氏も、人に知れたらどうなることかと恐ろしく思いながら、例の、道ならぬ恋、恋してはならぬ人を恋してしまう、わるい癖で、逢瀬がむつかしくなればなるほど、恋心がつのるのだった。

内裏で、五壇《ごだん》の御修法《みずほう》がはじまった時であった。

これは、国家・主上のため、五大尊を勧請《かんじょう》して祈禱《きとう》する重い修法である。帝がご謹慎していられるすきをうかがって、源氏はいつものように、夢のような逢瀬を、尚侍の君と持った。はじめて会った朧月夜のときと同じ弘徽殿の細殿《ほそどの》の一室に、女房の中納言の君は人目をさけて源氏を案内した。

御修法のあるあいだは、人の出入りも多い上に、常よりも端近《はしぢか》なところなので、中納言はそらおそろしく思った。

めったにあえぬ恋人同士のしのび会いは、月の光のわずかに洩れる闇《やみ》の中だった。

「長かった……会うのをまちかねた……日も夜も、考えるのはあなたのことばかりだった」

源氏が、柔かい手弱女《たおやめ》の軀を抱きしめると、美しい尚侍の君はおびえて震えていた。

「どうした。こわいのか」

「ええ……恐ろしい。でも、見つかったらそのときのことですわ。あなたとなら、どうなっても、あたくしはいいの」

「可愛《かわい》いことをいう」

実際、源氏は朧月夜の君にだんだん深くひかれていく。この姫君は重々しいところはないが、愛らしく若々しく、情熱的でいちずだった。後宮に入ってからは、熟《う》れた女ざかりの美しさが添って、その艶麗《えんれい》さはくらべる女人《にょにん》もないほどだった。いかにも兄君の帝が熱愛しているはずだと、源氏は嫉妬をおぼえる。

「でも、あたくしの愛しているのは、あなただけですわ。ほんとうよ、そうでなければこんな恐ろしい冒険をするはずがありませんわ、おわかりになっていらっしゃるくせに」

と朧月夜は必死にいう。

「どうかな。帝はあなたをおそばからお離しにならぬそうだ。しかし私はひと月、ふた月に一度という逢瀬だからね」

「なみの逢瀬ではありませんわ。みつかったら破滅ですもの。いのちを賭《か》けていますのよ。おそろしいけれど、それだけに、あなたにお目にかかるときは、幸福の絶頂みたいよ。……あたくしの気持がおわかりにならないの？」

「離れていて、あなたがほかの男に愛されていると思うときの、男の気持があなたにわかるものか。しかも相手は私の力及ばぬ尊い位の方なのだから、——私は絶望して堪えているだけだ」

「あたくしを、あのときの朧月夜のまま奪って下さればよかったのに……。そしたら宮仕えにも上らなくてすんだのですわ」

責めたり、苛《さいな》んだり嫉妬したりしながら、二人の若い恋人たちは、それでまた新鮮な恋の火をかきたてられ、前よりいっそう相手をいとしく思う――朧月夜は無邪気な幼さのぬけきらぬ姫なので、罪の意識というよりも、情事が露顕《ろけん》したときの社会的な制裁や非難をおそれているのだった。そのおびえがなお情熱の油を火にそそぐことになって、烈しい愛を交しあい、蒼《あお》ざめた夜明け、美しく恋に憔悴《しょうすい》した二人は、静かに横たわっていた。

「あなたといると、夜明けが早い」

源氏が朧月夜に接吻《くちづけ》してささやいていると、突然、すぐ下の庭から、近衛《このえ》の警備の役人が、

「宿直《とのい》申しでございます」

と声を張っていう。それはまるで二人の耳もとでいうように聞こえた。びくっとする朧月夜を、源氏は制して、小声でいう。

「私のほかにも、この近くの女の局《つぼね》へ忍んでいる近衛司《このえづかさ》がいるのだ。それを意地の悪い仲間が教えて、宿直申しをよこしたのだよ」

宿直申しは夜警の者が時刻を告げることである。源氏はおかしかったが、面倒だな、とも思った。その男はここかしこと歩いて「寅一《とらひと》つ!」(午前四時)と呼ばわってい

る。

「まあ……」

と朧月夜はちいさい叫びをあげる。

「もう、そんな時刻?……時間のたつのが早いこと。こんどはいつ、お目にかかれるかしら。また物思いに日がすぎていくのだわ。あたくしの心から招いた苦労だけれど」

と心細そうにいうのが、源氏には、いじらしかった。

「あなただけではないよ。物思いは私も同じだ。とりかえしのつかない恋に落ちてしまって気が晴れるときはないよ」

源氏はあわただしく、心もそらにすべり出る。

「お気をつけ下さいまし……」

朧月夜はそっと口の中でいって見送ったが源氏に聞こえたかどうか……。夜深い暁月夜《あかつきづきよ》の、ほのぼのと霧のたちこめる中を、源氏は忍び姿に身をやつして出た。折も折、

「お……あれは?　さても妙な所から出て来られたものだ」

と、じっと源氏を見送っている人影があった。帝の妃の一人、承香殿《しょうきょうでん》の女御《にょうご》の兄君

の、藤少将《とうしようしよう》である。月かげの立蔀《たてじとみ》のもとに立っていたので、源氏は気付かず、通りすぎたのだったが……口さがない世間の噂《うわさ》が、そういう所から立てられ、やがて怖《おそ》ろしい運命の罠《わな》に陥《おと》しいれられようとは、もとよりその時の源氏には、知るよしもないことだった。

こんな色恋沙汰をくりかえしながら、源氏はやはり、藤壺の宮をお恨みしていた。院がおかくれになってのち、ますます、うとうとしく他人行儀に遠ざかってしまわれる宮に、源氏の恋は、いまもしぶとく、押さえようもなく燃えつづける。

藤壺の宮にとって、今はもう、御所は縁ない、よそよそしい場所になってしまった。亡き院がせっかく中宮のみ位に据えおいて下さったけれども、その栄光も今はむなしく、御所にいらしても、まるで敵地に在るようにお心がおちつかれなかった。お里の三條邸にこもっていらっしゃることが多いが、そうなると、幼い東宮にお目にかかれない。宮は、それを心もとなく辛く思し召すのであった。

そんなこんなにつけても、源氏を後見としてご相談なさりたいのに、源氏はといえば、いまもなお、宮に烈しい恋心を抱いていて、機会を見ては思いを打ちあけようとばかりするのである。

宮は敏感にそれを悟られて用心ぶかく避けていられるが（その敏感さは宮が源氏へ抱かれる思いの裏返しでもある）ともすると危うく、足もとをすくわれそうな気がされて、お胸がつぶれそうになる。

（亡き院は、……わたくしとあのひととの秘めた罪を、つゆご存じなくお崩《かく》れになった。その大それた罪を、思い出すさえ、おそろしいのに、お崩れになったあとまで罪を重ね、それがまた世の人の口の端《は》にのぼりでもしたら、自分の身はともかく、東宮のおんため、今に必ずよからぬことが起こるにちがいない……）

宮はそれを恐れられた。

弘徽殿の大后側の人々が、何かのきっかけをとらえて、源氏の失脚や、東宮辞退をもくろむことは充分考えられることであった。廃立の権限は、大后側の手中にある現在、東宮のおん地位もあやういといわねばならない。

宮はお心をいためられた。源氏のわずらわしい煩悩《ぼんのう》の火が消えるようにと、ひそかに祈禱までおさせになり、源氏にはきびしい態度をとりつづけていらした。青年につけ入るすきは与えないように身を持していらした。

いや、そのつもりであったのに……。青年の情熱のほうが、宮の警戒心を上廻っていたのか……ある夜、宮は御帳台《みちょうだい》のなかに人影をみとめて、息もとまるかと驚かれた。

「眠れません……毎夜、私は眠れません」

と、青年は宮の耳許《みみもと》へ低く訴えつづける。

宮が、お顔をそむけたままでいられるのをしっかと抱き緊《し》めて、

「今夜はどうあっても、お目にかからなければ気が狂いそうだったからです。失礼をお許し下さい。命婦《みょうぶ》も、誰も知りません。一人で忍んできました。――私の愛をご存じでいらして、なぜお避けになる」

「当然のことですわ」

宮の、ほそいお声のうちには、しかし、凛《りん》としたひびきがこもっていた。

「わたくしたちのあいだで、愛という言葉は出さぬようにお約束したはずなのに……」

「そうです。お約束しました。だが」

青年は、宮にお目にかかるまでは、恋慕の情のほしいまま燃えるにまかせて、宮をわがものにしようとやたけに逸《はや》っていたのであるが、宮のけだかいお姿を前にすると、さすがに無体《むたい》なことはできなかった。

苦しい思いにうちひしがれ、怨《うら》みがましくやるせない涙にむせびつつ、かきくどく。

「私があなたを思い切れぬと知っていらして、そんなことを言われるのは、それはむごいというものです」

宮は何かに必死に堪えるように思いつめたお顔の色だった。青年の言葉を耳にも入れるまいとするように、お体をかたくしていられた。青年が思わず腕の力をゆるめると、恐怖と嫌悪《けんお》にみちて（男にはそう思えた）逃《のが》れようとよろめかれた。青年は今は、怨めしさ、恋しさに前後の見さかいもなく取り乱して、心も昏《く》れまどい、

「なぜそう、つれなくなさるのです。私の執心をどうしてそうお厭《いと》いになられる。私とのことがかつてなかったのならともかく、切れぬ契《ちぎ》りがある仲ではありませんか。あなたが打ち消されても、事実は消えません。私の執心も消えないのです。……あなたが欲しい」

と夢中で宮を抱きすくめようとすると、宮は必死の手ごたえであらがうさまをみせられ、お体が急に重く沈んで、青年の腕の中で気を失ってしまわれた。

すぐ、異変に気付いたのは、宮のおそば近く控えていた女房の弁《べん》や命婦であった。宮はご心痛のあまり胸がせきあげて苦しまれるので、命婦たちはいそいでご介抱申上

げたのだが、源氏が忍んでいると知って命婦たちは肝も冷える心地がした。

青年の方は、なかば無我夢中で、分別も失い、夜が明けようとするのに、出ることもできない。命婦たちはとりあえず、源氏を塗籠《ぬりごめ》にかくした。塗籠は壁で仕切った土蔵なので人目を避けるには具合がいいのだが、青年の装束を隠している命婦は、気が気ではなかった。

宮はお悩みのあまり、お気持が上気《のぼ》せて苦しそうにしていられるので、兄君の兵部卿の宮や、中宮職《しき》の長官などがお見舞いされ、祈禱の僧を呼べ、などと大さわぎになった。

源氏は、それを塗籠の中でわびしく聞いていた。ご病気は夕ぐれどきになって、ややおさまったようだった。

宮はまさか源氏が、あのまま帰らずに隠れているとは、ゆめにもご存じない。女房たちも、宮のお体に障《さわ》っては、と心配して、このことを申上げなかった。

宮が起き上られたので、よくなられたのかと、兵部卿の宮も退出された。宮のおそばには人が少なくなった。命婦たちはひそかに、

「どうやって、源氏の君をお帰ししましょう。もし今夜もあのままだと、また宮さまはお上気《のぼ》せになりますわ、お気の毒に――」

と、ささやき合っていた。

源氏は塗籠の戸の細めにあいたのをそっとひらき、屏風《びょうぶ》を立ててある間をつたい歩いて、宮のお部屋に入った。

宮のお姿を近くでしみじみ拝見するのも珍しくうれしく、青年は、みつめているとまぶたが熱くなる。宮はもとよりご存じなく、

「まだ苦しいわ……命が尽きるのではないかしら」

と外を見やっていられるおんまなざしが、たぐいもなく、青年には優雅にみえた。

「御果物でもお召し上りなさいませ」

と女房たちがくだものを箱の蓋《ふた》などに盛っておすすめするが、宮は物思いにふけってらして、ご覧にもならない。

お髪《ぐし》のかかり具合、匂《にお》やかな白いおん肌の美しさ、二条の院の紫の姫君にそっくりである。あの姫君と長年住んだせいで、宮恋しさもいくぶん紛れる気もしたのではあるが、しかし、いまこうして目の前にお目にかかる宮は、やはり、長年、恋い焦がれたせいか、紫の姫君よりはお年かさだけに、たぐいもない美しさに思われる。青年にとっては、永遠の美女であった。

青年はこらえかねて御帳台のうちに忍び入り、静かに、宮のお召しものの裾《すそ》を引いた。

彼の衣《きぬ》の薫香《くゆり》がさっと匂い立ったので、宮はすぐ悟られた。宮は衝撃のあまり、うつぶしてしまわれた。

「せめて、私を見向いてでも下さればうれしいのに」

と青年は怨みつつ宮をとらえて引きよせようとすると、衣をぬぎすべらせて逃れようとなさる、しかし青年が宮のお髪《ぐし》まで手に巻きつけて離さないので、宮はおん身をすくませたまま、辛い気持で宿業《しゆくごう》の悪縁を悲しまれた。

青年は今はもう分別も条理もうちすて、理性も自制心も失ってしまった。うつつ心もなく妄執《もうしゆう》のとりこになって宮を責めるのだ。

「私を哀れと思って下さらないのですか。あのときの契りは、その場のがれのいつわりでいらしたのか。日も夜も、あなたと再び会いたいためにのみ、過ぎるように私は思っていたのに……」

「どうか、そうわたくしをお苦しめにならないで」

今は宮も、双《そう》のおん眼に、きらきらと露のような涙をいっぱいに湛《たた》えていらした。

「わたくしは弱い女です。限りなく堪える力があるとはお考え遊ばさないで下さいまし。……ほんとうを申上げますと、わたくしは、嫉妬《しっと》しております」

「嫉妬。だれにたいして」

「あなたの、お身近にいらっしゃる、女人衆《にょにん》にたいして。あなたを、晴れて愛することができ、世の人の祝福を享《う》けてあなたに愛される女人衆にたいして」

宮が、おん眼を閉じられたので、あふれた涙は、宮の白い頬を伝わって落ちた。

「しあわせな女《ひと》たち。──わたくしはうらやましい。わたくしは、それができない身です。あなたを愛することも、愛されることも、世の掟《おきて》はゆるしません」

「……しかし、院は、すでにこの世にいられない」

青年の声は、罪を憚《はばか》るごとく低い。

「いいえ。院は今もなお、生きておいでになります。──わたくしたちの罪が消えないかぎり、生きておいでですわ、わたくしたちのあいだに」

青年は、いまは苦痛に心が捩《よじ》れるようで、宮を抱きしめたまま、涙をこらえていた。

宮のごようすには、お心に反した無体な仕打ちをゆるさない、犯しがたい気高さが、おありになった。青年はその気品に打たれ、宮のお言葉に逆らってまで思いを遂げられない。

「……しかし、愛しています。未来永劫《えいごう》に、私は、あなたを思い切れず、愛しています。たとえ、あなたの愛を得る希望のもてそうにない運命でも、私がそれとかかわりなくお慕いする自由だけは、どうか今まで通り、私に保留しておいて下さい。それすらもお取上げになる権利は、あなたにはおありにならぬはずです」

青年が涙をのみこみながら、きれぎれに、しどろもどろにささやきつづける言葉に、宮は堪えかねられたのか、そむけたお顔に涙を流しつづけていられた。

「ああ、もし、私が、あなたの人生で最初にめぐりあう男だったとしたら。――今ごろは幸福な妹背《いもせ》として、たのしい月日を送っていたかもしれない……」

「でも、わたくしは、院とめぐりあう運命でした。もう今となっては、この運命を誰にも変えることはできないのですわ」

宮はやさしいが、きっぱりとした口調でいわれる。しかしそのお声は、宮のお心をそのまま伝えて、あやしく顫《ふる》えているのだった。

命婦がそっと近寄って、夜が明けます、とささやく。――いつまでもいることは宮のお苦しみを増すことである。青年は夢ごこちで身支度をしながら、わが心をもて扱いかねて、

「死ねばよいと、私のことを思し召していられるのではないのですか」

と怨みつらみを言うのをやめられない。

「死んでも、私の妄執は残って、後世《ごせ》の罪障になるでしょうね……」

青年は拗《す》ねていた。悲しみと怒り、自責と自嘲《じちょう》がいりまじって、目もくらむようで、帰るみちみち、ものもおぼえなかった。

源氏は自分を拒み通した藤壺の宮に、ますます恋の炎を燃やすばかりだった。宮を冷淡と思い、薄情とも思おうとするが、すぐその心の下から、より物狂おしい慕わしさが募《つの》ってきて、堪えがたい辛さとなるのであった。——あの佳《よ》き女《ひと》は、自分の身近の女人に嫉妬するといった。

源氏に愛される女人を、うらやましい、とさえいった。何という気高い率直さであろう。

それは、愛の告白にほかならぬではないか。

それだけを聞けば、もはや、何も求めることは要らぬ、と思えるのに……愛というものは、ほんとうに強欲で貪婪《どんらん》なものなのだ。

宮を、わがものにできなかった恨み、満たされぬ不発の欲望に憔悴して、青年は苦しんでいた。

宮に許されなかった、ということで、青年の誇りは傷ついていた。

いまはこの上は、

（あわれと思って頂けようか）

という、拗ねてふてくされた心から、青年はひたすら、ひき籠《こも》っていた。やさしいひとに甘える拗ねた怒りのようでもあった。いっそ、世を捨ててしまったら、少しは、宮も自分に関心を持って下さろうかと、青年はそんなことすら、考えた。

しかし……何の屈託もない昔の若者ならともかく――いまは、彼だけをいちずに信じて頼っている、可憐な姫君、紫の君がいる身なのだ。あの純真なひとを、妻にしたばかりなのだ。藤壺にゆかりの姫君でもあり、青年はどうしても、自分の苦しみだけにかまけて、世を捨てるわけにはいかないのであった。

中宮もまた、苦しんでいらした。

源氏をきびしく拒まれたために、源氏がよそよそしくなるとすれば、東宮のおんためにも困ったことであった。

かといって――源氏が宮に懸想《けそう》しているということが、大后側に知れでもしたら、これ幸いと、どんな不利な噂を流されるか知れはしない。

宮はこの際、ある決心をされた。

東宮を守り、源氏をも傷つけるまいとすれば、それしかない、というご決意であった。

それにつけても、ひとめ東宮に、と思われて、そっと御所に参内された。

普通ならこんなとき、源氏はゆきとどいたお世話をして、行啓の供奉《ぐぶ》をするはずであるのに「気分がすぐれませぬゆえ」ということで、お送りにも来ず、ひきこもったままである。

中宮のおそばの、事情を知った女房たちは、

「まあ、ずいぶん悲観なすったものですね」

などと、源氏を気の毒がっていた。

東宮はたいへん可愛らしく、成長なさっていた。久しぶりの母宮とのご対面を珍しくも嬉《うれ》しくも思われて、甘えておそばにまつわっていらっしゃる。

宮にはそれが堪えがたいまで愛らしくも、あわれにも思われた。このいとしいものを捨てて、決意を遂げることができようか。

しかし、御所のうちの様子も、すべて昔とちがって、大后の勢力下にある。中宮と

はいい条、何かにつけて身分にふさわしくない取り扱いをされ、ご不快な思いをなさることが多いのだった。もし東宮にまで、わざわいが及ぶようなことがあっては……と宮のお心は千々《ちぢ》に乱れられた。

「しばらくお目にかからないでいるあいだに、わたくしの姿が変ったら、どうお思いになるでしょうね」

と宮がいわれると、東宮はじっと母宮のお顔を見まもられ、

「式部のように？……おたあさまがそんなにおなりになるはずはないでしょ」

と愛らしく笑われるのだった。あまりのいとけなさを宮はあわれに思われた。

「いいえ。式部は年取ったから醜くなりましたのよ。そうではなくて、髪は式部よりも短くなって、黒い着物など着て、夜中《よるじゅう》お祈りしているあの僧たちのようになってしまうの。そうしたら、お目にかかれることも、今よりもっと間遠になりますのよ」

宮は、お涙を抑えかねて泣かれた。東宮は幼な心にも悲しくなられたのか、まじめなお顔で、

「今よりもっと、おたあさまに会えなくなるの？　さびしいなあ」

と涙をほろりとこぼされる。それを恥ずかしいと思われたか、小さなお顔をそむけていらした。お髪《ぐし》の清らかにゆらゆらと垂れ、おん眼もとの匂うような美しさ、成長

されるにつれて、まるであの源氏そのままに似ていらっしゃる。おん歯が少し虫ばんで、お口の内が黒くみえ、笑っていられる様子は、女の子のようにやさしげにお美しい。こんなにも源氏に似ていられるのが玉の瑕《きず》のように、宮はお思いになった。

東宮ご出生の秘密はもとより誰知らぬことだが、きびしい大后側の人々の眼をわずらわしく、そら恐ろしく、宮は思し召すからだった。

源氏は心の晴れぬままに、紫野の雲林院《うりんいん》に詣《もう》でた。亡《な》き母の、桐壺御息所《みやすんどころ》の兄の律師がここの僧坊にいられる。源氏は紅葉《もみじ》の色づく秋の紫野で、経文を読み、仏前にお勤めをして、しみじみした何日かを過ごした。学問のある僧たちを集め、仏教の論義をさせて聴いたりもした。

秋の夜明けの月光のもと、僧たちが、仏に水や花を奉《たてまつ》ろうとて、花皿を洗ったり、からからと鳴らして重ねたりしている。菊の花や濃い紅葉、薄《うす》紅葉など折り散らしているさまも、はかなげに哀れなさまだった。しかし仏道にいそしんでいるあいだは、心をまぎらすことができた。

勤行《ごんぎょう》にあけくれる暮らしは後の世のためにも頼もしいことだが――さて、といって源氏は実際に世を捨てることはできない。紫の姫君が気にかかるのだ。

仏への勤行にいそしみながら、彼は、留守宅も心配で、若妻にあてたえず手紙を書いたりしている。

また、ここは賀茂にも近いので、斎院となられた朝顔の姫君にも、たよりを送った。あの姫君なら、秋の野の僧坊で、仏道修行をするあわれふかい情趣も解して頂けようか、と……。

「神に仕える身となられたあなたに、申すもかしこきことながら、昔の秋が思い出されますね。昔を今に、と思っても甲斐《かい》ないことですが、まるで取り返しのつくことのように思われて、昔恋しく」

となれなれしげに書いた。浅緑の舶来の紙に書いて、木綿《ゆう》をつけた榊《さかき》の枝に、手紙をむすび、神の儀式めいて仕立てたのである。そういう、すずろごとに源氏は心なぐさんでいた。斎院のお返事は、

「昔の秋が恋しいとはどういうことですかしら。わたくしには思い当りませんが」

とさらりと書かれてある。手蹟《て》は女くささのない、りっぱな字で、姫君の姿かたちもさぞ年と共に美しくなられたろうな、と源氏は心が動いた。(そういえば、去年のこの頃だった、野の宮の秋のわかれは)と源氏は思った。

六條御息所といい、朝顔の姫君といい、源氏はふしぎに恋人との仲を、神に裂かれ

ることが多い。朝顔の姫君が神に仕える身となられてから、源氏はいよいよ恋と関心を姫君によせるのだった。神慮のほども恐ろしいことである。

源氏が天台六十巻の経典を読んで、学僧たちに不審の個所をたずねたりして仏道に思いをひそめているのを、僧たちは「みほとけの面目、山寺の光栄です」と喜び合っていた。

源氏は雲林院におびただしい御布施《おふせ》を、ある限りの僧俗には充分に物を与えて寺を出た。

人々は有難いことに思って、僧たちはもとよりいやしい木樵《きこ》り、柴刈《しばか》りの山人まで、涙をこぼしつつ見送った。

紫の姫君は、少し見ない間に、また美しくおとなっぽく、しっとりとしていた。

「み仏にお仕えしていらして、わたくしのことなどお忘れになったのではないかと、心配していましたわ」

というのも可憐だった。

「とんでもない。どんなことがあっても世を捨てて僧になったりできない、ということが今更のようにはっきりしたよ。――あなたがいるかぎりは。だから俗世へ喜んで帰ってきたのだ」

「ほんとう？　それならうれしいわ。お心が何だかいつもたのみがたくて」

「わかってもらえないかね。――浮世のきずなは、あなた一人だよ」

と源氏はいいつつ、若妻の鋭敏な感受性にすこし、たじろいでいた。聡明《そうめい》な紫の姫君は、源氏が藤壺の宮や朝顔の姫君に心動かすのを、直観的に感じとっているのであろう。

「わたくしをおいて、どこへもいらっしゃらないで下さいましね」

と心細そうにいう紫の姫君の愛らしさ。――「どこへも」というのは、世を捨てて仏門に入ることも指すのであろうし、他の女人に心動かすことをも、いうのであろう。

「約束するよ。あなたを一人にはしないよ、これからは」

源氏に、まじめに誓われてやっと紫の姫君は安心したのか、美しい笑顔を見せ、

「まあ、きれいな紅葉……」

と源氏が土産《みやげ》に持ってかえった、山の紅葉の色濃いさまにみとれた。

中宮にも、あまり疎遠《そえん》にしていると、かえって世間からも怪しまれそうなので、源氏は紅葉を、ふつうの贈り物のようにして、差し上げた。命婦に手紙を書いて、

「宮は御所に参られたとか。東宮とのお目もじはどのようでありましたろうか、心に

掛っておりましたが、思い立って勤行したことですので、中途で帰ることもできず、ついに日がたちました。秋の野はひとしおの風情《ふぜい》でした。紅葉を一人で見るのも古歌の〈見る人もなくて散りぬる奥山のもみぢは夜の錦《にしき》なりけり〉で、残念ですから、よい折があれば、中宮にお目にかけて下さい」

と言い遣《や》った。

照り輝くような濃い赤さの紅葉で、都のそれとは、さすがにちがい、冷たい山里の露が染めあげた美しさは珍しかった。

藤壺の宮は喜んで、ご覧になっていたが、例のように、枝に小さく文が結んである。

「あ」

と、宮はお顔の色も変る気がされた。

まだ源氏は懲《こ》りずまに、文などをよこすのだ。よこしまな恋ごころは、あれだけ、ことをわけて話しても消え失《う》せないものとみえる。

思慮ぶかく、思いやりの心に富み、人間味のゆたかな性格の青年なのに、よこしまな恋に身を灼《や》くときは、一変して無鉄砲なことをする。——宮は、源氏の心をうらめしくお思いになった。おそばの人々も、どんなに変に思うかしれないのに。

宮はうとましく思われ、紅葉を瓶《かめ》にささせて、廂《ひさし》の間《ま》の柱のもとに退けてしまわれた。

そうして、強《し》いて事務的な用件の返事のみをされた。源氏はといえば、（何という冷たい方か）と、逆《さか》うらみに、お怨みするのであった。

藤壺の中宮の後見役は源氏ということになっているので、あまりうとうとしくしているのも世の臆測《おくそく》や疑惑をまねく恐れがあった。

源氏は中宮が御所を退出される予定の日に参内した。

先に、兄帝《みかど》の御前にうかがうと、ちょうどつれづれの折でいらしたらしく、

「珍しいではないか」

となつかしげに、いろいろな話をされた。

帝のお顔立は、父院によく似ていられるが、院よりも更に柔媚《じゅうび》な風情がおありで、御性質はやさしくなごやかでいらした。

帝も源氏をご覧になって、父君のことを思われるらしく、お互い、血を分けた兄弟という、しみじみした思いにひたっていらした。

帝は、朧月夜の尚侍《かん》の君と源氏の仲が、まだ絶えないでいるらしい噂《うわさ》もお耳になさっており、また、尚侍の君のそぶりからも、ご自身そうと悟られるときもあるのだが、

（まあ仕方がないだろう、いま始まったことではなし、私よりも早く、源氏の君の方

が彼女《あれ》とめぐりあって恋人にしてしまったのだから……。考えれば、あれと源氏は、似合いの恋人同士といってもいい仲だし……）

などと思われ、源氏も尚侍の君も咎《とが》めようとはなさらなかった。柔和で温厚な、お気立なのだった。

源氏は兄帝のやさしいお気立を恐縮にも思い、また敬愛していた。昔今のこと、学問のこと、いろごとめいた歌の話など、若い兄弟らしく、話が弾《はず》んだ。

あの六條御息所の姫君が、斎宮として伊勢へ下られた日の、お美しかったことを、帝が思い出されて話されると、源氏も、つつまず、野の宮の哀切な暁の別れなども、お話し申しあげた。

二十日の月が昇って来た。

「ああ、いい風情になった。管絃《かんげん》の遊びでも催したいね」

と帝はいわれたので源氏は、

「実は中宮が、今宵、東宮御所から退出されますので……。院のご遺言もあり、後見役の人もほかには居られませぬゆえ、私がお世話申しあげております。東宮のご縁につけましても、中宮をなおざりにはできませず……」

「それはむろんだ。院は、東宮を自分の子と思って愛せよ、といい置かれたから、私も心にかけて大事にしているつもりだが、まあ、ことさら目立っても、と思って……。しかし、お年にしては東宮は字もお美事《みごと》だし、この分では、ゆくゆくりっぱに生《お》い立たれて、何事につけてもたよりない私の名誉を挽回《ばんかい》して下さるだろう」と帝がいわれるのも、お気弱でやさしいお心からのせいだった。

「東宮はご聡明ですが、何といってもまだ幼くていらして心もとない事でございます」

源氏は、東宮のご日常のことなどお話申しあげて御前を退《さが》った。

源氏の前駆が忍びやかにゆくのを、立ちふさがるように横切る一行があった。頭《とう》の弁《べん》という青年である。弘徽殿の大后の兄君、藤大納言《とうだいなごん》の息子で、いまをさかりと時めいている公達《きんだち》の一人だ。妹の、麗景殿《れいけいでん》の女御《にょうご》の御殿へたまたまゆく所らしかったが、源氏を見て立ち止まった。

時の勢いに乗じて、なんの遠慮も気がねもないのであろう、傲慢《ごうまん》な態度でながしめをくれて、

「白虹《はくこう》、日を貫けり。太子、畏《お》ぢたり」

とゆるやかに史記《しき》の一節を口ずさんでゆく。

あきらかに、源氏へのあてつけである。

燕《えん》の太子・丹《たん》は、秦《しん》の始皇帝を殺そうと、荊軻《けいか》を刺客として秦に送った。時に、不吉な天象があらわれた。白い虹《にじ》が太陽を貫くようにみえたのである。太子の丹は、事の成らざるを予感しておそれたという故事であった。

どうやら、丹と始皇帝との関係を、源氏と帝になぞらえ、源氏が帝に異心をいだき、帝に不遜《ふそん》のふるまいをして、反逆をたくらんでいると、頭の弁は諷《ふう》しているらしかった。それはまた、弘徽殿・右大臣派の人々の、源氏を見る目でもあるのだろう。大后の源氏に対する反感は、いまは、あからさまなので、頭の弁のような若者まで、勢威をかさにきて、源氏をかろんずるのであった。

源氏は唇を噛《か》んだが、表だって相手になれなかったので、忍耐していた。しかし腹の底では憤《いきどお》りが煮えている。源氏は、兄帝とはちがう。柔和一辺倒の男ではないのだ。なよやかにみえながら、剛毅《ごうき》で慓悍《ひょうかん》な性質を秘めている。以前の源氏なら、とって返して、頭の弁の無礼を面詰《めんきつ》したであろう。しかし、世はうつり変り、源氏をとりまく状況も一変した。加えて守らねばならぬ東宮御母子もいられるのだ。源氏は胸をさすり、自重してそしらぬ風でやりすごしたが、世に奢《おご》っていた若い源氏の、それは一つの成長であるのかもしれなかった。

「主上《うえ》の御前にいまして、今まで夜を更《ふ》かしてしまいました」

と源氏は中宮に申上げた。

「静かな夜でございます。院がご在世の頃は、こんな夜は華やかに管絃のお遊びなど、なさいましたろうに」

源氏の言葉に、中宮は王命婦《おうみょうぶ》を取りつぎにして仰《おお》せられた。

「御所の月を見るのも久しぶりでございます。霧がへだてているようで、御所へあがることもためらわれ、はるかに思いやるだけでございました」

間近いところだから、中宮のお声も仄《ほの》かに聞こえ、源氏はなつかしさに、日頃の怨み辛《つら》みも忘れて身に沁《し》む。中宮は、大后側の人々のあしらい、時世の変りなどをそれとなく仰せられているのに、源氏はわざととり違えた風に、

「恨めしいのは霧ですね。なぜ、へだてを置くのか……月の光は昔も今も変りませんのに」

と暗に、自分と中宮とのことにすりかえてしまう。

果して、中宮は黙してしまわれる。源氏は、東宮のおんことに話題を転じた。恋しいひとにお心安くお話し頂けるのは、あのひとの、母性の弱味につけこんだときだけ

だと、源氏はいち早く見抜いているのだった。

中宮は東宮のことになると、いたいたしいほど、もろくおなりになった。素直に、お心をひらいてしまわれる。東宮はまだ起きていらして、源氏の肩に倚《よ》りかかり、まつわってこられるのだった。

「今夜はお目が堅くていられますね。いつもはもっとお早くおやすみになるのに」

と源氏が申上げると、東宮は無邪気に、

「おたあさまは今夜、お退りになるのだもの。それまで起きているの。いいでしょう?」

と御簾《みす》のうちへ走り入られて、こんどは中宮にまつわりつかれるらしかった。源氏には美しい母と子が、しっかと抱き合っていられるのが、見えるような気がした。

あのひとが、どんなにいとしそうに、東宮に頰ずりしていらっしゃるかも……。

源氏が、一瞬、いかに深刻な羨望《せんぼう》と嫉妬を東宮に感じたか、それはいうもおろかなことであった。

しかし中宮もまた、あふれる思いを抑えかねていらした。こんど東宮にお目にかかるときは、すでに俗世の人ではないのだ。恩愛を絶ち、浮世のきずなを断って、この身はもはや、母と呼ばれ子と呼ぶこともなくなるのだ。

「宮さま、よろしいこと？　大将の君（源氏）や、ほかの人々の申されることをようくお聞きわけになって、おりこうに、おとなしくしていらして下さいましね……」

中宮は、東宮のお髪《ぐし》を撫《な》でて、かんで含めるようにいわれる。しかし幼い東宮には、そのお言葉にあふれる切ない思いを、お汲《く》みとりになられるはずがなかった。

「はい。おりこうに、おとなしくしていると、早く、おたあさまにお目にかかれるのですね」

とにこにこされる。中宮は、思わず東宮のお小さいお体を抱きしめて、

「ええ、そうよ、そうなのよ……」

と泣かれた。そのとき、中宮のお胸にあるのは、このいとけない東宮を守りぬこう、この人だけは守ってやらなければ、という強い母の決意だった。

そのためには、秘めた恋を葬《ほうむ》らなければならなかった。中宮はそのとき、わが手で葬られるわが恋の終焉《しゅうえん》を、じっとみつめていらしたのだった。

はやくも、桐壺院のおん一周忌となった。

ご命日には雪が降り積もって物悲しかった。

〈別れにし今日は来れども　なき人に　ゆきあふ程をいつと頼まむ〉

院にお別れした日は、はやめぐってきましたが、もう亡き院にお目にかかる日はないのですね、というこころの歌を、源氏は中宮におくった。降る雪にかけてよんだ歌だった。

〈ながらふるほどは憂《う》けれど　ゆきめぐり　今日はその世にあふ心地して〉

今日まで長らえた世は辛うございましたが、ご忌日《きにち》の今日、院のいらした世に再びめぐりあった心地がしてなつかしゅう存じます……。

中宮からは、そうご返事をたまわった。

なつかしい、けだかいお筆蹟《て》。源氏はしかし今日ばかりは、恋の炎を強いてしずめて、あわれな雪のしずくにぬれつつ、しめやかに御供養《ごくよう》につとめるのだった。

十二月の十日過ぎ、中宮御主催にかかわる、御八講《みはこう》が催された。これは法華経《ほけきよう》八巻を、四日にわたって講説する法会《ほうえ》である。

かねてお心を傾けてご準備していられたこととて、経巻から御仏具に至るまで、なみなみでなく善美をつくされた。

初めの日は中宮のおん父、先帝の御供養のため、次の日はおん母后のため、次の日は故院のおんためであった。三日めは、法華経の第五巻を講ずる中日なので、上達部《かんだちめ》なども、大后側への遠慮をこの時ばかりはうちすてて、たくさん集まった。

盛大で、おごそかな法会となった。

果《は》ての日、中宮は、ご自分の結願《けちがん》として、世を捨てるよし、仏に申上げられた。法師が、声高く、中宮の結願を披露《ひろう》する。

一座はどっと、どよめいた。

源氏は、蒼白《そうはく》になった。

中宮の兄君の兵部卿の宮もおどろかれて、中途で御簾の内へあわただしく入られる。

「なんということ、また、唐突に……」

「かねてよりの決心でございますので」

中宮は静かに、凜《りん》とお答えになる。

すでに手配はされてあったのか、法会が終ると、叡山《えいざん》の座主《ざす》を召して、ご受戒《じゅかい》の儀を仰せつけられる。

中宮のおん伯父《おじ》に当る横川《よかわ》の僧都《そうず》が、お近くにすすんで、美しい黒髪をおろし奉った。

邸の内には、人々の泣き悲しむ声がみちた。

中宮おひとりは、珠《たま》のような面輪《おもわ》に、すでに心をきめた人のもつ、すずやかな微笑をたたえていらした。

源氏は血が凍ったようで、座を起《た》つこともできない。度を失って、何を考えることもできない。

（宮はこの私を捨て給《たも》うた。自分は宮に拒まれ、見捨てられた！）

源氏は唇をかみしめて、そう思うばかりである。

凝然《ぎようぜん》と言葉もない源氏の前で、人々は代る代る、悲しみを抑えて中宮にご挨拶《あいさつ》申上げるのであった。

兵部卿の宮は、今は、泣いていらした。亡き桐壺院の皇子たちも、あんなに父院が愛してらした中宮の、華やぎ給うた昔に引きかえ、いま、花の盛りのお美しさで、世を捨てられる運命を、いたましくお思いにならぬ方はなかった。皆、こころから中宮をお慰めになるのだった。

源氏はやっと、力なく座を起った。人が見咎めて、なぜああも格別に嘆き悲しむかと不審の念をもつことが気遣《きづか》われたからである。

親王方が退出されたあとで、中宮の御前にうかがった。

人々の心まどいが少しおさまり、あたりは静かになっていた。女房たちは折々、涙を拭《ふ》いてところどころにかたまって控えている。

月はくまなく明るく、雪の光る庭のありさまも、源氏にはこの世ともうつとも分らぬ悲しみの目でながめられた。強いて心をしずめ、

「どういうことで、こう急なご出家を思い立たれたのでございますか」

と取り次ぎを介して申上げた。

「今はじめて思いついたのではございませんが……あらかじめ申しますと、物さわがしく反対もされましょうし、わたくしの心も乱れると存じまして」

といつものように命婦を通じてお返事があった。

御簾のうちの様子、女房たちの衣《きぬ》ずれの音など、しめやかに、悲しみの抑えがたい気配など、源氏には身に沁みた。

風は烈《はげ》しく吹き、御簾のうちの空薫物《そらだきもの》の、黒方《くろぼう》の香にまじり、仏前の名香《みようごう》の煙もほのかにただよう。

東宮からの御使者も来た。あのときの東宮の愛らしいご様子を思い出されたとみえ、中宮は耐えられず、ご返事もおできにならない。

源氏が言葉を添えて、お使いにお答えした。

女房たちは近くに控えているし、誰もかれも心が悲しみに鋭く磨《と》がれているときと

て、源氏も思うままのすべてを、申上げることはできない。

「ご出家の本意を遂げられて、ご自身は真如《しんにょ》の月を見るようにお心が澄まれるでしょうが、東宮のおんことは、お気がかりに思《おぼ》し召されませぬか。子を思う闇《やみ》、と申しますれば」

と源氏はいった。

それは源氏の、中宮に対するひそかなる恨み、つらみであった。かくも自分を苦しめることのできる、情《つれ》なき人に対して、源氏は身悶《みもだ》えして怨み奉るのであった。

（あなたは、私に対してなぜそう、むごく当られる。どこまでお苦しめ遊ばすのだ……）

東宮に添えて、源氏は自分のことを匂わせているのだった。

「みほとけの弟子となって浮き世の絆《ほだし》は捨てましても、子供のことは思い切れませぬ。仰せのとおりでございます……」

という中宮のお返事が、命婦を介してもたらされる。

源氏の悲しみに同情した命婦の、すこしはお返事に脚色も加わっているようであった。

源氏は悲愁に心を重くして退出した。

二條院に帰っても自室にひとりひきこもり、源氏は眠ることもできなかった。中宮が世を捨てられた、という衝撃が大きくて、この世に生きている甲斐もない気がされる。いっそ自分も共に世を捨てたい位だが、では、東宮はどなたがお守りするのか。

(故院は御後見のない東宮を気づかわれて、せめて母宮だけは、ゆるぎない地位として後見できるように、と、中宮にされたのだった。——それなのに世を厭《いと》うてご出家されたいま、自分まで東宮をお見捨て申したら、誰がご後見するのか)

考えつづけているうちに、悩みふかい夜はあけた。

源氏は重いためいきをつきつつ、身を起こした。

こんな場合でも、中宮への心づかいを源氏は忘れることはできない。今は仏道ご修行のお暮らしに必要なおん調度品をととのえ参らせなければ、と早くも気づかいするのだった。

かの命婦も、このたびの中宮ご落飾《らくしょく》のお供をして、共に尼になった。それもあわれふかいことだった。

源氏の恋の証人ともいうべき命婦までも、世を捨て、愛執を断つ生活に入るとは。

(あの恋は、中空《なかぞら》に消え、ついに、まぼろしとなるのか……)

源氏はわが手で消しかねる恋のほむらに、夜ごと、輾転反側《てんてんはんそく》する。しかし人間世界の愛欲・執着《しゅうちゃく》を断ち、黒髪をおろした人に、今は所詮《しょせん》、どんな想《おも》いも情念も、むくわれるはずはなかった。

新春がめぐってきた。

諒闇《りょうあん》も明けた御所は花やかで、内宴や踏歌《とうか》やとにぎわしかったが、中宮はしめやかに、み仏への勤行にいそしんでいられた。

世を捨てて、はじめてお心の平安を得られたようにも思われた。

三條の宮の、西の対の南に建てられた御堂《みどう》で、心こめて勤行される。

源氏が参上してみると、いつもならひまもないほど参賀にあつまった上達部なども、今は、向いの右大臣邸にあつまり、宮の内は人少なであった。

宮司《みやづかさ》の古くから馴染《なじ》んでいるものたちばかりが、寂しそうに仕えている。そんな所へ、参賀に来た源氏を、人々はまるで千人もの人に匹敵《ひってき》するようなたのもしさに思うらしかった。

源氏は感慨ぶかく、言葉もなくあたりを見廻した。昔にかわる、このありさまよ。御簾の端《はし》も御几帳《みきちょう》も、青みがかった薄墨色であった。それは、尼となった人のものでいるせいであろう、宮のお返事が仄かに洩《も》れきこえる。

「すっかりこの世ばなれた、お邸《やしき》のご様子となられましたね」

と申上げると、お気配が少し近いのは、ご仏壇に奥の間をおゆずりになって

ある。

仄見える女房たちの袖口《そでぐち》も……。

「世ばなれたところへ、よくお越し下さいました。なつかしく存じますわ」

源氏はまぶたが熱くなりそうで、言葉少なに退出した。

県召《あがためし》の時も、この宮に仕える人々の昇進はなかった。当然あるべき加階《かかい》も行なわれず、中宮としての御封《みふ》（俸禄《ほうろく》）も停《と》まった。

宮は、思い乱れられることも多かったが、（何はともあれ、東宮さえ、ご無事なら）と一心にみほとけを念じて勤行にあけくれていられる。人知れぬ罪を、みほとけに告白して（わたくしの身に代えて、東宮をお守り下さいまし。あのひとの罪をお許し下さいまし。わたくしは、どうなりましても……）

とひたすら、念じていられた。

源氏の邸の人々も、いまは世に打ちすてられたようなさまだった。

左大臣も、公私ともに世が面白くなく、辞表を奉られた。帝は、故院のご遺言からも、それを残念に思し召したが、左大臣は強いて引きこもってしまわれた。

今は、弘徽殿の大后と右大臣の一派の人々のみ、ますます栄え、心ある人々は、世の重鎮であった左大臣の隠退を嘆くのだった。

左大臣の子息たちは、みな人柄もよく、世に用いられた人々だが、こんな世の中になってすっかり失望している。

源氏と親しい長男、今は、三位《さんみ》の中将も、近頃は気を腐らせていた。出仕もせずに、源氏のもとをいつも訪れて、学問やあそびごとに身を入れている。

それを、(あてつけがましく、放縦《ほうじゆう》な……)と非難する人々が多くなってゆく。

しかし源氏も中将も、驕慢《きようまん》で剛腹な貴公子たちなので、

「なあに。いう奴には、いわせておけ。知るものか」

と打ちすてていた。

博士《はかせ》や学者、殿上人どもをあつめて、漢詩文を作ったり、韻塞《いんふたぎ》をして遊んだりする。賭物《かけもの》をどっさり用意し、負けた中将側は、日をあらためて、勝った源氏側を招待した。管絃のあそびになり、歌が出る。貴公子たちはこういう宴に、せめてもの憂さを晴

らしていた。

そのころ、尚侍《かん》の君は、瘧《おこり》を患《わずら》って御所から宿下りしていた。祈禱《きとう》のせいで、病いはよくなったのだが、得がたい機会なのを幸い、源氏はしめし合わせて毎夜のように右大臣邸へ会いにいく。

大后も同じ屋根の下にいられるころで、まさに敵地へ乗りこむような冒険である。

しかし、困難な状況の恋ほど、源氏の心を捉《とら》える。敵の目を掠《かす》めて、敵の美女を拉《らっ》するような面白さが、源氏を酔わせていた。

それに——久しぶりの朧月夜の君は、美しかった。いよいよ艶《えん》な女ざかりの風趣が、こぼれんばかりだった。病みあがりの、すこし瘦《や》せた面立ちの匂やかさ。

「あなたを、こうも美しくしたのは誰だろうね」

「わかっていらっしゃるくせに。あなたへの物思いのせいですわ」

朧月夜は打てばひびくようにいらえる。

源氏は、この姫君の積極的な情熱と、まるで虎の尾を踏むような戦慄《せんりつ》的な状況に心をひかれ、毎夜、忍んでくるのをやめられない。

「もう、御所へ還《かえ》すものか」

と源氏は、恋人を抱きしめる。

「怖いわ。もし大后に知れたらどうしましょう」

尚侍の君は、大后の峻烈《しゅんれつ》な気性をおそれていた。

「知れるものか。女房たちもしゃべらないよ。私たちの味方だから……」

それは事実で、度重《たびかさ》なれば女房たちはみな源氏の忍んでくるのに気づいていたが、大后に知れるとわずらわしいので、誰も、口を噤《つぐ》んでいるのであった。

ある夜、雨がにわかに降り、雷鳴がすさまじくとどろいた。

殿中の人々が立ちさわいで、源氏は出る機会を失ってしまった。

そのうち夜があけた。御帳台《みちょうだい》のうちにいる源氏は、もはや女房たちに取りかこまれて、出ることはできない。

事情を知っている女房は二人ばかりいたが、困惑しきっていた。

そこへ、ふいに現われたのは右大臣だった。

「どうしているね。心配したろう。ひどい雷だったね」

雨の音で、右大臣の足音がきこえなかったらしかった。

大臣は弘徽殿の大后のところへ雷の見舞いにゆかれ、ついで、尚侍の君のところへ来られたらしかったが、無雑作《むぞうさ》にひょいと部屋へ入るなり、御簾をひきあげられた。

「ひどい夜だったね。中将や宮の亮《すけ》は来ていたかな。怖かっただろう」

などといわれるのが早口で何だか軽はずみな感じだった。大臣らしいおちつきがない。

源氏はこんなせっぱつまった場合なのに、ふと左大臣の人となりと思いくらべられて、ずいぶん違うものだとおかしくなる。左大臣のほうは、重厚な威厳がある方だが……。

いやしくも、大臣ともいわれる身分の方なら、おちついて部屋へ入ってから、お口を開かれたらよいのに……。

尚侍の君は、困っておどおどして御帳台の外へ出てきたが、上気《のぼ》せて顔の赤くなっているのを、

「おや。まだ熱が下らないのか、困ったことだね」

と大臣は見咎められた。

「どうしてこう具合が悪いのだろうね。物の怪《け》などはしつこく長引くものだから、もう少し修法《ずほう》させるのだった」

などといわれていたが、ふと、薄二藍《うすふたあい》の男物の帯が、姫君の衣《きぬ》にまつわって出て来

たのに目をとめ、(やや?)と怪しまれた。

それと共に、字を書き散らした懐紙《かいし》が、几帳のもとに落ちているのも発見された。男手である。大臣はぎょっとされた。

「誰の書いたものだ、それは。おかしいではないか。よこしなさい。誰の筆蹟《て》か、調べてみよう」

といわれるので、姫君ははっとふり返って自分もそれを見つけた。もういいまぎらわしようもない。朧月夜の君は動転して我を失っていた。そのさまを見れば、心のゆきとどく人なら、(いくらわが子といっても、きまり悪く思うだろうものを)と、察するところだが、大臣はそんな繊細な思いやりはない人だった。性急で、いらいらしやすい性質から、前後の見さかいもなく、懐紙を拾い上げ、几帳の中をのぞかれると、なんと、男がいるのだ!

しどけない恰好《かっこう》で、逃げかくれもせず、のんびりと横になっている。

大臣に見られたので、やっと夜着に顔をかくし、形ばかり隠れるそぶりをする。

大臣は驚倒された。

呆《あき》れはて、二の句もつげず、次には、

(な、なんということだ!)

と猛然と腹が立ったが、何で正面切って追いつめられようか。

大臣は憤怒《ふんぬ》と驚愕《きょうがく》に目の前も暗くなる心地がして、その懐紙をもって、大后のおいでになる寝殿へ急がれた。

朧月夜の君は、気も遠くなる思いだった。

「ああ、もう破滅だわ……。どうしよう、すっかり知られてしまった。わたくしももうおしまい、あなたにも、たいへんな難儀がふりかかるのだわ。――どうしましょう」

姫君の傷心を、源氏はかわいそうに思った。（とうとう、来たな。せずともよい冒険を重ねて窮地におちいったという所だな）と思ったが、姫君が身も世もなく嘆いているのがいたいたしくて、

「仕方がないよ。なんとか、なるさ――そう心配しなくてもいい」

と、やさしくなぐさめていた。

「なんとかといったって……もしかしたらわたくしたち、これで堰《せ》かれて、二度と会えなくなるかもしれないのよ……」

朧月夜の君は昂奮《こうふん》してすすり泣いていた。

「大丈夫だ。それに、そうなったとしても今さら、もう取り返しのつかぬことじゃないか？ 私とあなたの仲は」

源氏は、不敵に笑っている。

大臣は、忍び男が源氏と知って、憤怒は二倍になるように思われた。

まっすぐに弘徽殿の大后のもとへゆき、あらいざらい逐一《ちくいち》、報告なさった。大臣は元来、思った通りをすぐ口にされる方で、胸に畳んでおくということのない性質であられる。その上、老いのひがみまで添うているので、遠慮も斟酌《しんしゃく》もあらばこそ、あらいざらい、大后に告げてしまわれる。

「なんという、こちらをないがしろにしたことをなさる方だろう。ひどいことです」

「たしかに、源氏の右大将ですか。まちがいありませんか」

大后もおどろかれた。

「私が、目撃したのですよ。それに、この懐紙が何よりの証拠、この手は源氏の君にまちがいありません」

「尚侍《かん》の君と源氏の君は、ではやはり、切れてはいなかったのですね」

大后はみるみる、眉根《まゆね》をけわしくなされる。

「そうらしいですな。以前は私もうっかりしており、あの姫自体、ふわふわしたところがございますから、源氏の君に誘惑されてとんだ恥をさらしたのです。そのときも腹が立ちましたが、右大将のお人柄に免じて、事を荒立てずにおきました。それならいっそ、似合い同士でもあり、正式の婿《むこ》になって下さればと思い、仄めかしたのですが、あちらではそれも気が進まぬふうで、とりあわれずじまいで……」

「それは、尚侍の君を情婦にならするが、正妻にはしたくない、というつもりだからでしょう。ばかにしているのです。源氏の君は我々を侮《あなど》っているのです。あの人は昔から、そうなのです。あの人の亡き母の桐壺御息所からして、私をかろんじていたのですからね」

大后は憎々しげにいい放たれる。

「あの源氏の君も、こんな大胆なことをされるとは、思いも寄りませなんだ。宮仕えして、帝のご寵愛《ちょうあい》をうけているると知っているはずの六の君を、盗むなどと――」

大臣のお話はぐちになる。

「婿の話を一蹴《いっしゅう》されたときは、私も不快でしたが、まあ、縁のないものならしかたないとあきらめ、あやまちのある姫でも、帝は愛して下されるかもしれぬと、はじめからのもくろみ通り、帝にお仕えさせたのでございます。それも、本来なら、晴れて女御《にょうご》として奉《たてまつ》るつもりでおりましたものを、まさか、男と浮名のたった姫を、そう晴れがましくは扱えませず、しかたなく尚侍《ないしのかみ》として宮仕えさせたのでございますよ。今でも、親としてはもう残念で、思いきれぬくらいです。それに、またいまこんな仕儀ですから、全く以《もっ》て、なさけのうございます」

大臣は、末姫の六の君を、ことに可愛《かわい》がっていらしたので、裏切られた憤りはよけい、深いのだった。大臣は、そこまで言いつづけられると、もう、止めることができない。

「それにしても浮気沙汰《ざた》は男の常、とはいいながら、源氏の君もけしからんではありませんか。斎院のお噂をご存じですか」

「いいえ。存じません。私にはみな遠慮して何も聞かせません。私が怒ると思っている――」

大后は身を乗り出される。

大臣は夢中なので、ご自分の一言一言が、大后を煽動《せんどう》し、烈しいご気性に火をつけているとは気付かない。

「呆れたことに、神に仕える斎院の姫君にいまだに言い寄っていられるそうですよ」

「まあ！　なんと無礼で不謹慎な！」

「内々で忍んで恋文など通わせておられて、どうも怪しいという噂があります。しかしまあ、よもや斎院をどうこうということはありますまいが。もしそんなことでもあれば、神罰のほども恐ろしいことで、世のためによくないのはむろん、源氏の君ご自身のためにもならぬことです。あの君ほどの方が、まさかそんな無思慮なご所行《しょぎょう》はなさいますまいと思いますよ。何といっても、学識教養では当代ならぶものなしと一目おかれている位の方ですからな」

「いいえ、それはわかりませんわよ。信じられません。あの人は、驕《おご》りたかぶって人もなげな、無鉄砲をしでかす人です」

大后は、父大臣よりも激越なお気立てのこととて、いまは抑えようもない腹立ちに、言い募られた。

「だいたい、帝さえ、かろんずるような人なのです。あの人ばかりではありません。今でこそ、帝と申上げても、昔から、なぜか人々が軽い扱いをして、源氏の君ばかり重く扱うのです。あの引退した左大臣も、大切にかしずいていたひとり娘を、東宮でいらした兄君に奉らないで、弟の方の、しかも臣下に下った源氏の、年端《としは》もゆかぬのが元服する時の添臥《そいぶし》にとりのけておいたのです。東宮や私に対する侮辱ですよ、これは」

大臣は、大后が古い話をもち出されるので、相づちを打つのに困っていられた。大后の敵意は、かなり根深く、長いのだった。

「こんどの六の君のことだってそうです。もともとは帝と結婚させるつもりでいたのに源氏が掠めとって手をつけてあんな不本意なことになってしまったのです。それをいったい、誰が本気に咎めだてして非難しましたか。私ひとり怒っているだけで、みんな、大将の君の味方になって、六の君と結婚させたらいい、なんていっていたではありませんか」

「そのときはそう思ったのだが……」

「ところが、あの男はのらくらと言いぬけて結婚もしない、仕方ないから宮仕えさせたのじゃありませんか。女御とも呼ばせられず肩身のせまい思いは、私も同じです。でも私としては妹が可哀そうだからこそ、何とかして人にひけをとらず、栄えさせてやりたい、宮仕えの身であっても、帝のおおぼえめでたく、後宮第一の人となって世に時めいたら、妹を捨てた源氏の君へ仕返しもできる、とこう考えていたのですよ。それだのに、かんじんのご当人自身が、こっそりと、源氏の君に通じているのだから、手のつけようがありませんね。さだめし、源氏の君が言葉たくみに誘惑したのでしょう。斎院だって、このぶんでは、噂だけではなくて本当かもしれませんよ。——何ごとにつけても、帝に不敬な行動ばかり起こす人です。考えてみれば、それもそうでしょう、あの人はいまの東宮が、はやく即位されて、東宮の御代《みよ》になるのを待ちのぞんでいる人ですからね。帝にとってよからぬ謀反《むほん》ばかり、たくらむはずです」

大后はずけずけと斟酌なく、いいつづけられた。大后のお言葉には、人が聞いたらどんな風にもとれる不穏な刺《とげ》がふくまれている。

さすがに大臣は、こうもこきおろされる源氏が気の毒になって（大后にいうのではなかった）と後悔された。

「まああ、ともかくこのことは当分、ご内密に。帝にも奏上なさらないで下さい。内々で帝がおやさしいのに甘えて、あの姫はすこし、つけ上っているのでしょう。ご意見をなさってお叱《しか》り下さい。それでも聞きませんでしたら、罪は私がかぶります」

ととりなすようにいわれるが、大后のお怒りは積もってゆくばかりである。自分というものが一つ屋根の下に、つい近間《ちかま》にいると知りながら、あえて忍んでくるのは、自分を嘲弄《ちょうろう》しているとしか、思えない。そう思われると、いよいよ源氏が憎くなられるのであった。(この事件はあれを葬る、よい機会になるやもしれぬ)と大后はひそかに思いめぐらされる。

ほとゝぎす昔恋しき

花散里の巻

源氏の、人しれぬ恋の苦労はみずから求めて得たことで、誰を怨《うら》もうすべもない。藤壺《ふじつぼ》の中宮への思いといい、朧月夜《おぼろづきよ》の尚侍《かん》の君への恋といい……。すべて今にはじまったことではないのだが、その上にこのごろは、何かにつけて圧迫が多く面白くないことが重なってゆく。心ぼそくもあり、世の中が厭《いと》わしくもあるが、さりとて、捨てられない絆《ほだし》は多いのであった。

もと麗景殿《れいけいでん》の女御《にょうご》と申しあげた方と、その妹君も、そうした絆のひとつだった。亡き桐壺院《きりつぼいん》の皇妃の一人、麗景殿の女御は、お子たちもなく、院がおかくれになってからは、いよいよお気の毒に、頼るもののないお身の上になっていられた。源氏はそれがおいたわしくて、あだめいた心からでなく、庇護《ひご》してお暮らしの面倒をみている。

この方の妹君と、源氏は、昔、御所で、はかない契《ちぎ》りを交した仲である。かりそめの恋であったが、源氏は例の性質で、いったん情を交した仲の女を忘れない。かといって、特に大切に重んずるというのでもなかった。

そういう関係は、女にかえって気を揉《も》ませ、気の毒だ、とわかっているのだが……。源氏も、このごろ世の中の面白くないのに気を腐らしているときとて、折々はその女《ひと》のことをしみじみと思い出したりし、五月雨《さみだれ》の珍しい晴れ間に、訪ねてみた。

いったい、その女《ひと》には、そんな気持をおこさせるところがあった。こちらが順調に人生を送って、わが世の春を謳《うた》っているときには、淡々《あわあわ》しい存在なのだが、失意の日々には強く思い出され、会いたくなるような心柄の女《ひと》なのである。他の女人にはいえないような、男の弱音《よわね》や愚痴を、ついこぼしたくなる、いやむろん男の矜持《ほこり》にかけて初めからそんなつもりはないのだが、結果としてついそうなってしまう、という気立ての女《ひと》なのだった。

わずかな供に、先払いもなく、目立たぬふうにして忍んで出かけた。

中川のほとりを通りすぎたときだった。

ささやかな家だが木立など趣きありげなところから、箏《そう》の琴《こと》を和琴《わごと》と合奏させ、美しくにぎやかに弾《ひ》いているのが聞こえた。

源氏はふと耳にとまった。門に近い小ぢんまりした家なので、車から身をのり出すようにして見ると、大きな桂《かつら》の木がある。その若葉の匂《にお》いに、ふと、賀茂《かも》の祭りの頃のことが思い出されて、あたり一たいのたたずまいに風趣があった。

（待てよ……たしか、ここはただ一度だけ、通った家だったっけ）

と源氏は気づいた。

（あの女、いまどうしているのか。一度逢っただけだから忘れているかもしれぬ）

と気がひけたが、すぎがてにためらわれた。

折から、ほととぎすが鳴いて渡るのも、心をそそのかすような気がして、源氏は、

「返せ」

と車を引き返させ、いつものように惟光《これみつ》をやって、こう言わせた。

〈をち返り　えぞ忍ばれぬほととぎす　ほの語らひし宿の垣根に〉

（おなつかしいですな。昔、かりそめの恋を語らった宿の垣根に、ほととぎすがほのかに鳴いていくものですから、つい通りすぎがたくて……）というようなこころである。

寝殿らしい建物の、西の端に女房たちがいて、何か話し合っている。惟光は、その声にもおぼえがあり、咳払《せきばら》いして、訪れを告げてから、源氏の挨拶《あいさつ》の歌を伝えた。

若い女房たちがざわめく気配がして、誰だろうと不審がっているらしい。

〈ほととぎす　こと問ふ声はそれなれど　あなおぼつかな五月雨の空〉

（どうやらほととぎすらしいけれど、五月雨の空の暗さにまぎれてよくわかりませんわ）

女主人は歌の主を源氏と察したらしいが、わざとわからぬ風によそおっている。惟光は、

「失礼しました、お門《かど》違いでしたかな」

とさっさと門を出た。

女あるじの方は、人知れず心の内にうらめしくも心残りにも思っていた。が、突然の訪れだし、女とすれば婉曲《えんきょく》に拒むのが当然である。

源氏の方では、そんな女の態度を尤《もっと》もと思った。ほかにかよう男が、もう現われているのかもしれないし、女をつれないと責める筋合のものではなかった。

（そういえば、こんな、中流階級の身分の女の中では、筑紫《つくし》の、五節《ごせち》の舞姫に出たあの女が、可愛《かわい》らしかったなあ……）

などと源氏は、若い日の恋や情事を思い出していた。女のことでは、源氏も苦労が絶えないようであった。一度、情を交しただけの女でも忘れずに優しい心をみせたり

するので、なまじい女たちの物思いの種をつくるらしかった。

めざしてきた先の家は、源氏の推量通り、人の出入りもなく淋《さび》しげで、しみじみとあわれふかい。

源氏はまず女御の方へうかがって、昔の物語などするうちに夜が更《ふ》けた。

二十日の月が昇った。高い木立のかげも暗く、軒近い橘《たちばな》の花の香が匂《にお》ってきて、なつかしかった。

女御はお年たけていられるが、心ざまがふかく、上品で、とりなしの物やわらかな方である。故院ご在世のころは、とりたてて花やかなご寵愛《ちょうあい》こそなかったものの、心の安まるやさしいかたとして、この女御を愛していらしたものだった。

そんなことを源氏は思い出していると、それからそれへと父院の思い出がよみがえり、こんなこともございました、あんなこともございましたね、と女御と話しつづけるうちに瞼《まぶた》があつくなるのだった。

ほととぎすが、さっきの垣根で鳴いていたそれだろうか、同じ声で鳴いてゆく。自分のあとを慕ってきたのかと源氏は風流に思う。

〈橘の香をなつかしみほととぎす　花散る里をたづねてぞとふ〉

と、源氏は口ずさんだ。

「ほととぎすが、橘の香りにひかれて訪れるように、私も、昔恋しいときは、こちらをおたずねするのが何よりです。こよなく悲しみがまぎれもし、またかえって思い出がふえてゆきもしまして。これも浮世の人情でしょうか、昔がたりをする相手も、だんだん少なくなってゆきますが、まして、こうつれづれのお暮らしでは、お気の紛れることもなくおさびしいでしょう」

源氏はそう女御をなぐさめた。時世が変った今は、源氏のその言葉にも真実性があった。

女御は身に沁《し》みて、それを聞かれた。

〈人目なく荒れたる宿は　橘の　花こそ軒の　つまとなりけれ〉

女御はしのびやかに、そう口ずさまれる。荒れた宿を訪れる人とてなく、ただ橘の花が源氏をこの宿にさそう手引きとなった。……そう、おっしゃりたいらしかった。

そのご様子を、源氏は、やはりほかの女人とはちがう、すぐれた趣きだと拝見した。

源氏の愛人の妹姫のほうは西面《にしおもて》に住んでいる。源氏はわざわざ訪れたというようにみせず、静かになにげなくいってみた。

姫君は珍しい訪れを、素直に心から喜んでいるふうで、たおやかに羞《は》じらっていた。

源氏は自分の歌を思い出している。ほととぎすは、ほかならぬ自分で、橘の花散る里はこのひとなのである。ほととぎすは、花散里《はなちるさと》に慕い寄らずにいられぬのであった。

「長らくお目にかかれなくて、さぞお怨みだったでしょうね。今日はあなたのやさしい怨みつらみが聞きたくて」

と源氏は、花散里の姫君の手をとった。

「まあ。怨みつらみだなんて……わたくしがそんなこと……。おいで下さって、うれしいだけですわ。ほんとうですのよ」

花散里はおっとりと微笑《ほほえ》む。その誠実そのもののような表情に、源氏は心なごむ。

そうして、花散里に心ひかれる理由を、源氏はいま悟った。この女《ひと》が気取りも見栄《みえ》もなく、のんびりしているからである。美女《ひと》というのでもなく、打てばひびく才気もないが、向い合っている男の気が安まる女なのである。

男の人生には、時としてそういう女が必要なときがある。

そういう女だけしか必要でない男もいるが……。

美しいというのでもないが、ふしぎに匂やかな雰囲気《ふんいき》にあふれている。とりわけ好もしいのは、このひとの物のいいぶりである。たどたどしいほどおっとりして、けだかい善意のようなものにみちあふれているのであった。

「うっとうしい世の中になってしまってね。いやな連中がのさばり返っているばかりだ。全くもう昔とはすっかり事情が変ったよ。公《おおやけ》でも近頃はわずらわしいことが多い。――こんな時代は隠忍自重《いんにんじちょう》して、嵐《あらし》の通りすぎるのを待つだけだ。一挙手一投足、目をつけられて非難弾劾《だんがい》のまとになるのだから、いやになってしまうよ。それでここへも来られなくて」

と源氏は打明けた。このひとの前だと、思ったことをその通りいっても、寸分たがわずうけとめてくれるのではあるまいか、と思われ、源氏はつい、訴える口調になる。

「時節というものはいたしかたございませんわ。わたくしにはむずかしいことはわかりませんが」

花散里の君は、やさしくなぐさめるのだった。

「でも、あなたはやがてはゆくすえ、国の固めとおなり遊ばす方ですもの。いつまでも人々がおろそかに思うはずはございません。時勢のうつり変りで、また、お心の晴れるときもきっとまいりますわ。それまでのご辛抱でございます」

「そうだろうか」

源氏は心がのびやかに解放されるのをおぼえる。この女《ひと》の見なれたたたずまい、したしみぶかいとりなし、交しなれた視線、そこからかもしだされる一種の雰囲気。源氏は、このひとの前でくつろいでいると、漂流していた船が母港へかえりついたような気がする。

長い間《ま》をおいて会っても、ついぞ、態度や心ざまが変ったことがない。それゆえに、源氏はいつまでも花散里のことが忘れられない。

正直いって、ほかの恋に夢中のときは、失念しているひとなのであるが。

「あ、また、ほととぎす……」

という源氏に、花散里はすこし首をかたむけて、その仄《ほの》かな声音《こわね》に耳を澄ませる。

そのさまも愛らしく、源氏には目あたらしい魅力だった。ふたりきりの夜、かぐわしい橘の花の香に包まれて、源氏は花散里の君の耳に、やさしい言葉を語りつづける。

女人というもの、全く、何の取り得もない女はいないものだ、と青年はしみじみ思う。

彼の相手にする女人たちは、みなそれぞれに身分たかく、教養あり美しいひとたちばかりのせいだろうか、――欠点ばかり、という女人はいないのである。

それぞれの美点を愛して、青年は忘れずに通ってくる。その訪れが間遠だと責め、自分ひとりを愛することを要求する女たちは、源氏にあきたらずに、みずから心変りしてはなれてゆく。

かの、中川のほとりの、ほととぎすの垣根の女も、そういう心変りの一人であった。
源氏は（女の気持としては尤もだ）と思っている。

海はるか心づくしの須磨の巻

源氏は都を離れる決心をした。

日ごとに大后《おおきさき》一派の源氏排斥《はいせき》の気運が募《つの》ってくるらしいことが察せられ、源氏にもたらされる情報によると、朝廷では流罪《るざい》をも考えられているらしいという。

勅勘《ちょっかん》を蒙《こうむ》っての流罪となれば、これはもう、天下の罪人となってしまう。

身一つで追われ、所領は没収され、家族は離散し、たとえ家・邸《やしき》は残ったとしても、いつ、「原因不明の怪火」などということになって焼き立てられないとも限らない。

政治がいかに非情で冷酷なものであるか、それは今までの政変の歴史をふり返ってみるまでもないのだ。この世界には、正々堂々ということも、公正信義ということもあり得ないのだ。

源氏は政治の裏を知っている。

大后側の裏をかくとすれば……。

(方法は一つ。向うが手を打つ前に、都落ちするしかない)

謹慎の意を表して退去、ということになれば、大后側もどうすることもできないのだ。

(ぐずぐずしてはいられない)

と源氏は思った。

方針を定めると、源氏は機敏に準備をはじめた。腹心の惟光《これみつ》や良清《よしきよ》ともひそかに退去先を議《はか》りあった。そうして出てきた結論は、須磨《すま》である。

昔、在原行平卿《ありわらのゆきひらきょう》が罪を得て須磨へ流された、ということも、源氏の記憶にあった。人里はなれて漁師の家もまばらな、さびしい所と聞く。あまり人の出入りの賑《にぎ》わしい所では、謫居《たっきょ》の本意に悖《もと》るようでもあり、さりとてあまりに都を離れては、残してきた人々が気にかかるのだった。未練げに源氏は思い返し、やはり須磨がもっとも適当に思われた。ただ心乱れるのは、紫の君との別れである。

「どんな淋《さび》しいおそろしいところでも、わたくしはいといません。ご一緒できるなら。……わたくしをお伴《つ》れ下さいまし。わたくしを置いていらっしゃらないで。ね、お願い」

とひたむきに縋《すが》る紫の君に、源氏はしばらく言葉が出なかった。

幾夜、連れていきたいと思っては、打ち消したことだろうか。源氏の人生のいちばん大きな絆《ほだし》は、このひとである。一日二日見なくても心さわぐほど、いとしいひとである。ましてこんどの都落ちは、いつまた戻れるというあてもないのだ。

定めない人の世は、このまま永《なが》のわかれになるかもしれない。

しかし波風よりほか訪《おとな》う人とてない淋しい海辺に、こんな華奢《きやしや》な、可愛《かわい》いひとを置くわけにはいかない。それに……。

「勅勘の身は、日月の光にも当れぬ、というくらいだよ。――まして女を伴っていったとなれば、風流三昧《ざんまい》の遊興と噂《うわさ》されかねない……私たちのゆくすえの幸わせのためには、今の辛抱が大事なのだ――わかっておくれ」

源氏が、やさしくささやくと、姫君は素直にうなずいて長い睫毛《まつげ》を伏せたが、たまっていた涙が、ほろほろとこぼれるのだった。それを見る源氏も、いじらしくて胸が痛くなる。

額《ひたい》の髪をかきあげて姫君の頰《ほお》を撫《な》で、

「私の留守《るす》のあいだ、あなたは女主人だ。あなたならりっぱに、この邸や、ここの人々を守っていけると信じているよ。――あなたはもう、私の妻なのだから。世間の人は、あなたを何と呼んでいる？　『二條院の上《うえ》』といって、源氏の君の北の方とみとめているのだよ」

「北の方なら、いっしょに随《つ》いていってはいけないの？」

と紫の君は大きな瞳《ひとみ》にうらめしげな色をたたえ、ともすると涙をこぼしそうになる。なんという可憐《かれん》の人だろう。

「北の方は、男の留守を守るものだ。まして罪をおそれて身を隠す男の、留守の邸は世間の物嗤《ものわら》いになりやすい。それをとりしきって、うしろ指させない、というのはたいへんな仕事なのだよ。あなたでないと任せていけないのだ」

源氏が静かに、嚙《か》んでふくめるようにいうのへ、姫君はさすがに、さかしく聞き、うなずいている。

もう、姫君ともいえなくなった。

紫の君は十八歳になり、匂《にお》やかに影ふかい、﨟《ろう》たけた若妻になった。怜悧《れいり》でおちついた人柄は、姫君を年よりもおとなびてみせ、げんに、こんな場合も、源氏がことをわけて話すと、素直に源氏の言葉にしたがう。

そのくせ、一瞬ぱっと、昔の童女のおもかげにもどって、

「では、ほかの、どんな女のひともつれていらっしゃらない？」

「当然じゃないか」

「きっとよ、どなたもおつれにならないでね。わたくしたちは京と須磨で、たなばたの二つの星になって、夜空に呼び合うの」

源氏はものもいえず、紫の君を抱きしめる。この人を置いてどこへ行けようとも思われない。この人のいとしさには、男の肝魂《きもだましい》をも絞られる気がする。

しかしそれゆえにこそ、源氏はなお、この人を捨てて出発しなければならぬ。それが男の分別である。


出発は三月二十日すぎとひそかに定めた。

その前々日、源氏は闇《やみ》にまぎれて左大臣邸へいとま乞《ご》いにいった。質素な網代車《あじろぐるま》に、女が乗ったように見せかけ、こっそりと訪れたのである。

そのさまを見る左大臣邸の人々は、源氏の昔の威勢と思い合わせ、夢のようで、いたましく思うのだった。

古なじみの女房や、若君の乳母《めのと》たちも源氏の姿を珍しがって集まり、世のうつり変りに涙ぐんでいた。

若君の夕霧《ゆうぎり》だけは、走りまわって、

「お父さまがいらした、いらした」

と可愛くはしゃいで、源氏の膝《ひざ》に乗るのだった。

「ながらく見ないのに、お父さまを忘れないのが感心だね」

と源氏は夕霧のあたまを撫でた。夕霧は五つになるのだった。この可愛いものとも、これから会えないかと、源氏は辛《つら》くなった。

大臣も出てこられた。

「引き籠《こも》っていられる間、お見舞いに上ろうかと存じましたが、私も病気をし、位もお返しした身でございましてな。口うるさい世間は、御所へ参内《さんだい》もせぬ者が私用には大きな顔で出歩くなどとひがごとを言いふらしますゆえ、お目にもかかれませなんだ……全く末世《まつせ》でございますなあ。天と地を逆さまにしてもよもやと思うような、あなたのご運のつたなさを見ますと、長生きしたのが辛うございます」

と大臣は、しおれていわれた。

「これもみな、前世の報い、というものでしょう。まあ、所詮《しょせん》は身から出た錆《さび》、とでも申しますか。聞く所によると、私を流罪に処すべしという動議も出ているそうです。自分が潔白だからといって平気な顔でおりましては、お上にはばかりもありますし、これ以上の恥にあわぬ前に、自《みずか》ら退いて謹慎の意を表した方が、と思いまして」

「それにしても故院は、あんなにあなたのことをご遺言《ゆいごん》でたのみおかれたのに、崩御《ほうぎょ》になると手のひら返すようなことになるとは」

大臣は直衣《のうし》の袖《そで》を目にあてていられる。源氏の方が、いろいろとかえって慰めるのだった。

夕霧が、祖父と父にまつわりついて、

「今夜は、こちらでお泊まりなのでしょ、お父さま」

と無心に喜んでいるさまを、二人ともあわれに見た。大臣はしみじみと、

「亡《な》き姫のことはいまも忘られず悲しんでおりますが、こんな不幸を見ずに亡くなったのは、せめてもの幸わせかもしれませぬな。ただ、母の亡い若君が、年寄りの間にまじって育つのがあわれで……。それにしても、無実の罪で処罰されるのは外国にも例あることですが、この度のことは、追放、流刑《るけい》というほどの重罪も思い当りませんのに」

と大臣はいわれた。

親友の三位《さんみ》の中将も来て、酒宴になり、夜がふけたので、源氏は泊まった。

亡き妻に仕えていた女房たちをあつめて、源氏は忍びやかな昔ばなしなどするのだ

った。

その中に、源氏がひそかに情人としていた中納言《ちゅうなごん》の君という女房がいる。彼女は口に出さずに、源氏との別れを悲しんでいた。源氏も人しれず哀れに思った。みなひとが寝静まってから、中納言の君とひそかに会った。

源氏が泊まったのは、この人がいたためである。

未明、夜ぶかいときに源氏は出た。有明《ありあ》けの月が美しい。木々の花盛りはすぎているが、月光に霞《かす》んでいるさまは、秋の暁よりも趣きがあった。源氏は隅の高欄《こうらん》によりかかってしばらく庭をながめていた。中納言の君は見送ろうと、妻戸をあけて、うしろに控えていた。

「いつまた会えるだろう。まさか、こんな身になるなんて思いも染めなかったものだから、いつでも会えた昔は、のんびり構えていた……。いまになると残念だ」

源氏がつぶやくと、女は耐えかねてむせび泣いていた。

若君の祖母君、大宮も涙に沈んでようお出にならず、別れのおことづけだけをされた。

「はや、おたちでございますか、いとけない人はよく眠っておりますのに……。あなたが須磨へいらしたら、亡き姫との縁《えにし》はますます遠くなってゆくような心ぼそい気がされます」

源氏は大宮のお嘆きをもっともと思った。

「亡き人との縁は切れるものではございませぬ。おそらく私は、須磨の浦で、漁師の塩を焼く煙をみては、かの日の鳥辺山《とりべやま》の火葬の煙を思い出すことでございましょう。小さい者の顔を見ては出発の足も鈍りますゆえ、心強くふり切って会わずに出ることに致します」

と大宮にお答えした。

女房たちは源氏の去る姿を、のぞき見て泣いた。山の端《は》に入ろうとする月光に、源氏は美しく、物思わしげにみえた。情け知らぬ虎・狼《おおかみ》でも泣く、というのはこんなことだろうかと、左大臣邸の人々は、別れを悲しんだ。

みなみな、古い馴染《なじ》みで、源氏が元服したばかりの頃から、見なれ、仕えてきた人たちなのだった。

「つつがなく、都へお戻りあそばす日を、お待ち申しあげております。どうぞ一日も早う……」

人々の祈るような思いに送られて、源氏の車は忍びやかに去っていく。

二條院へ源氏が帰ってみると、源氏の居室に仕えている女房たちも、宵から寝もやらず嘆きあかした風で、あちこちに群れていた。

思いがけぬ運命の転変に、誰もかれも動転しているのであった。

召使いたちの控え室には人気《ひとけ》もなかった。親しく仕えている者たちは、この際、源氏に従って須磨へ下るので、おのおのが、家族たちと別れを惜しんでいるらしかった。

さほど親しくない人々は、大后側ににらまれるのを恐れて、源氏を見舞いにも来なかった。以前は、門前も狭いまで集まった馬や車の影さえもなく、ひっそりしていた。

(世の中というものは、こんなものだ)

と源氏はあじけない思いを味わう。

人の出入りの多いときは、室内に台盤《だいばん》（長大な食卓）が並び、食物がゆたかに盛られて、時かまわず、誰かれがにぎやかに飲食していたものを、いまは人影もなくなったので台盤は塵《ちり》がつもり、敷物はとり片づけられてあった。

(自分がまだ、都にいるさえ、こんなありさまだ。これで須磨へ行ってしまったら、どんなに荒れるだろう)と源氏は思った。

西の対《たい》へいってみると、紫の君は、格子《こうし》もおろさないで物思いに沈んで夜をあかしたらしかった。簀子《すのこ》（縁）のあちこちには女童《めのわらわ》たちがうたたねをしている。源氏の姿を見て、いそいで起きてあたふたとしているのも可愛い。

自分の留守が長年つづいたら、こんな人々も、やがては散り散りになってしまうのではないかと、源氏はふと気弱く思う。

「ゆうべは大臣のところで遅くなってね」

と源氏は紫の君に弁解した。

「あなたは、意外なことを疑っていられないかと思って。都にいられる、残り少ない日を、せめてあなたのそばから離れるまいと思うのだが、いよいよ出発となると、別れを告げておく所も多くてね。家にひきこもってばかりもいられないのだ……。定めない世だから、人に薄情者と怨《うら》まれたままになるのも気がかりだしね。それを意外な風にとらないでおくれ」

源氏がなぐさめると、紫の姫君は、

「いつも、そう、お口上手におっしゃるのだわ……でも、意外な、って、こんな目にあうより以上に意外なことはありませんわ。わかれわかれになるなんて……」

といったきり、悲しみをこらえていた。源氏にとって、この人の悲しみが、いちばんこたえるのであった。

紫の君の心ぼそさ、悲しさも道理であった。

父宮の兵部卿《ひょうぶきょう》の宮とはもともと離れて育ったので疎々《うとうと》しく、むしろ源氏になついて、父とも兄ともまつわって育った紫の君だった。

それに兵部卿の宮は、源氏が大后側の敵となると、世間の人目を恐れて見舞いにもいらっしゃらず、よそよそしい態度でいられる。

紫の君は、そのことを、仕えている女房たちの手前もはずかしく、いっそ、ここにいることを父宮にお知らせしなければよかったと思ったりしていた。

ことに継母《ままはは》の北の方が意地悪な喜びを示して、

「あの人は突然幸福な身の上になったと思うと、また突然、不幸になるのね。ついていない人らしいわね。頼りにする人に、次々と別れる運命なのよ、きっと。縁起でもないわ」

などと噂《うわさ》されるのを風の便りにきいてからは、紫の君はなさけなく思って、こちらからもふっつりと便りをしなくなった。源氏に離れると、全く孤立してしまう身の上なのだった。

それを知って置いてゆく源氏も悲しかった。

「須磨に長くいても、なお、お上《かみ》のお許しがないようだったら、どんな岩の中だってあなたを迎えるよ。だがただいますぐに伴ってゆくということは、前にもいったように、謹慎のかたちにならない。むしろ敵側の好餌《こうじ》となるだけだ。わかってくれるね。あなたも辛いだろうが、私も辛いのだよ」

と源氏はくりかえし、紫の君に言い聞かせていた。源氏は日のたけるまで、紫の君と引き籠って、やさしい愛の時間を持った。

「帥《そち》の宮さま、三位の中将さまがおいでになりました」

と知らされたので、源氏は起きた。帥の宮は源氏の異母弟に当られる宮で、源氏にとくに親しんでいらした。源氏の親友・三位の中将と共に、大后側の思惑など意に介していらっしゃらない、誇りたかい青年だったから、わざわざ、車をつらねて別れをつげにいらしたらしかった。源氏は直衣を着た。「もはや無位の人間だから」と無紋の直衣を着たのが、却《かえ》ってなまめかしい男の色気を感じさせる。

鬢《びん》のみだれをかきあげようと鏡台に向った源氏は、われながら面瘦《おもや》せたと思った。

「やつれたものだな……ずいぶん」

と紫の君を見返ると、紫は目にいっぱい涙を浮べていて、

「鏡の中だけでもお姿がとどまっているのなら、よろしいのにね。そしたら、お別れ

する淋しさがまぎれるのに」

とひとりごとのようにいい、柱のかげにかくれて、涙を拭《ふ》いているのもいじらしかった。

帥の宮たちは名残《なご》り惜しげにしみじみ話されて、日暮れがた、帰られた。

花散里のもとへも、源氏は行ってやらねばならなかった。姉君の女御も、妹君の花散里も、源氏の庇護《ひご》をたのみに生きている人々である以上、どんなに時間がなくても、源氏は訪れて、別れを告げてやろうと思った。それは源氏の心やさしさであった。果して女御は、

「数ならぬ身を、こうしてお立ち寄り下さいまして」

と喜ばれた。花散里も、夢のように思った。

「わたくしのようなものにまで、あわただしい中を訪れて下さるとは思えませんでした」

源氏は、そういうつつましい女心を愛する。それゆえにこそ、花散里とみじかい別れを惜しみに来たのである。

「もう逢《あ》えないように嘆かないで下さい。その内にはまた、都へ還《かえ》れる日もくると思うよ。――考えてみれば、あなたと過ごした時間はいつもあわただしくて、のどかな

時はなかったね」

源氏は、自分の気まぐれな心に思い出したときだけ、花散里を訪ねたことを、今更のようにすまなく思った。

「いいえ。わたくしには貴重な幸わせの時間でございました。こんな幸わせは、わたくしの身にあまると思いつづけてきましたの――このたびのお別れも、あなたのお心がわりのせいではないのですもの。わたくし、淋しいけれど、ご運の開ける日を一生けんめい念じて、お待ちいたしております」

美人といえない、地味な女人であるが、やさしい信頼できる気立てが、源氏には好もしかった。花散里の心変りせぬ誠実さこそ、いまの源氏を力づけてくれるように思われる。

どの女も、とりどりに好もしく愛すべく、源氏にはふりすてがたかった。

源氏は離京について、万端の整理をしなければならなかった。源氏に親しく仕え、大后側の権勢に媚《こ》びない、頼もしい人々を選んで、留守宅の役目を割りあてた。須磨へ随行するのは、更にその中から選んだ腹心の者たちばかりだった。

須磨での日常の調度は、必要最低限なものにとどめ、飾りのない質素なものを用いることにした。愛読書の漢籍、詩集など入れた箱に、七絃琴《しちげんきん》一つ。それのみを携えてゆくことにした。豪華な調度や衣裳《いしょう》は持たず、世を忍ぶ隠士《いんし》のように、源氏は簡素に暮らす決心だった。

仕えている女房たちはじめ、すべてのことはみな、西の対の紫の君に譲り渡した。所領の荘園《しょうえん》や牧場《まきば》、その他の領地の権利書なども残らず紫の君に托《たく》した。また、財物を収めてあるあまたの倉庫や納殿《おさめどの》なども、紫の君の乳母《めのと》の少納言《しょうなごん》を、しっかり者と見込んで、源氏の信頼できる家司《けいし》（執事）を相談係につけ、紫の君が管理できるように、少納言に教えておいた。

源氏に仕えている女房たちの中で、中務《なかつかさ》、中将などという人たちは、源氏のひそかな情人だった。源氏からとくにこまやかに情けをかけられるというのでもないが、それでもそば近く仕えているうちは心なぐさんでいた。

しかし源氏が須磨へ去ってしまったら、何をたのしみにこの邸にいようと思われた。

源氏は彼女たちに、

「命があってまた都へ戻る日もあるだろう。それを待とうと思う人は、西の対に仕えていてほしい」

といって、上臈《じょうろう》の女房も下ざまの人々もあげて紫の君の方に托した。女房たちの身分に応じて、さまざまの物資を配分し、また、若君・夕霧の乳母たち、花散里にも、日用品から、風流なものまで、至らぬ隈《くま》もなく、おびただしい贈り物をした。

朧月夜《おぼろづきよ》の尚侍《ないしのかみ》のもとへも、無理をして源氏は便りをした。

「今は限りです。私は都を去らねばなりません。思えば、あの逢瀬《おうせ》は命がけの夢でした。それが、流浪《るろう》の原因となったとしても、私は悔んではおりませぬ」

人に見られては危険な文なので、くわしく書けなかった。

朧月夜の君は、悲しさと恋しさにたえがたく思った。

「いまひとたびの逢瀬を、とそれのみ夢みておりますが、都へお還りの日を待たずに、わたくしは、こがれ死にするかもしれませぬ」

泣く泣く心みだれて書いた筆蹟《ひっせき》が、美しかった。源氏はどんな無理をしてもひとめ会いたいと思ったりしたが、今更、憎い右大臣側の目を掠《かす》めて、彼女に会えることではなかった。

明日は出発、という日の夕方、源氏は、入道《にゅうどう》の宮（藤壺）のおん許《もと》へ伺った。院のお墓においとまごいをしようとて、北山へおもむく途中なのだった。

宮は御簾《みす》をへだてて、みずからお話しになる。

「院もお崩《かく》れあそばし、あなたも都を去られるようになりましょうとは。わたくしが世をすてた甲斐《かい》もございませんでしたのね……」

宮はお辛そうであった。

源氏は、宮を拝見すると、うらみつらみを申しあげたくてならない。

（こうなりましたのも、あなたが私にお辛く当られたためですよ……）

と筋ちがいなお恨みを申しあげたくて、万感が胸に迫るのだった。

宮も源氏も、たがいに物思い深い仲の二人である。言葉には尽くさないが、その思いを分ちあっていた。

「こんな思いがけぬ罪に落ちましたのも、ただ一つ、心に思い当ることがございまして、神仏はお見通しでいられるかと、空恐ろしい気がされます。私の身はなきものと思いましても、せめて東宮の御代さえ、ご安泰でありますれば」

と源氏が申上げると、宮も、お気持がつねならずさわいで、お返事もされなかった。

源氏が必死に思いをこらえているさまも、宮はいとおしくご覧になるのだった。

「故院の御陵《ごりよう》にお参りいたします。おことづてはございませぬか」

宮はしばしためらわれ、

「東宮を、お守り下さいまし、と……」

とかすかに洩《も》らされた。

「かしこまりました。――父院と別れ奉《たてまつ》ってもうこれ以上悲しい目にあうことはあるまいと思いましたのに、生きていると、まだその上の辛さが増さります……。この身は遠くにさすらいましょうとも、心はここに置いて御身《おんみ》をお守りするつもりでおります。されば、これが永久《とわ》の別れとは思《おぼ》し召し下さいますな」

宮はお心乱れ給《たも》うたのか、お返事はなかった。

月の出るのを待って、故院の御陵のある北山へ、源氏は出かけた。

供の者は下人《しもびと》に至るまで源氏に親しい、ほんの五、六人で、源氏は馬に乗っていく。

昔に変る一行のありさまだった。

皆が悲しく思う中にも、右近《うこん》の将監《ぞう》の蔵人《くろうど》はことに感慨があった。

この青年は、過ぎたひととせの、かの賀茂の御禊《みそぎ》の日、源氏がとくべつの勅命で、輝くばかりの威儀をととのえ、華やかに前駆に立った、あのときの臨時の随身《ずいじん》なのだった。

彼はそれ以来、源氏一派の者と見られて、当然昇進すべき位も得られず、ついに殿《てん》上の間《じょうま》の御簡《みふだ》も削られ昇殿停止、近衛尉《このえのじょう》と蔵人の役も剝奪《はくだつ》されてしまった。

この青年は、そもそも伊予《いよ》の介《すけ》の息子で、継母が空蟬《うつせみ》というわけである。父子二代にわたって、源氏や、左大臣家の恩顧を受け、親しみ馴れて仕えているので、大后一派から「源氏の息の掛った同類」と憎まれ、逐《お》われたのも、無理からぬことであったが……。

青年は、いまは須磨への供に加わって都を落ちることにしていたが、下賀茂《しもがも》の御社《みやしろ》が見渡せるところへくると、かつての、世に時めいた日のことが思い出され、たえきれず、馬から降《お》りて、源氏の乗馬の口を取り、

「賀茂の御禊の日は、昨日のことのようでございますがなあ。

〈ひき連れて葵《あふひ》かざしし　そのかみを　思へばつらし賀茂の瑞垣《みづがき》〉」

と口ずさんだ。

源氏はそれを聞いて、自分が責められるように心苦しかった。この男は、運命の転落をどんなに辛がっているだろう。思えばあの時は、人よりも花やかによそおい、若者らしく気負って得意満面でいたものを、と可哀《かわい》そうになる。源氏も馬から降りて、御社をはるかに拝し、神にいとま乞いを申しあげた。

〈うき世をば今ぞわかるるとどまらむ　名をば糺《ただす》の神にまかせて〉

と源氏は静かに口ずさむ。

賀茂の糺《ただす》の神は、正邪曲直《せいじゃきょくちょく》をただして下さるにちがいなかった。源氏は大后一派が迫害の口実としているような、帝に対する不敬な政治的陰謀の罪は全く無実である。それより大きな罪、永劫《えいごう》に許されぬ罪の前には、頭をたれて黙《もく》するほかないものの……。

右近の将監《ぞう》は、源氏の物思わしげな敬虔《けいけん》なありさまに感動を誘われ、自分はどうなっても、この君と運命を共にしよう、とあらためて決心するのであった。

御陵は道の草も生い茂って露しげく、月は雲にかくれて、森の木立も凄《すご》いような気《け》色《しき》だった。

(私は都を逐われてゆきます。私は他国に流れてゆきます。父君よ、どこにおわすのですか。私を御覧下さい。

……私に、ありし日の御慈愛をお示し下さい。——ご遺言は、はや、泡沫《うたかた》と消えてしまいました。私の身を容《い》れる場所は、都にはもうないのです。これは父君の、私の罪に対するお瞋《いか》りのせいですか。私をお恕《ゆる》し下さい。許されざる大きな罪を、お恕し下さい……)

しかし答えるものは、颯々《さつさつ》と梢《こずえ》をわたる風の音のみであった。時も忘れてぬかずく源氏の前に、ふと、ありし時そのままの故院の面影が立った——お顔はおやさしく、お瞋りの色はなかった。ただ、物悲しげなおん眼差《まなざし》であられたが、源氏は思わず、寒気をおぼえた。

もはや出立《しゅったつ》まで時間はない。

未明に都へもどり、源氏は東宮にもおいとま乞いのご挨拶《あいさつ》をする。入道の宮は、ご自身の代りに王命婦《おうみょうぶ》を東宮お付き添いとしていられるので、その部屋にあてて、文《ふみ》を托した。

「今日、いよいよ京を離れます。都を去る前に今一度、東宮に拝謁《はいえつ》し得なかったことが何事にもまさって辛く思われます。万事、ご推察下され、このよし東宮に申上げて下さい。

〈いつかまた春の都の花を見む　時うしなへる山樵《やまがつ》にして〉」

この手紙は、桜の花の散り透《す》いた枝につけてあった。

命婦は源氏の離京をお話し申上げて、手紙を東宮にお目にかけると、東宮は、おさないお心にも真剣になってご覧になる。

東宮はおん年八歳になられるのであった。

「お返事をどういたしましょう」

命婦が申上げると、東宮は無邪気に、

「しばらく会わずにいても、会いたくなるのに、遠くへいってしまったら、ずいぶん淋しいなあ、と書いておくれ。……大将の君はやさしくて、よく相手になってくれて、大好きだったのに、どうして遠くへいってしまうのだろう……」

と言われるのだった。

（なんという他愛ない、いとけなさでいられることか）

と命婦は哀れにみ奉った。

それにつけても、命婦は、禁じられた愛に身を灼《や》き、心を焦《こ》がした昔の源氏の、あの日、あの夜のありさま、恋の闇に心まどわれたかつての藤壺の宮のお苦しみを思い返さずにはいられなかった。あの恋さえなければ、源氏も宮も、なんの物思いもない世をお送りになったろうものを、と思うと、その責任の一半は、自分にもあるように思われて、命婦は切なく、悔まれる。源氏への返りごとには、

「いまは申しあげる言葉もございませぬ。

東宮はお心細げでいらっしゃいました。

〈咲きてとく散るは憂《う》けれど　行く春は　花の都を立ちかへり見よ〉

またいずれ必ずや、ご開運のときのくることを信じて」

と書いた。

東宮御所の内では、源氏の噂をして悲しみ嘆かぬものはなかった。それは、源氏の周囲ばかりでなく、世の人々も同様で、心中、誰もかれも暗澹《あんたん》たる思いにうちのめされているのであった。

源氏は七歳のときから、故父帝のおん前に夜昼となく侍《はべ》って、この上ないご寵愛《ちようあい》を受けていたので、源氏の申上げることはすぐお取り上げになった。源氏は世のため人のためよかれ、という気がつねにあり、父帝によく取り做《な》したから、源氏の徳を蒙《こうむ》らぬ人はないほどである。身分高い上達部《かんだちめ》や弁官（官吏）などの中にも、源氏の庇護や引き立てを受けた人々は、かぞえ切れぬくらいであった。ましてそれより下に至っては、恩恵を受けた人々は無数にいる。

しかし、さし当っては大后側の権勢に屈服して、みな、心の中で、源氏に同情し、朝廷を非難するばかりであった。身を犠牲にして源氏を見舞ったところで、今の状態では、源氏に何の助勢もできないと思うのか、誰もみな、そ知らぬ顔で、よりつきもしないのであった。

源氏は人の心の裏を見た気がしていた。

出立までを源氏は、紫の君とゆっくり話して時を過ごした。

旅立ちの習いとて、まだ夜深いうちに出るのである。旅装束の狩衣《かりぎぬ》も目立たぬさまで、

「月が出たな。……もう少し外へ出て、せめて見送ってくれないか。これから先、毎日、あなたに話すことが積もったと思うようになるだろうなあ。一日二日あわぬ時でさえ、あれも話さなければ、これも言おうと思うことが多いのに」

と源氏はいいながら、御簾《みす》を捲《ま》き上げて紫をいざなった。紫の君は、泣き沈んでいたが、ためらいがちに膝《ひざ》で進んでくるのだった。月の光に浮び上るその姿は、美しい。

（須磨へ自分が流れて、そのまま命終ることでもあれば、この人はどんなあわれなさまで、世の中をさすらうことか）

と源氏は今更のように、置いていき難く思う。このひとのためにも自分は死ねない、とひそかに思う。しかし、それをいうとなおさら、紫の君を悲しませることになる。

源氏はかるく、ふっと唇にのぼった、というさまで、口ずさんでみせた。

「〈生ける世の別れを知らで契《ちぎ》りつつ　命を人にかぎりけるかな〉

命あるかぎり、一緒にいようと約束したのにね。生きわかれというものがあることを忘れていたね」

源氏がいうと、紫の君はつぶやいた。

「〈惜しからぬ命にかへて目の前の　別れをしばし　とどめてしがな〉

わたくしの命など惜しくありませんわ。命と引き換えに、唯今《ただ》のこのお別れを少しでも引きのばしたいの……もう少し、いらして」

源氏は、もはや返事しない。

応《こた》えていれば、それからそれへと言葉はつづき、心はあふれ、思いは煮えこぼれ、ついに、もう一日二日、出立を延引《えんいん》したくなるであろう……。

「いってくる」

源氏は低く言い捨てて、立ち上った。

忍びやかに供の者たちは控えている。まだあたりは暗いが、すでに空の一角は明るんでいる。都落ちの一行が明るくなってから出てゆくべきではなかった。いそがねばならなかった。

須磨まではまず、京から伏見《ふしみ》へ陸路四里ばかりをゆかねばならぬ。伏見から船に乗り継いで、その日は一日がかりの船旅、難波《なにわ》は大江《おおえ》の船着場に日暮れ方、着くのであった。

そこで一泊して、翌朝、海路十二里を須磨へ向う。

源氏は旅なれぬ身に、心ぼそくも、風趣あることとも思った。

ふり返ると、すでに都は、山にへだてられ、雲にさえぎられて三千里も来た如《ごと》く、遠くに思われた。はや、都の山も川も恋しかったが、何より源氏の胸を熱く焦がす面影は、可憐の人、紫の君だった。

源氏の住居《すまい》は、かの行平《ゆきひら》の中納言が〈わくらばに問ふ人あらば須磨の浦に藻塩《もしほ》たれつつ侘《わ》ぶとこたへよ〉と詠《よ》んで、流謫《るたく》の憂き日々を送った場所に近かった。

海辺から引きこんだ淋しい山中である。垣《かき》のさま、茅葺《かやぶき》の屋根、葦葺《あしぶき》の廊下など、田舎家《いなかや》めいて源氏の目には珍しくもあった。

こんな折でなければ、風流な、と興じたろうにと、源氏は昔のあそび心をふと思い出していた。

近くの所々の、源氏私有の荘園の管理人《つかさ》を呼んで、良清《よしきよ》が普請《ふしん》の指図をした。少しの間に、たちまち、風情《ふぜい》ありげな棲《す》みかとなった。

庭には遣水《やりみず》を引き入れ、木なども植えられてゆく。

（いよいよ、ここに落ちつくのか……何か月……いや、何年いなければならぬのか）

源氏は呆然《ぼうぜん》として、夢のような心地になる。

この国の守《かみ》も、源氏に親しいので、ひそかに心を寄せて便宜をはかるのだった。それゆえ、旅先といっても人の出入りも多くさわがしいのだが、はかばかしい話相手となく、源氏には知らぬ他国の気がする。気分が滅入《めい》って、

（こんな所で、どうやって年月を過ごそう）

と思い屈した。

家の修理や普請が一段落したころには、はや、梅雨の季節に入っていた。晴れるにつけ雨につけ、源氏は京が——京の人々が恋しかった。

あちこちへ宛《あ》てた文《ふみ》を、いちどに托して源氏は京へ使いを出す。思いがあふれて、手紙に書ききれぬのは、二條院の紫の君と、入道の宮にあてたそれである。宮には、

「須磨の浦人《うらびと》は物思いに暮らしております。松島の海人《あま》はいかがおすごしですか……来《こ》しかた、ゆくすえ、思えば万感胸に迫ります」

朧月夜の尚侍《かん》の君のもとへは、おもて向きは、女房の中納言への私信のように見せかけて、中には秘すべき手紙を入れた。

「須磨に流れて、まだ懲《こ》りずまに、あなたのことを考えています。つれづれの日々が、

あなたの思い出を、かえって鮮明にします」

何やかやと、心こめた言葉がつらねられてある。左大臣邸にも便りをし、夕霧の乳母《めのと》にも手紙を書いた。

二條院では紫の君は、源氏の文を読んでそのまま起き上らず、恋しがってしおれていた。

仕えている女房たちも慰めかねて、心細く思いあうのだった。

「このお琴を、いつも弾いていらしたのだわ……この柱にいつもよりかかってらしたわ……」

などといって紫の君は悲しむ。女房たちが源氏の衣《きぬ》を片づけようとするのを、

「いや。そのまま置いておいて。いつもたきしめてらした薫香《くゆり》が残っているのだもの……」

とすすり泣き、まるでもう世に亡い人のように言うのが、乳母の少納言には縁起でもないと、悲しく思える。少納言は北山の僧都《そうず》に頼んで、源氏と紫の君二人のために祈禱《きとう》してもらっていた。紫の君の心をしずめ、また、源氏の君が一日も早く京へ戻られて、ふたたびもとのようにむつまじい妹背《いもせ》としてお暮らしになられるようにと……。

悲しみつつも、それでも少納言は紫の君がふといじらしく、ほほえまれるのだった。

あの、幾年か前の、まだ少女《おとめ》の日、妹背の初契りのあったころ、紫の君は何日も何十日も拗《す》ねてふくれてご機嫌がわるく、源氏も、少納言たちも困ったものだった。けれども、心なよらかに、身もすこやかな紫の君は、おのずと、あけぼのの空の色が染まるように蕾《つぼみ》がほころびそめていった。このすぐれた資質にめぐまれた少女は、源氏という巧者な愛の案内人の導きで、神や仏も微笑《ほほえ》んで嘉《よみ》したまう男女《おとな》の愛の世界へ、のびやかに飛翔《ひしよう》してゆくことができたのである。

父とも兄とも夫とも恋人とも馴れ親しんだ源氏に別れるのは、紫の君にとって堪えがたい辛さ、心ぼそさにちがいなかった。

別れのくるしみは、紫の君の心を深くし、艶冶《えんや》な美しさに染めあげていた。

少納言からみると、紫の君はこの日ごろ、またひとしお、おとなびまさって美しく、しっとりしたように思われる。

「そうだわ……悲しんでばかりいては、いけないわ。ご不自由なところで精進《しようじん》していらっしゃるのだもの、お身廻りのことをととのえてさしあげなければ」

と、紫の君は涙をふきつつ、旅先での夜具や、縑《かとり》の、白い直衣《のうし》・指貫《さしぬき》、いまの源氏は無官の身とて、無紋のものをととのえるよう、かいがいしく指図するのだった。

少納言には（身びいきかもしれぬが）紫の君のそういうとりなし、気くばりも、すでにりっぱな北の方の風格にみえ、かぎりなくめでたく思うのであった。

入道の宮も、源氏の文に、情こまやかにお返事なさった。思えば――この年頃、源氏には強《し》いてつれないあしらいを続けてこられたが、それは煩《わずら》わしい世間の目をおそれ、東宮と源氏の身に難が及ぶのを案じられたからである。しかしついに、その秘密は保たれた。それは源氏の献身的な努力のせいでもあったかと、宮は、今さらのように源氏の心づかいを、いとおしく思われるのだった。

「京も、須磨の海辺も同じでございますわ……。袖《そで》は涙に汐垂《しおた》れて、年へた海人は、嘆きを重ねております」

とお書きになる。

尚侍《かん》の君の返事は、女房の中納言の手紙に入れてあって、

「忍ぶ恋の身の、物思いに胸はくすぶるばかりですわ。煙が須磨の浦にまでとどきはしませんでしたこと？」

中納言は、尚侍の君が、源氏を恋しく思って、つねに物かげで泣いていられます、などとこまごま、したためていた。

それぞれにあわれな、都の返事であったがさすが源氏の心を濡《ぬ》らすのは、紫の君の

文である。

「もう何日、あなたと会えぬ日が過ぎましたかしら。海辺の波は寄せては返すのに、どうして、あなたは帰っていらっしゃらないのでしょう。須磨は遠くない、と人に慰められますけれど、遠くないからこそ、かえって、心乱れます。いっそ、あずまやみちのくのように遠国《おんごく》ならば、あきらめもつきますのに」

紫の君が届けてきた衣や夜具の色合いも仕立ても、すべて上品で、源氏の趣味にもかなった。何もかもゆきとどいて、理想的な女性になったと源氏は思う。

（ほんとうなら、あのひとと二人きりで、しみじみ、むつまじく暮らしていられたものを）

と源氏は、過去の軽挙や、恋愛沙汰《ざた》を悔いた。面影は胸から去らず、恋しい。

あの姫君を見たい。

あの人を抱きしめたかった。さまざまな彼女のしぐさ、表情の記憶は、匂《にお》いのように源氏の心に沁《し》みついている。

（いっそ、こっそりここへ迎えようか？）

と悩み、また思い返して、

（いやいや、それでは本意に悖《もと》る。自分の罪業《ざいごう》を消滅することが先決だ）

と、あけくれ、仏道修行に精進していた。

手紙は、伊勢の御息所《みやすんどころ》とのあいだにも、やりとりせられた。白い唐《から》の紙四、五枚に散らし書きにしてある御息所の文は、やはり優雅であわれ深かった。

花散里《はなちるさと》からもたよりはきた。「長雨に築土《ついじ》もところどころ崩れて」とあったので、源氏は女ばかり住む、荒れた邸の心細さを思いやった。早速、二條院の家令に修理を命ずる使いを立てたりした。

さて、朧月夜の尚侍《かん》の君は、源氏の失脚の原因と人にはうしろ指さされ、世の物笑いになっていた。宮中へも上れず、邸の内ふかくたれこめて、失意に嘆き沈んでいる。

父の右大臣は、この姫を溺愛《できあい》していられるので、腹は立ちつつも、あわれでもあり、せつに帝《みかど》や大后に許しを乞《こ》われた。

帝はおやさしいお気性とて、「そういえば、女御や御息所という身分でなし、宮中の女官というおおやけの宮仕え人なのだから」と思い直されて、おゆるしになった。

帝のご愛寵ふかいのを知っていて掠めとった源氏にこそ罪はあれ、この女《ひと》は、と見のがされたらしかった。

尚侍《かん》の君は七月になって参内《さんだい》した。そして帝はというと、尚侍の君への愛をまだ失ってはいられず、むしろ、時をへだてて会われて、なお御執着が増したらしかった。人の譏《そし》りもおかまいにならず、おそばからお離しにならない。怨みごとをいわれたり、変らぬ愛の約束をお強《し》いになる。

尚侍《かん》の君のほうは、帝の、清らかなお姿ややさしいお心に感動しつつも、心の底ではいまも源氏を忘れ得ないとは、全く、なんという罪深さであろうか。

管絃《かんげん》のお遊びのついでに、

「彼がいないのが淋しいね。私でさえそう思うのだから、ほかにもそう思う人は多いだろう。何をしても、あれがいないと栄《は》えない気がする」

と仰《おお》せられ、

「故院のご遺言にそむいて、あれを遠くへ放ってしまった。孝《こう》の道にそむいた罪を得るかもしれない」

帝は悄然《しょうぜん》といわれる。

「世の中は味気ないものだね。長く生きていたいとも思わないのだが……」

と帝がふと洩《も》らされるのは、万事お気弱なご資質から、政治の実権が大臣たちの手にあって、帝のご意向に添わぬことが多いのをいわれるのだろうか。

「もし、私がみまかったらあなたはどうする。悲しんでくれるだろうか。……しかし、このあいだの、彼との別れほどには悲しまないだろうね。それを思うと嫉妬《しっと》を感ずる。〈恋ひ死なん後《のち》は何せん生ける日のためこそ妹《いも》を見まくほりすれ〉という歌は、まちがいだよ。私は、生きているときも、死んでのちも、あなたを愛したい。……私の愛は、彼よりも深いはずだ。それが、あなたには、わかってもらえないのかなあ」

と帝はやさしく、しんみりと言いつづけられる。

尚侍《かん》の君は帝への申しわけなさや辛さで、ほろほろと涙をこぼすのを、帝はご覧になり、

「それ、その涙はどちらのためのものだ。私か、彼か」

と仰せられて、尚侍の君の手をとらえられる。

「どうして、あなたに御子ができないのだろう。それがさびしい。私たちの愛の記念《かたみ》が欲しい。……私はこうまで思いつめているのにあなたの心の半分は須磨へ飛んでいるのではあるまいか……」

尚侍の君は帝の腕の中で泣いていた。ほんとうに、帝の言われるように、心が二つに裂けて、二人の男への恋心で傷つき苦しんでいるのであった。

須磨に秋がきた。

源氏の住居から海はすこし遠いが、かの、行平《ゆきひら》の中納言が、

〈関吹き越ゆる須磨の浦風〉

と歌った、人に物思わせる秋風が、身に沁《し》みて吹きわたる。

夜は波音も近く聞こえた。

源氏のそばには人少なで、みな寝静まっているが、源氏ひとり眠れない。この小さな家の周囲を吹き包む荒い風を聞いていると、波もまるで枕《まくら》もとまでおし寄せてくるようで、やりきれぬ心細さをおぼえる。

源氏は起き上って、琴を手すさびにかき鳴らしたが、かえって悽愴《せいそう》な気分になってしまってやめた。

人々は目ざめたらしかった。

「いかが遊ばしました？　荒い波音で……」

惟光《これみつ》がすぐ起き出して、そっと傍《そば》へくる。

「〈恋ひわびて泣く音《ね》にまがふ浦波は　思ふ方より風や吹くらむ〉

風は都から吹くのかなあ、惟光」

源氏がつぶやくと、惟光はふと、胸が迫って返答できないようである。ほかの若者たちも、みな懐郷《かいきょう》の思いに捉《とら》われたのか、しめりがちな気配になった。

（都恋しいのは自分だけではないのだ……）

と源氏は思う。自分一人の責任で、彼らをそれぞれの親兄弟や、恋人、妻子たちから引きはなし、こんな辺鄙《へんぴ》なところへ漂泊《ひょうはく》させてしまった。それを思うと、彼らにすまない気がする。哀れなものたち。——彼らは自分一人を頼っているのだと思うと、その頼みの綱の自分が、悄然としたさまをみせてはいけない、と源氏は心をとり直すのだった。

全くの清潔な男所帯《おとこじょたい》で、夜ひる、そばに親しく仕えるものは、男たちばかりである。源氏は強いて、彼らと冗談を言い合ったり、あそびごとを考えたりして、気分を転換させようとしている。

いろいろな紙を継いで、字を書き散らしたり、珍しい織りの、唐綾《からあや》などに絵を描いたりして、つれづれをなぐさめていた。それらを屛風《びょうぶ》に貼《は》ったりさせると、面白かった。

以前、都にいたころ、ひととせの春、病気の療養に北山へいったときに、美しい風景を源氏はあかず賞《め》でたことがあった。その折、人々は「まだまだ諸国には美しい景観がございます」といったが、ほんとうにそうだった。

現実に海辺に住んで、空の姿、磯《いそ》のたたずまいに感動した源氏は、興を催して、次々と描きつづけずにはいられなかった。

「お美事《みごと》でございますなあ」

「画の名人の千枝《ちえだ》や常則《つねのり》を呼んで彩色させましたら、一そう面白うございましょうな」

と若者たちは興がった。

「この鳥など、生きて動いているようです」

「それは惟光をあらわしたものだ。惟光の早く恋人に会いたいという心を絵にすると、都へさして飛んでいく鳥になるのだ」

「おたわむれを」

若者たちの笑い声の中で、惟光は赤面する。

「では、この、岩に砕けている波の飛沫《しぶき》は何でございますか。まるで、裾《すそ》も濡れんばかりに、いきいきと活写されていますが」

「それは良清の心だな。彼は都にのこしてきた思い女《びと》が、ほかの男に靡《なび》きはしないかと心配して、いらいらして、やけになっているのだ。良清の気持を象徴すると、砕ける水しぶきになるのさ」

「では、この、苔《こけ》の生《は》えた磯辺《いそべ》の岩は」

「それが私だ。道心堅固に、不退転の決意をあらわしたものだ」

「恐れ入りました」

と、若い主従は、和《なご》やかな笑い声をたてるのだった。

惟光たちは、源氏に、家臣としてよりも、青年らしい傾倒を示していた。こんなに源氏の側《そば》近く、男ばかりでとり巻いて、馴《な》れ親しんで仕えることができるのを、誰も彼も、嬉《うれ》しく思うらしかった。

源氏の姿は、秋の海辺に置いてみたとき、男がみても美しかった。

前栽《せんざい》（庭）の花も色とりどりに咲き乱れる、いい風情の夕ぐれ、海の見える廊に源氏はいる。

柔かな白綾《しろあや》の衣に、紫苑《しおん》色《いろ》の指貫、濃紫《こむらさき》の直衣。——帯しどけなく、くつろいだ姿のままに、

「釈迦《しやか》牟尼《むに》仏弟子《ぶつでし》」

と名のって、ゆるやかに読経《どきよう》する。

沖にはひなびた船唄をうたいつつ、幾艘《そう》もの船が小さい鳥のように浮んでいた。黒木の数珠《じゆず》を手に、しずかに光を失って暮れてゆく秋の夕、ともすれば呆然と海に見入

る源氏の姿は魅惑的だった。都の女が恋しくなっている若者たちも、源氏を見て気が紛れるのである。

「雁《かり》の音《ね》は、船の楫《かじ》の音に似ているね。——雁の歌を、みんなも詠《よ》んでみないか。〈初雁は恋しきひとの列《つら》なれや　旅の空とぶ声の悲しき〉」

源氏が口ずさむと、良清がかしこまって続ける。

〈かきつらね昔のことぞ思ほゆる　雁はその世の友ならねども〉

惟光はそのあとへ、

「〈こころから常世《とこよ》を捨ててなく雁を　雲のよそにも思ひけるかな〉旅の渡り鳥を、いままでひとごとのようにみていましたが、思いがけず、自分が渡り鳥になってしまって」

といった。右近の将監《ぞう》は、それへつづけて、

「〈常世出《い》でて旅の空なる雁がねも　列《つら》におくれぬほどぞ慰む〉旅の渡り鳥も、友だちと連なっていればこそ、心なぐさめられるのでございましょう」

といった。彼の親は、いまは常陸《ひたち》の介《すけ》になっている。赴任するときに誘われたのであるが、そこへはいかず、主君の供をして須磨へ下《くだ》ったのだった。彼は思い迷うこと

もあろうが、強いてうわべは明るくふるまっていた。

月が花やかに昇った。

(ああ、十五夜だった、今宵《こよい》は)

と源氏は思い出した。清涼殿《せいりようでん》の管絃の遊び、都で待つ女人たちのことを思うにつけても、月ばかり、眺められる。

まだみ髪《ぐし》を下ろさせ給わなかったころの、藤壺の宮が「霧にへだてられて……」といわれたときのことを思い出すと、源氏は胸が絞られるばかり恋しかった。

(もう、生きて二度とお目にかかる折はないのではないか……)

と思うと、源氏は苦しかった。

あの夜、兄帝《みかど》にもお目にかかったっけ……。

亡《な》き院によく似ておわしたのも今になってみれば恋しい思い出である。あのとき、兄帝から賜わった御衣《おんぞ》は、いまも身のそばにある。

弘徽殿の大后や右大臣にこそ恨みはあれ、兄帝を、源氏はお恨みする気はなかった。

「恩賜ノ御衣《ぎよい》、今、此《ここ》ニ在リ
　捧持《ほうじ》シテ毎日　余香《よこう》ヲ拝ス」

という、菅公《かんこう》の詩を口ずさみながら、源氏は夜長をひとり、屈託してすごした。

その頃、筑紫《つくし》の、大宰《だざい》の大弐《だいに》が、任期満ちて都へ上って来た。一族が多く、娘もたくさんいたので、男たちは陸路をとったが、婦人連は船旅であった。そうして海岸沿いに、陸路と海路とで、各地の見物をしつつ、折々、合流して、都へのぼってきたのであるが、どこよりも風光美しい須磨を賞《め》でていたところ、ここに源氏の大将の君が、侘《わ》びずまいをしていられるときいて、女たちはどよめくのだった。

娘たちの中で、以前、源氏のひそかな情人だった五節《ごせち》の君は、ことにゆきすぎがたく思った。源氏の弾《ひ》く琴なのか、海風にはこばれて沖まで聞こえると、源氏の悲運に、須磨の秋の侘びしさまで重ねて思われて、みな泣いた。大弐は手紙を書いて源氏に挨拶した。

「思いがけぬことでございます。このような所に、殿が御隠栖《ごいんせい》でありましょうとは。ひなびた田舎から久しぶりではるばる都へ帰りましたあかつきは、まず何はおいても第一にお邸《やしき》に参上し、都の噂《うわさ》なども承ろうとたのしみにしておりましたのに、意外ななりゆきを、悲しくも勿体《もったい》なくも存じております。早速、参上いたしたいのでございますが、知人たちが出迎えにまいっており、大勢のこととて何かとわずらわしゅうございますので、私自身はまた、日を改めてうかがいます」

使者は、子供の筑前《ちくぜん》の守《かみ》だった。源氏が蔵人《くろうど》にして、目をかけてやった青年である。彼は、源氏の生活のさまを見て、悲しく思ったが、人目をはばかってゆっくりもできない。

「よく立ち寄ってくれた。都を出てからは、昔、親しくしていた人々に会うことも難かしくてね。わざわざ寄って、ゆき届いた挨拶、嬉しく思うよ」

と源氏はねぎらって、大貳への返事もそう書いた。筑前の守は泣く泣くもどって、源氏のありさまを伝えると、大貳をはじめ、みな涙を落した。

五節の君は、むりをして伝手《つて》をもとめ、やっと源氏にたよりをことづけた。

「琴の音に、ふと心はたゆたい、過ぎがてにひきとめられます。ゆれうごくこの心、お咎《とが》めあそばしますな……」

源氏は微笑してながめた。

「私を思う心でたゆたうものなら、すぎゆくことはできないはずだが。それにしても、こんな所で漁師ぐらしをしようとは思わなかったことでした」

と返事をしたためた。五節の君は手紙を抱き、親兄弟に別れてでも、この浦にとどまりたい、と思った。

都では、月日のすぎるままに、帝をはじめ奉《たてまつ》って人々が源氏を恋しく思う折々が多かった。源氏の同胞《はらから》の親王《みこ》たちや、親しくしていた上達部など、はじめは慰問や見舞いの文を通わすこともあった。情趣ふかい詩文が交され、源氏のそれが世の中に洩れ伝わって、ほめそやされたりした。

大后はこれを憎まれ、きびしく仰せられた。

「勅勘を受けた人というものは、気ままに普通人の生活をすることさえ、許されぬ筈《はず》です。それを何ということ、風流な家に住んで世の中を諷刺《ふうし》した詩を作ったり、したい放題を、あの者はするではないか。それにまた追従《ついしょう》する人々もいるのですね」

とご機嫌が悪かった。人々は面倒だと思い、やがて便りをしなくなった。

そういう世の中で、二條院の紫の君は、悲しみが深まるばかりだった。

ただ、邸のうちの人々の心は、今では、紫の君を中心に、かたく結束していた。

あたかも、須磨で、源氏が側近の若者たちに守られているように——。

はじめ、東の対《たい》に仕えていた女房たちが、みな西の対に移って、紫の君に仕えることになったとき、源氏が大切にするというその姫君を、それほどのお人でもあるまいと思っていたのだが、慣れるに従って、紫の君の人柄のなつかしさ、やさしさ、気高さ、思いやりのふかさに、みな感動してしまった。身分ある女房たちには、紫の君は折々、姿を見せ顔をみせることもあった。「やはり、源氏の君が格別に大切になさるはずだわ……」と女房たちは、紫の君の美しさを好もしく思い、この北の方を守って、源氏の帰りを待とうと、今は、暇《いとま》を願い出る者もなかった。

——さて、須磨に冬が来た。秋でさえ忍びがたい物哀れを、冬はことにすさまじかった。

雪の降り荒れる須磨の海辺はものすさまじい。

源氏は七絃の琴《きん》を弾きすさんで、良清に歌をうたわせ、惟光には横笛を吹かせて、すこし心なぐさめていた。

流人《るにん》——という言葉のひびきが、今さらのように重々しく感じられる。すでに愛する者を見ないこと久しい。雪の舞い狂う冬の海、満目《まんもく》荒涼とした風景の中に身をおいて、源氏は心まで凍ってゆきそうに思われる。

昔、漢の帝王が、愛する美姫・王昭君《おうしょうくん》を遠い蕃国《ばんこく》の王に与えてしまった、その別れの辛《つら》さを、源氏は思いやって、自分と紫の君のはなればなれの運命によそえたりした。

雪がやんで月があかるくさしこんだ。はかない旅ずまいには、月光は隈《くま》なく奥までさしこむ。床の上にいながら夜深い空も見られた。

ものみな凍るばかりの暁闇《ぎようあん》——源氏はひとり眼ざめて、わが運命、わが罪業をひそかに思い返し、戦慄《せんりつ》することがある。

まるで闇の力ともいうべき、自分でも制御できなかった物狂おしい邪恋。つきうごかされ、押し流されてしまった、迷い多い自分。

そうして深い罪の陥穽《かんせい》に落ちた。

ひとときの春。

つかのまの花ざかり。

源氏は若さと美と権力を手にして驕《おご》った。自分をとり巻き拉《らつ》してゆく女や、情事や、恋のかけひきを愉《たの》しんだ。歓楽の宴は長夜つづくものと思っていた。しかし女たちの愛執は彼をめぐって渦巻き……黒髪は縺《もつ》れに縺れ、心は嫉妬の黒煙りに巻かれ、女たちはあるいは命をおとし、あるいは世を捨て、あるいは遠く別れていった。そのうえ最愛の可憐な人さえ、手放さなければならない。すべて無明長夜《むみようちようや》の闇にさまよい、わが身の卑小さを知らず驕りたかぶった源氏の罪である。

そしてその上に、更に大きな罪が重石《おもし》のように全人生を圧していて、青年を苦しめる。

青年はそれを思うと夜々ねむれない。

まだ暗い未明、起き出して氷のごとき水をむすんで、手を清め、口を漱《すす》ぐ。身じろぎもせず、仏の前に額を伏して源氏は低く、念仏を誦《ず》しつづける。

……仕えている若者たちは、源氏の姿に感動した。こんなにきびしい求道《ぐどう》的な源氏、思索と勤行《ごんぎょう》にあけくれる源氏を見たことはなかった。

彼らは心を打たれ、かりそめにも、都へ帰ることもなく、源氏のそばを離れず仕えていた。

しかし、――いつぞや、六條御息所が、源氏との秋のわかれにいったように、源氏はさらに新しい運命に待たれていた。ひたすら贖罪《しょくざい》の生活を送ろうと決意している青年に、運命は、あたらしい恋を用意して待っていたのである。

明石《あかし》の浦は、須磨からは二里ばかり、這《は》ってでもいける近さなので、良清は、明石の入道の娘を思い出して、手紙などやったのだが返事も来なかった。

その代り、何思ったか、父の入道の方が、

「お話がございます。ちょっとお目にかかりたいのですが」

といってきた。娘に求婚してもどうせ承知しないものを、と良清は面白くなくてうっちゃっておいた。

この入道は一風かわった見識をもつ、頑固者であった。田舎へいくとその地の守《かみ》(長官)やその一族をみな重んずるものなのに、入道はそれらを歯牙《しが》にもかけず、実は、人がきくとおどろくような高望みをもっていたのである。

彼は北の方にこんなことをいっていた。

「なんと源氏の君が、朝廷のお咎めをこうむって須磨の浦に住んでいられるというではないか。やっぱりこれもご縁があるのだ。うちの娘をさしあげよ、という神の思《おぼ》し召しだろうな」

入道の昂奮《こうふん》ぶりを北の方は呆《あき》れて眺めた。

「まあ、あなた、とんでもございませんよ、源氏の君などと……。都の噂では、なんでも源氏の君はご身分たかい愛人方をたくさん持ってらして、まだその上に、みかどのご寵愛《ちょうあい》なさる方と、人目をぬすんで過《あやま》ちをなさったとか。そのため須磨にまで流されなすったのですもの。そんな方が、こんな田舎住まいの娘に、お心をかけられるものですか」

入道は腹をたてた。

「そなたにはわからん。私には心をきめていることがあるのだ。婚礼の心づもりをしておきなさい。機会を作ってここへ源氏の君をお迎えするから」

言い出したらきかない頑固さなのだった。

入道がそういうだけあって、たった一人の娘のために、まばゆいまで家の中を飾りたて大切にかしずいているのだった。北の方は夫の独断ぶりに閉口した。

「だってあなた……そりゃ、源氏の君はご立派な方でしょうけれども、なんでまた、あの娘《こ》のはじめての結婚というのに、罪を得て流されたような人を婿《むこ》にしなければいけないのです。それに艶聞《えんぶん》の多い方だし……お戯《たわむ》れにしても娘にお心をとめて頂けるかどうか」

「何をいうか。罪を得るのは、唐土《もろこし》でもわが国でも、衆にぬきんでた人物にはありがちのことだ。一体、あの源氏の君はどんな方だと思う。あの方の亡き母御息所は、私の叔父《おじ》にあたる按察使《あぜち》の大納言《だいなごん》の姫だった。美しくて聡明《そうめい》な方だったから、宮仕えに出られると、帝のご寵愛を一身にあつめて、ほかの方のそねみを買い、心労から亡くなってしまわれた。しかし源氏の君がそのおかたみで残られたのは、めでたいことだ。これでみても、女というものは、結婚については高い理想をもつべきなのだ。桐壺の更衣《こうい》がりっぱなお手本だ」

「でも、いくら理想の結婚をしても、不幸な若死にをしたのでは、なんにもなりませんわ……わたくしは、あの娘が平凡で幸福な結婚をしてくれれば、と願っていますのよ」

と、北の方には母親らしい夢があるのだった。

「ええい、何をいう。女の運のひらけるのは結婚相手次第なのだ。源氏の君がここに住んでいられるなんて千載一遇《せんざいいちぐう》の好機なのだ。こちらは田舎者になってしまってはいるが、何といっても、あの方の縁戚《えんせき》にはちがいないのだから、おつき合いは許して下さるだろう」

などと入道は言い張った。

この娘は、とびぬけた美人というのでもないが、物やさしく上品で、そしてたしなみふかいこと、教養のあることなど、まことに都の高貴な身分の姫たちにも劣らないのだった。

金持ち、物持ちでこそあれ、父は田舎住まいの無位無官の入道、身分の低いのを、娘はよく知っていた。彼女は怜悧《れいり》で、自尊心のたかい娘だった。自分の境遇や、自分の性格をよく洞察してわきまえていた。何も知らぬ、ただ大事に育てられた箱入娘ではないのである。無智な田舎むすめではなかった。

（父君はああいわれるけれど……身分の高い男性《ひと》が、なんでわたくしなどを顧みたりなさるだろう。かといって、身分相応の縁組みなどして、教養もなく通俗な、物のあわれも知らぬ男の妻になって一生を送るなんて、絶対に、死んでもいやだわ……このまま結婚もせず長生きして、父や母におくれるようなことがあったら、恥をかかないように尼になるか、いっそ海に入って死んでしまおう）
などと思っていた。
父の入道は、娘を目の中へ入れても痛くないほど可愛《かわい》がり、大切にかしずいていた。年に二度は住吉《すみよし》の大明神に娘をおまいりさせ、神の霊験《れいげん》を人しれず、たのみに思っていた。

須磨に春が来た。去年植えた桜の若木もほのかに咲きそめ、うららかな空となった。早や、一年は経《た》ったわけである。

あの別れの日のそれぞれに切なかった女《ひと》たちの思い出もさることながら、御所の紫宸殿《しいでん》の、左近《さこん》の桜も盛りであろう、過ぎしひととせの花の宴に、亡き父院の麗《うる》わしいご機嫌、そのころ東宮でいらした兄帝の、清らかなお姿、源氏の作った詩を誦《ず》して下さったことなど、それからそれへと思われた。

つれづれなある日、思いがけぬ訪問客が、源氏を喜ばせた。

親友の三位《さんみ》の中将である。今は宰相《さいしょう》に昇進し世間からも重んじられているものの、

源氏のいない世の中があじけなくて、毎日つまらぬ思いをしていた。それで、

（ままよ、大后一派が何といおうと、それで罪に落されるなら、それまでのことだ）

とばかり急に思い立って、須磨まで陸路二十なん里を、はるばる尋ねてくれたのだった。

「よく、来てくれた。感謝する」

源氏は親友の手をとって、しっかと握りしめてほほえみ、すると互いに思わず、まぶたの熱くなるのをおぼえた。それを紛らすように、

「いい所に住んでいるじゃないか！」

宰相の中将は陽気な嘆声をあげた。

「まるで唐《から》の絵のようだよ」

竹を編んだ垣、石の階段、松の柱など、簡素だが中将の眼には風流に面白かった。

源氏は田舎びとめいて、薄紅色の、黄色がかった衣《きぬ》に、青鈍《あおにび》の狩衣《かりぎぬ》・指貫《さしぬき》、という地味な身装《みな》り、それもかえってさっぱりと美しい。

調度も間に合せの粗末なもので、住居《すまい》も、奥まで見通しという簡略さである。碁《ご》、双六《すごろく》の盤、手まわりの品々、弾棊《たんぎ》（石はじきの遊び）の道具など、田舎《いな》細工《かざいく》ふうだった。

「君は、ここで全く、女気《おんなけ》なしなのか」

宰相の中将は揶揄《やゆ》した。

「見れば分るじゃないか。念仏三昧《ざんまい》だよ」

ほんとうに、使いなれたとおぼしい念仏のための調度がそろっていた。

ひなびた、田舎料理を源氏はととのえさせた。海辺でないと食べられないものを、と源氏は注文し、漁師たちは貝や魚をさっそく持ってきた。

宰相の中将は珍しがって、いろいろ問うのだが、彼には漁師たちの田舎なまりの言葉がさっぱり分らない。源氏が通訳して聞かせたりするのも、宰相の中将には面白かった。

「不漁《しけ》つづきだったり、潮が変ったり、――海次第の商売なのだから、つらい渡世だといっているんだ」

「なるほど。大臣といい、漁師というも、浮世の苦労は同じ、ということなんだな――それにしても君は、田舎言葉も耳なれたものだね」

「いまに本当に漁師になるかもしれない」

親友同士の話は尽きない。――男ばかりの生活、田舎家の風趣――馬がつないであって、秣《まぐさ》の藁《わら》など食わせているのを、二人は楽しく見やって、ふと催馬楽《さいばら》の「飛鳥《あすか》井《い》」などを、青年たちは口ずさんだ。

〈飛鳥井に宿りはすべし蔭もよし　御甕《みもひ》も寒し　御秣《みまくさ》もよし〉

夜ひと夜、京の噂を何かと語り合った。

「夕霧は元気だよ。無邪気にかわいいのが、父にはかえって悲しくて辛そうだ」

と宰相の中将はいい、源氏は万感胸に迫ってふと絶句する。そうして酒をついで、

「まあいい、今夜は飲み明かそうじゃないか。いつまた会えることやら……往事ハ渺《びょう》茫《ぼう》トシテ都《すべ》テ夢ニ似タリ。旧友ハ零落シテ半《なかば》ハ泉《せん》ニ帰セリ……」

源氏が盃《さかずき》をあげて白楽天の詩を口ずさむと、

「酔ウテ悲シンデ涙ヲ春ノ盃ノ裏《うち》ニ灑《そそ》グ」

と宰相の中将も高く和して盃をかかげた。

中将の供の男たちはそれを聞いて涙を流した。源氏に仕える若者たちも哭《な》いた。

——彼らはおのがじし、旧知の間柄であり、都にいたときは親しい仲でもあった。久しぶりの対面のあわれは、彼らにもあるのであった。

旧友との再会は、かえって源氏の心をさびしくした。

宰相の中将は別れにのぞんで、

「私の形見《かたみ》として」

と笛をおくり、源氏は黒い馬を贈った。

「流人《るにん》の贈りものは不吉かもしれないが、故郷の風が吹けば、この馬も嘶《いなな》くかもしれないから」

「これはすばらしい逸物《いちぶつ》だ」

と中将は喜んだ。見送る者、見送られるもの、名残《なご》りは尽きなかった。

「いつまたお会いできるか。永久にこのまま、ということは、あり得ないだろうけれど」

中将がいった。

「いや、わからない。いったんこんな境涯《きょうがい》に堕《お》ちれば、再び返り咲くのはむつかしいのが世のならいだ。都をまた見ようという色気は捨てているよ」

源氏はきっぱりと答えた。

「君のいない都は火が消えたようだ。特に私は毎日あじけなくて張り合いがない。考えてみてもくれ給《たま》え。振分髪《ふりわけがみ》の頃からの仲じゃないか。共に笑い共に泣き、してきた間柄なんだから、……淋しいというもおろかだよ。いつかまたきっと、都へ帰ってこられる日のあることを信ずる。それまで加餐《かさん》してくれ給え」

源氏と宰相の中将は、しっかと手を握り合い、肩を抱き合って別れた。

三月はじめの巳《み》の日のことだった。

「今日は、なやみごとのある人が御禊《みそぎ》すれば、運命の好転に効験《ききめ》のある日でございます」

と物知り顔にいう者があるので、源氏は、海の景色も見たくなっていってみた。海岸に、簡単に幕など引きめぐらし、旅の陰陽師《おんようじ》を呼んで祓《はら》いをさせた。舟に物々しい人がたを乗せて、それに源氏の禍《わざわ》いや穢《けが》れをうつし、流すのである。源氏はふと、口に出た。

「惟光《これみつ》」

「は」

「まるであの人がたは私自身のようではないか。波にもてあそばれて漂ってゆく。何だか、流されるのは私で、ここに坐《すわ》っているのは、うつろな人がたに思われるよ」

「何を仰せられます。不吉なことを」

と惟光は顔色を変えた。

そのときだった。今まで、うらうらと美しく晴れていた空がたちまちかき曇り、風が出てきた。お祓いもし果てぬうちに、大粒の雨が降り出した。これこそ「肱笠雨《ひじがさあめ》」というのであろう、人々は狼狽《ろうばい》して笠もとりあえず、腕で面《おもて》をかばいつつ、たちさわぐ。

そんな気配もなかったのに、にわかな雷雨となった。突風はそのへんの、ありとあらゆるものを吹きちらし、波は逆《さか》まいて海岸を叩《たた》く。海面は稲妻がひらめいて白い衾《ふすま》を張ったようだった。いまにも雷が頭上に落ちそうで、人々は足を空にあわてふためいて、辛うじて家にたどりついた。

「こんな目にあったのははじめてだ」

「何の前ぶれもなしに嵐《あらし》になるなんて、珍しい天気の変りようだな」

などと、若者たちはさわいでいた。嵐は止《や》む様子もなく、烈《はげ》しい雨脚はまるで当ったところを貫きそうに思われる。世も終りかと人々は心細くうろたえている。

源氏はそのあいだ、静かに経を誦していた。

日が暮れるころ、風はまだ荒れ狂っていたが、雷鳴は止んだ。人々が神仏に祈っていた効験があらわれたのかもしれなかった。

「もうしばらくあのままだったら、津波にやられて、海へさらわれていただろうなあ」

などと男たちはいっていた。

夜あけ、やっと人々は寝入った。源氏もうとうとしていると、ふとあやしい者が現われ、

「なぜ宮からお召しがあるのに来ぬか」

と源氏をさがしていた。

はっと目ざめて夢だったかと思った。

あれは何だったのだろう——もしや海の底の龍王が自分に魅入って引き入れようとしたのではあるまいか。

そう思うと気味が悪くなって、源氏はこの海辺の住居がいとわしくなった。

憂《う》くつらき夜を嘆き 明石《あかし》の人の巻

数日、雨風はやまず、雷鳴もおさまらない。

高潮の恐怖も去らない。しかも眠ると夢に異形《いぎよう》の者が夜ごとあらわれ、つきまとう。

源氏はここを立ち退《の》きたかったが、都へ還《かえ》ることは勅許も下りぬのに、物わらわれになるであろうし、山奥へ入って跡をくらまそうかと思うが、「嵐に怖《おそ》れて逃げた」といわれるのもいやだった。

その間もただ雨風に日は暮れる。京の消息も気がかりなころ、折も折、二條院から風雨をついて濡《ぬ》れねずみの使者がきた。

ひどい姿で、道でゆき違っても、人か何か見分けつかぬようなありさまだった。

常ならばそばへも近寄せぬ賤《いや》しい下人《げにん》であるが、こんな折の都からの使者とあれば、源氏はなつかしくてたまらなかった。源氏は、高貴な身分の矜持《きようじ》さえ失ってしまったかと、わが心の挫《くじ》けぶりが思われた。

紫の君の手紙には、

「空も、わたくしの心も閉ざされたままですわ。おそろしいこの雨風。あなたと二人して、同じ雨に打たれ、波風に濡れとうございます。……」

あわれにかなしい言葉が書き連ねてある。

源氏は、封をあけるより早く、胸が熱くなった。

都のようすが知りたくて、源氏は下人を呼び寄せていろいろ聞いた。

「都では、この雨風は、ふしぎな神のお啓示《さとし》だといわれております。朝廷では厄払《やくばら》いの仁王会《にんのうえ》の祈禱《きとう》をされると承りました——御所へ参内《さんだい》される上達部《かんだちめ》も、雨風で道が通れませんので、政務は止まっているそうです」

などと、ぽつぽつ、聞いたことを話すのだった。

「とにかく、こんなに地の底まで通りそうに雹《ひょう》が降ったり、雷の何日も鳴るのははじめてのことで、誰も彼もおそれております」

という下人の、おびえた顔をみると、こちらまで心細くなるのだった。

次の日の暁から、さらに嵐は烈《はげ》しく荒れ狂い、波は高く打ちよせ山も崩れんばかりである。雷が頭上に鳴りひびいたときは、誰もみなうつつ心も失い、

「どんな罪を犯してこんな悲しい目にあうのか、親やいとしい妻子の顔も見ないで、

ここで死ぬのか」

と嘆いていた。

源氏は心をしずめて住吉の神に幣帛《みてぐら》をささげ、

「海の神、住吉大明神よ。ねがわくは慈悲を垂れて我らを救い給《たま》え」

と祈った。惟光《これみつ》たちも、わが身の不幸より、源氏がこの海で難儀にあうことをかなしんで、大ぜいが一心不乱に声をあわせて神仏に祈った。

「君は帝王の深宮に養われ、歓楽に奢《おご》り給うといえども、深きご慈愛は大八洲《おおやしま》にあまねく、苦しむ人々を多く救い給うたのです。罪なくして官位を剝奪《はくだつ》され、都を追われ給い、あけくれ安き空なく、あまつさえ、波風に苦しめられ給うは、何のむくいなのでしょうか。神仏おわしまさば、この苦しみをやすめ給え」

人々は住吉の御社《みやしろ》に向って訴え、また海の龍王に願《がん》をたて、声ふりしぼって必死に祈っていた。その頭上に、雷鳴は耳もつんざくばかりとどろき、源氏の居間につづく廊に落雷した。たちまち火は燃え上り、人々は肝《きも》をつぶしてあわてふためいた。

源氏は厨《くりや》に避難した。上下の区別もなく逃げこんでさわがしく、人々が泣きどよむ声は空の雷鳴にも劣らない。

　空は墨を摺《す》ったように黒く、日もくれた。

　ようやく風も収まり、雨脚がしずまり、星の光もみえた。源氏を居間へ移そうと惟光たちはあわただしく片付けていたが、焼けあとも物すさまじく、御簾《みす》も吹き払われてしまったので、ともかく夜があけてからにしよう、とみな、言い合った。

　月が出て、潮のあとが、あらわにみえる。

　源氏は柴戸《しばど》を押しあけて、嵐のなごりの、荒い浪《なみ》を見た。まるで人生の過去・現在・未来が一瞬に凝縮されて眼の前に示されたような気がする――しかし、天変を卜《ぼく》し、人生を観じ、物の道理をわきまえてこれからの進退について相談するような人は、この辺《あた》りにはいないのだった。

　賤しい漁師たちが、「貴いかたの御座所《ござしょ》は無事だったろうか」とかけつけてそのへんに群がっていた。源氏が聞いてもよくわからぬ田舎訛《いなかなま》りでしゃべりあっているが、常ならぬ場合なので、追い払う者もいない。

「この風がもうしばらくやまなんだら、高潮が来て、このへんも残らなかったろうな」

「神のお助けかもしれぬなあ」

　などと言い合っているのを聞くと、心細さはなおつのるのであった。

　終日、煎《い》り揉《も》みするような烈しい嵐に、源氏は気強く堪えていたとはいえ、さすがに疲れ果てて、いつとなく、とろとろと睡《ねむ》りに引き入れられた。仮の居間なので、源氏は物に倚《よ》りかかったままで寝入っていたのだが、ふと、亡《な》き父院がご生前そのままのお姿で、目の前にお立ちになった。

「どうしてこんな賤しい所にいるのか」

と仰《おお》せられ、源氏の手をとってお引き立てになる。

「住吉の神の導き給うままに、早く舟出《ふなで》して、この浦を去るがよい」

と仰せられるので、源氏はうれしくて、

「お別れして以来、いろいろと悲しいことばかりでした。今はこの海辺で命を終ろうと存じております」

と訴えるように申上げると、

「ならぬ。これはただ、いささかの物の報いなのだ。――この地で身を捨てるなどと考えてはならぬぞ。私は位にあったとき、過失はなかった。しかし知らぬ間に犯した罪の、つぐないをするためいそがしくて、この世を顧みるひまはなかったのだが、そなたが痛々しく不幸に沈んでいるのを見るに忍びず、海に入り、渚《なぎさ》に上って、やっとここへ来たのだ。――ほんとうに疲れたよ。このついでに帝《みかど》にも奏すべきことがあるから、都へいそがねばならぬ」

と仰せられて、立ち去られた。

源氏はなつかしく悲しく、おあとを慕って、

「お待ち下さい。私もお供させて下さい。しばし、お待ちを……」

と泣いて見上げると、はや、お姿はなく、月ばかりがきらきらと輝いていて、夢と思えなかった。まだおん気配がそのへんに残っていそうで、恋しかった。自分が危難に遭《あ》って命を落そうとしたのを、父院は救《たす》け給わんと天翔《あまかけ》ってこられたのだ。

なんという、かわらぬ深いご慈愛よ。

源氏は夢の中で、もっと父院と言葉を交せなかったのが、なごり惜しかった。

（父君……いま一度、お姿をお見せ下さい）

と強《し》いて目を閉じるが、かえって心みだれて寝入ることはできなかった。

そのころ――須磨に向けて、小さな舟が飛ぶように走っていた。舟の中には、明石《あかし》の入道の、期待にはずんだ顔があった。

「何事でございましょう」

と良清《よしきよ》がやってきて源氏にいった。

「明石の入道が、私に話があると申すのでございます。入道とは播磨《はりま》にいた頃からの知り合いですが、ちと私ごとで面白くないことがございましてそれ以来、疎遠《そえん》になっておりましたのに。この雨風のさわぎにまぎれて、何をいって来たものでございましょう」

良清が、入道と面白くなった、というのは、たぶん、良清が、入道の娘に求婚して入道から拒絶されたことをいうのであろう。

源氏はふと、夢が思い出された。夢の中で父院は、(舟を出してこの浦を去るがよい)といわれたが、もしや、それに関連のあることではなかろうか。

「早く逢《あ》ってまいれ」

と源氏はいった。良清はさっそく行った。

「おお、これは久しぶり」

と入道は良清を迎えていう。良清は驚き、

「よく、あの嵐の中を舟が出せましたな」

「それがふしぎなのです――実は、三月朔日《ついたち》のことでしたが、夢の中に怪しの者が現われましてな。十三日に霊験《しるし》をみせるゆえ、舟の用意をして待ち、須磨の浦へ着けよ、というのでございます。夢のお告げの当日は、折も折、ひどい嵐。――源氏の君がお信じになる、ならぬはともあれ、お告げにそむくまいと舟を出しましたところ、ふしぎな追風が一すじ吹いて、ここへ飛ぶがごとく着きました。まことに神のおみちびきとしか、思えませぬ。もしや源氏の君にもお心に思い当られることはございますまいか。——お差し支《つか》えなくば、夢のお告げに任せ、ここから明石の浦へお迎えしたいのでございます。このよしを、どうか源氏の君に申しあげて下さいませぬか」

源氏は、良清の報告を聞いて、しばし思いにふけった。まさしくわが夢と合致するのは神仏のおさとしと、源氏にも思われた。軽率に居《きよ》をうつすと譏《そし》りを受けるかもしれないが、どうせ流竄《りゆうざん》のわが身、今更、なんの、世評を憚《はばか》ることがあろうか。

夢の中での父院のお言葉もあったのだ。

明石の入道とやらのすすめに従おうと源氏は思いきめた。

「見知らぬ他郷へ流れきて苦労を重ね、自然を友としてわずかに心を慰めていたのですが、ねんごろなお言葉うれしく思います。明石には、静かに身を隠すべき所はあるでしょうか」

と入道に返事させた。

入道はかぎりなく喜び、

「ともかく、夜の明け離れぬ先に、御舟にお乗り下さいまし」

といういうことで、いつもの側近四、五人ばかりと源氏は舟に乗りこんだ。

まことに飛ぶように早く着くのだった。

明石の浦の風趣は、なるほど源氏がかねて聞いていたように美しかった。ただ、人の往来の多いのが、源氏の本意にそむいたが、入道の領地は海辺にも山手にもあって、よく手入れされ、いかにも富裕な土地の長者のたたずまいである。風流な波打ち際《ぎわ》の苫屋《とまや》が作ってあるかと思えば、荘厳《そうごん》な念仏堂も建ててあり、更には倉もたてつづけてあって、日常の暮らしにも不自由ない営みを、と入道は心がけているらしかった。

源氏が舟を下りて車に乗り移るころ、日がようやく昇った。

入道は源氏をほのかに見て、わが老いも忘れるほど嬉《うれ》しく、心中、住吉明神にお礼を申しあげた。

(なんという美しいお方だろう。こんな高貴な美しい方を、わが家へお迎えできたとは……まるで日月の光を両手におさめたようなものだ。いよいよ娘の開運もこれからだ)

と、心をつくして世話をする。

高潮に怖《お》じて、この頃、娘や北の方《かた》などは山手の方の家に移していたので、源氏はこの浜辺の邸《やしき》にゆっくりと暮らせるのだった。

この住居の結構なことは、都の貴族のそれにも劣らなかった。木立や、石組み、前《せん》栽《ざい》などのありさま、入江の美しい景色など、下手な絵師では画《えが》ききれないぐらいである。明石は須磨よりも明るく、住みやすかった。

室内の装飾や調度の豪華さ、むしろ都のそれよりも、派手やかでりっぱである。

源氏はすこし心おちついてから、京へ手紙を書いた。かの二條院から来た使者は、（とんでもないときに使いにきて、こわい目をみた）と辛《つら》がっていたが、あまたのものをやって労をねぎらい、都への便りをことづけた。

源氏がまず書くのは、藤壺《ふじつぼ》の入道の宮にあててである。九死に一生を得て、亡き父院の夢に助けられたことなど、それからそれへと語りつづける相手は、源氏にとって、まず入道の宮なのだった。大雷雨のすさまじさ、龍神に魅入られそうになったこと、つい近くで落雷を見た恐ろしさ……源氏はそれらを綿々《めんめん》と書きつづって流離の悲愁を訴え、宮に甘えたかった。

紫の君への手紙には、彼女を心配させるようなことは書かなかった。こんな恐ろしい目にあうのだから、やはり伴わなくてよかった、と思うものの、明石へ移って都から更に遠ざかったと思うと、恋しさは堪えがたい。

一行書いては思い沈み、また筆をおいて額《ひたい》に手を当て、じっと考えを追っている源氏を見て、惟光たちは、

（やはり、二條院の女君へのご愛情は特別なんだなあ……）

とささやき合っていた。

惟光たちもまた、それぞれに家郷の人々にあてて、心細げな便りを托《たく》したらしかった。

空は、いまはすっかり晴れて漁師たちも勇んで漁に出かけてゆく。明石は晴れ晴れとながめのよい、まさに風光明媚《ふうこうめいび》という浦で、源氏の心もようやく明るんだ。

明石の入道も、源氏から見ると、気持のよい人柄だった。仏道修行に専念している、さっぱりとした気性《きしよう》の、上品な老人だった。

六十ぐらいで、勤行痩《ごんぎようや》せ、というのか、清らかに痩せている。生まれがよいせいか、態度も心ざまも高雅にゆかしかった。

昔物語など話すのを聞くと、珍しく興ふかいこともまじっていた。しまいに源氏は、

（須磨・明石などという場所や、この入道やらとめぐりあわなかったなら、私の人生

もさびしかったろうな)

と思うくらいだった。

ただ、この入道が、行ない澄ました、清らかな仏弟子《ぶつでし》の生活を送りながら、こと娘に関するかぎり、俗世の執着《しゅうちゃく》をむきだしにするのを、源氏はおかしく思った。

入道は、源氏に娘のことをしきりに仄《ほの》めかすのであった。源氏は、かねて美女だと聞く入道の娘に、ふと心うごくことはあるものの、いまの境涯では、考えられもしないことだった。

それに都では紫の君が、源氏の帰りを待ち侘《わ》びているのだ。あの可憐《かれん》な女君を思うと、とうてい裏切ることはできなかった。それで源氏は、かりにも入道の話に乗るさまはみせなかった。

「どうもいざとなると、なかなか思うように申上げにくいよ」

と入道は北の方にこぼした。

「端麗な美男でいらして、それにお身持ただしく、勤行三昧《ざんまい》に過ごしていられるのを拝見すると、娘のことをあからさまにお願いするのも気がひけてしまってねえ」

「それご覧なさいまし、あなたはいつぞや絶対に源氏の君にさし上げるから、その心づもりをしておけ、などといわれたけれど、そうはうまくことが運ぶものですか」

と北の方は失望していった。

「お父さまは何でもひとり合点でおっしゃるから。ねえ」

北の方は娘をかえりみた。

「わたくし、そんなことは、思いも寄らないことと、あきらめていますわ」

娘自身は、きっぱりいうのだった。

「あんな身分のたかい、お美しい都の貴人が、わたくしなどと縁をお結びになるなんて考えられないわ。……お父さま、お願いだからもう、その話はお忘れになって」

娘は、ほのかに源氏をかいま見て、いつとなく、娘らしいときめきを胸に抱いていた。

けれども、親たちより現実的だった。源氏との結婚など、夢のような話だと思っていた。

そしてまた、たとえ源氏が、父の熱心な懇望に負けて彼女を一時の妻にしても、それは彼をとり巻く数多い女たちの一人に加えられるだけのこと、そんな恥多い、物思わしい愛人の地位など、なんの欲しかろう。

娘は親たちとは別の夢をみているのだった。

源氏が、彼女を一人の人間として認め、愛してくれるのならば。

かけがえのない恋人として熱愛してくれるのならば。

彼女に求婚した数多くの田舎名士の男たちのように、彼女の姿かたちだけを賞《め》でるのでなく、心や魂を愛し、女そのものとみとめてくれるのならば。

でも、そんな関係が、あのひととの間に結ばれるはずはなかった。娘は、いっそ、源氏の君が、ここへいらっしゃらなければよかったのに、とまで思った。


四月になった。

はや、夏の衣更《ころもが》えの季節である。源氏の装束《しょうぞく》や御帳台《みちょうだい》の帷子《かたびら》など、入道は万般にわたってりっぱにするのだった。そうまでしなくとも、と源氏は思うが、入道が上品でおうような人柄なのでだまって任せている。

京からも、嵐の見舞いがひまなく、あった。

のどかな夕月夜、海上は曇りなく見わたされ、ふと、京の二條院の池のように思われたりする。

都が恋しい。心は京へあこがれて漂ってゆきそうな気がする。目の前の島かげは淡《あわ》路島《じしま》だった。

久しく手もふれなかった琴《きん》を袋から取り出して、源氏はかき鳴らした。広陵《こうりよう》という曲を心つくして弾いていると、岡の辺の家にも聞こえ、物のあわれを知る若い女たちは、身にしみて聞くらしかった。心なき田舎人たちまで、酔ったように楽の音《ね》に聞き惚《ほ》れた。

入道もがまんできなくて、勤行を中止してやってきた。

「何とまあ、おみごとな。まるで極楽のような楽の音でございます」

入道は感激して岡辺の邸へ、琵琶《びわ》や箏《そう》の琴《こと》を取りにやり、琵琶法師になって珍しい曲を一つ二つと弾いた。

源氏は入道にすすめられ、箏の琴をすこし弾いた。都を思い出しつつ弾く源氏の琴の音は、哀々《あいあい》と海上はるかにひびいた。入道は心を動かされ、涙ぐんで聞いた。

「箏の琴というのは、女がやさしく、しどけなくうちとけて弾くのが面白いのだが」

と源氏が呟《つぶや》くと、得たり、と入道の瞳《ひとみ》がかがやいた。

「私は延喜《えんぎ》の帝の御手から弾き伝えて三代目でございますが、娘がふしぎに真似《まね》をしてしぜんに会得《えとく》したようでございます。老いのひが耳には、松風とききまちがえたのかもしれませぬが、何とかして、ぜひ、娘の弾く音《ね》をお耳に入れとう存じます」

いううちに、入道は緊張のあまり声もわななき、ひざをすすめるのだった。

夜が更《ふ》けゆくままに、松風も涼しく、月も入りぎわになって冴《さ》えまさった。静かな夜である。

入道は源氏に、それからそれへと物語るのだった。この浦に住みはじめたころの苦労話、勤行の日常、などの身の上話から、掌中の珠《たま》のように、賞でいつくしんでいる娘のことなど……。

老いのくりごとめいて源氏はおかしくもあるが、またさすがに、しみじみとあわれな点もあった。

「こんなことを申しあげては何でございますが、あなたさまのように尊い方が、こんな田舎にまでさすらって来られましたのは、もしかすると、この老法師が長年、願《がん》をかけておりましたのを、神仏があわれと思し召されて、祈りをききとどけて下すったのではあるまいか、と思われるのでございます」

「それはどういうわけでしょうか」

「はい。実は住吉の神に願をかけて、今年で十八年になります。娘が生まれましてより、どうぞこの子を世に出さしめ給えと、毎年春と秋に、お社《やしろ》に参詣《さんけい》しておりました。仏へのおつとめにも、私めの極楽往生《おうじょう》よりも、娘の出世をひたすら念じてまいったのでございます……。前世の因縁《いんねん》がつたないせいか、私めは田舎人になってしまいましたが、親は大臣にもなった者でございます。それを、娘が、私と同じように田舎者として朽ち果ててしまいましては、次々と賤しくなるばかりで、末はどうなりましょう。――しかし娘は、生まれたときから私に期待をもたせてくれました。どうかして、都の高い身分の方に縁付かせたいと思いましたため、身分相応の方々からの縁談にも耳もかさず、そのため世間の反感や嘲笑《ちようしよう》を買ったこともございます。けれども人から高望みと嗤《わら》われようと、どうしても理想をすてる気にはなれません。もし運命つたなく、望みをとげられぬうちに親に死に別れるようなことになれば、海に入って死んでしまえ、と娘に言い聞かせていたのでございます――」

入道は涙を抑えて語っていた。

「そこへ、ゆくりなくも、あなたさまがおいでになったのでございます。……これをしも、神仏のおみちびき、お啓示《さとし》といわずして何でございましょう。鄙《ひな》の家に咲き出《い》でました花ひともと、おん手に摘ませ給え、と老法師の願いはそればかりでございます」

源氏は物思いに捉《とら》われていた。

何というふしぎな話だろう。――自分が思いもかけぬこんな片田舎にさすらうようになったのも、もしかしたら、大いなるもののおん手に、それとも知らず動かされていたのかもしれない、とは。

「浅からぬ前世の契《ちぎ》り、というのは、こういうことをいうのでしょうか」

と源氏もしんみりとしていった。

「あなたの姫のことは仄かにうけたまわっていたのですが、流人《るにん》の身の私は、さすらいの月日のうちに心の張りも失《な》くしてしまって。……それに、都を離れてからは、無常を感じて、仏道修行三昧に日を送っておりましたから、いつか、独り寝に馴《な》れてしまいました」

顔をそむけてつぶやく源氏に、入道は膝《ひざ》をすすめた。

「あわれ深い浦の暮らしの独り寝の侘びしさは、あなたさまも疾《と》うにご存じでいられましょう——。私の娘も同じでございます。娘ざかりを長の年頃、この明石の浦に淋《さび》しく思いあかして、夜を過ごしておるのでございます。いや、娘ばかりではございませぬ。いたずらに、高い理想をもったばかりに、親の私どもも共に、明け暮れ、侘びしく過ごしておったのでございます。どうぞ、この気持をご推量下さいませ」

と入道はかきくどくようにいうのであるが、そのさまは真剣で、気品があった。

「そうはおっしゃっても、私はただいま無位無官の人間、旅の者にすぎないのですよ」

と源氏はうちとけた苦笑を洩《も》らした。するとその表情に、一瞬匂《にお》い立つような愛《あい》嬌《きょう》がこぼれる。

一瞥《いちべつ》で都の満天下の女性たちを魅了したと聞く源氏の魅力を、入道は、目の前に見た気がした。入道は熱心にいった。

「人の世の一栄一落が何でございましょう。私はただ、あいがたい世をめぐりあった縁《えにし》のふしぎさを思うばかりでございます。娘は、親の口から申すのも何でございますが、管絃《かんげん》の道だけでなく、歌の道もきらいではないようでございます。つれづれのおなぐさみのお話し相手ともお考え下されませ」

入道は、日頃、念じ暮らしていたことを残らず源氏に話して、胸のつかえが下りたような、晴れ晴れした顔をしていた。

源氏は、入道の娘に、あらためて強い関心をもった。

いったい、どういう娘なのだろう。

こういう片田舎にこそ、かえってすばらしい女性が埋もれているのかもしれない、などと思ったりし、久しぶりに、青年らしい、若々しい昂《たか》ぶりを感じた。

それは、都に置いてきた可憐な紫の君への愛情とは全く別のところで、うごめいている男の好奇心である。

源氏は、念を入れた手紙を書いた。

高麗《こま》からもたらされた胡桃色《くるみいろ》の紙に、心づかいふかい筆蹟《ひっせき》で、

「旅衣も古びた、さすらいのこの身は疲れ果てました。仄かに聞くあなたの宿には、足をとどめ、心を休めるところがあるでしょうか。あなたへの関心を包みかくしていましたが、今は忍びきれなくて」

と書いた。

入道は、折も折、岡辺の家に来ていた。実は人知れず、源氏からの娘への求愛の手紙を心待ちしていたからである。

期待通りに手紙が来たので、入道は大喜びで、使者を下にも置かずもてなした。

娘はしかし、返事をなかなか書かない。

入道は待ちかねて、

「どうしたのだね。お使いの方は待っていらっしゃるのに」

と、娘の部屋へ入って促したが、娘は、

「わたくしには書けませんわ、お父さま」

と悲しそうにいった。

「こんなお美事《みごと》なお手に、わたくしのようなつたない筆のあとでどうしてお返事がで

きまして？」

娘は、源氏の身分や、自分の身分を思ったりすると、なお気おくれして恥ずかしく、しまいに、気分が悪いといって横になってしまった。

入道は困ってとうとう自身で返事を書いた。

「勿体《もったい》ない仰せ、鄙の娘の小さな心にはうれしさを包みきれぬようでございます。恐縮のあまり、自身、筆もよう取りませぬ。さりながら、娘の思いもあなたさまのそれに同じでございましょう。こういうことを私めが書きますのも、何やら色めかしく、恥じ入られますが」

源氏が見るに、檀紙《だんし》に、古風な筆蹟ながら風格のある手紙であった。

（あのご老体、案外、色めいた方面にさばけているのだな）

と源氏はちょっとびっくりした。

源氏の文使いに、入道は立派な女の衣裳《いしょう》を贈っていた。

源氏は次の日、娘にあててまた書いた。

「代筆のお手紙はすこし、がっかりしました。――私のことを、心にかけてくれる人は、この浦にはいないのでしょうか、私の方は、まだ見ぬ人ながら、ひそかにお慕いしていますのに」

こんどの手紙は、柔かな薄様《うすよう》に、やさしい走り書きだった。娘は、若い女らしく、心ときめかせてその手紙を見た。源氏の君が、貴族の姫君にするように自分をねんごろに扱って下さった、と思うだけで、娘は嬉しくて涙ぐまれるのだった。しかしそれだけに、よけい、源氏と自分の隔りが思われた。

いつものように娘は返事を拒んでいたが、まわりにせきたてられて、とうとう、筆をとった。香《こう》を焚《た》きしめた紫の紙に、墨つき濃く薄くまぎらわして、

「まだ見ぬ人を、恋するということなど、あるものでございましょうか。お言葉のおたわむれとしか思われませぬ」

源氏が見たその手紙は、筆蹟といい、手紙の気品といい、都の貴婦人にも劣らぬくらいである。——源氏は、さながら京にある心地がした。あの青春放浪の時期、恋愛沙汰《ざた》に日を送った頃の心傲《おご》りの記憶が、いきいきとよみがえってくるのをおぼえて楽しかった。

しげしげと手紙を遣《や》るのも、人目が気になるので、二、三日おきくらいに、（つれづれな夕暮や、物あわれな明けがたなど）風情のあるとき、手紙を書いた。娘の返事は、充分、源氏に対抗する力量あるものだった。

（心ざまふかく、気位たかい娘だな）

源氏はいよいよ、娘に心ひかれてゆく。娘のみめかたちを、今は、この目で見たくなっていた。

それは娘を恋人とすることを意味している。

しかし源氏は、同時に、良清のことを忘れてはいない。良清がいつぞや、娘の噂《うわさ》を得意然としていたことをおぼえている。本来なら良清程度の男が、求愛してしかるべき身分の娘なのだ、という気が源氏には、正直のところ、あった。

それに……良清が年頃、娘に執心しているものを、彼の目の前で奪うというのも哀れでもあり、源氏はためらわれた。

（娘の方から積極的に働きかけ、近づいてくるのならば、良清に対して言いわけも立つのだが）

などと思うが、娘は娘で、都の貴婦人よりも気位たかい女なので、われからすすんで源氏になびくどころか、つんとして小憎らしいほど、身を高く持《じ》しているのだった。

こうして、根気くらべのようなかたちで、時はすぎてゆくのである。

その一方で、京に残してきた可憐の人も、ますます気にかかってならないとは、なんという男ごころのふしぎであろう。

須磨の関を越えて明石まで流れてくると、いっそう紫の君のことが心もとなく、（どうすればいいだろう、こう気にかかるようでは、いっそ、こっそりここへ迎えようか）

と気弱く思う折々もあったが、

（まさか、いつまでもここにいることもあるまい――今になって外聞の悪いことはしないでおこう）

と源氏は自制していた。

そのころ、都では変事がつづいて、物さわがしく、人心は動揺していた。

かの嵐の日、故桐壺院《きりつぼいん》のお姿は、帝のおん夢の中にも立たれた。帝は院から源氏のことでお叱《しか》りを受けられた夢をご覧になった。

そのとき院に射るように視線をあてられて、そのまま、お目をわずらわれた。

太政大臣《だじようだいじん》が薨《こう》じられた。弘徽殿《こきでん》の大后《おおきさき》が病にたおれられた。

もしや、源氏の君を罪なくして流浪《るろう》させたむくいではないかと、帝はお心よわく考えられるのだった。

明石に秋風が吹くようになると、源氏はもう、つくづく独り寝がわびしくなってきた。

それまでは何とも思わなかったのに、入道の娘という対象ができると、もはや、無関心でいることはできなかった。

「どうでしょう。何とか人目につかぬようにして、こちらへ寄こして下さいませんか」

と入道にいってみた。

自分から娘の家へ通うのは、不都合だなどと思っているのだった。

「姫の琴の音をお聞かせ頂きたいものですね。この季節を逃しては、せっかくの風流も、甲斐《かい》ないことですよ」

「まことにさようで」

と入道はかしこまっていった。

実は、今になってまだ、北の方が迷って躊躇《ちゆうちよ》しているのだった。いや、内心をいうと、入道自身、

(娘を娶《めと》っていただけたとしても、もし源氏の君のお心に染まずに、すぐ捨てられるようなことになれば、かえって可哀《かわい》そうだし。それならいっそ、はじめから縁付けな

い方が……）

と、親心の、はてしもない迷いを重ねているのであった。

しかし入道は、ついに決心して、内々、吉日を暦で調べた。まだ何かといっている北の方を無視して、召使いにも知らせず、結婚の用意をととのえた。

娘はとんでもないことだと思っていたが、準備は娘の思惑におかまいなく、着々とすすめられてゆくのであった。

十三夜の月の美しい夜。

入道は手紙を書いて源氏を迎えた。

「あたら夜の」

とだけ、ある。これは古歌の〈可惜《あたら》夜の月と花とを同じくは心知れらん人に見せばや〉から取ったのである。

月もよし、花はまさにわが娘。同じことなら、せっかくのこの人生の美を、あなたさまにこそ賞でていただきたいもの、……という意《こころ》であったろうか。

（いや、どうも風流気まんまんの爺《じい》さんだ）と源氏は苦笑したが、この機会をはずして、またの折もあろうと思われない。直衣《のうし》に着更え、身づくろいして夜更けてから出かけた。

車は目立つので、馬で、惟光だけを供に連れて出かけた。

入江の月影が美しい。

ああ、こんな月光に照らされた浜辺の美しさを、かの紫の君に見せてやったら、どんなに喜ぶことか、と、またしても源氏の心は、やはり京の人のもとに飛ぶ。源氏と紫の君は美しいものを美しと見、よきものをよしと思う心が、ぴったり一致した、こよない同志なのだった。たなばたの二つの星になって夜空に呼び合うの、といった可憐の恋人。

駒《こま》よ、駈《か》けれ。

雲井を駈けてあの人につかのまも逢わせよ。

岡辺の家は、木深《こぶか》く繁《しげ》って、浜の邸よりも物寂び、おもむき深かった。草むらにすだく虫の声、岩に生えている松など、うら淋しい風情で、若い娘の住むには、あまりにもの思わしげなところである。

娘のいる一棟《ひとむね》のあたりは、ことさら美しく飾られ、清らかに掃除もゆきとどき、月のさしこむ槙《まき》の戸口が、人を誘い顔に、すこし開けられてある。

源氏は、そこから静かに入って、娘の部屋とおぼしいところからかなり離れて座を占めた。

「私の気持はおわかりになって頂けたでしょう。いや、おわかりにならぬはずはない。決して遊びのつもりではありません。それは折々の手紙にも、幾度も、重ねて誓った通りです。——あなたは宿命的なめぐりあい、ということを信じられますか？　私が須磨に来ず、あなたが明石に住んでいられなければ、めぐりあうことはなかった。大いなるもののおん手が、あなたと私をたぐり寄せ、結ばれたのですよ」

源氏はものやわらかに娘に語りかけるが、娘はよそよそしくうちとけず、そこにいる気配のみして、返事もしないのだった。

娘は、自分の気持も熟していないのに、からだだけ運んでゆかれるような、ことのなりゆきを、くやしく恥ずかしく思っているのだった。男の言葉にほだされ、無教養な田舎娘が、都の男というだけでやすやすと身を任せるような、あさはかな事はするまい、とかたく思いこんでいた。

源氏は、かつてたくさんの女を蕩《た》らしたあのやさしい口ぶりで、いろいろと言葉を重ねてかきくどくが、娘は、つんとしたままだった。

(何とまあ、貴族の姫君より自尊心のたかい女じゃないか。……どんなに身分の高い

女でもこうまで男に言い寄られたら、心強くは拒めないものだが。——もしや、自分が流浪の身だと思って軽《かろ》んじているのか）

と源氏は不快にもなった。

さりとて、源氏は、親の入道が許しているのだからと、力ずくで娘をわがものにするのは本意ではない。田舎紳士ならそうもあろう、親がそれをのぞみ、また戸をあけて誘《いざな》い、人払いをし、娘とふたりで会わせているものを、と傲慢《ごうまん》にふるまう男どももいるだろう。

しかし源氏は、そんなやりかたはきらいである。——もっと若いころなら、末摘花《すえつむはな》の姫君にそうしたように、花を無理に手折《たお》ることも面白かった。だが、長い孤独に耐え、年齢を重ねてきたいまの源氏は、女の心に興があった。女の精神、女の愛を、感じ取りたかった。

源氏のそばにある几帳《きちよう》の紐《ひも》が、ふと箏の琴に触れて、かすかな音をたてた。

「琴を弾いていられたか？——今まで」

源氏は、くつろいで琴を掻《か》き鳴らしている若い娘の、美しいしどけない様子を好もしく想像した。

「かねて噂に聞く琴を、お聞かせ下さいませんか」

と源氏はいったが、娘は沈黙したままである。源氏は嘆息した。

「琴も聞かせて頂けず、お言葉もかけて下さらぬとは――」

(根気くらべだな)と源氏は思う。根くらべに負けてすごす帰るというのも人聞き悪いし、押して挑《いど》みかかるのも不粋《ぶすい》だし、と源氏はすこし思いあぐねていた。そうして、真実《まこと》・虚言《そらごと》とりまぜての、やさしい口説《くぜつ》をひまなくつづける。

「心おきない人と、心おきない話を交す――それが欲しいのです、私は。そんな人がいれば、人生の憂苦は消えてしまうものですが」

娘が、はじめて口をひらいた。

「わたくしには、そんなちからはございません。お話し相手は、荷が勝ちすぎますわ」

(お)

と源氏はとっさに、思った。

(似ているな。六條御息所《みやすんどころ》の、あの洗練されたものの言いぶり、言葉のすみずみにゆきわたるこまかな神経の、高雅な気品――)

仄かに聞こえる声さえ、しっとりと美しく潤《うるお》いにみちて。

声や言葉は、その人柄をもっともあからさまに反映するものだった。

源氏は娘に好感をもてたことが嬉しかった。

「どうしてそう私を隔てられる。私をお厭《いと》いになるのか。ただしは軽んじていられるのか」

源氏がいうと、娘は一瞬ひるんで、

「まあ！　厭うなどと。まして、なぜ軽んじることなど、ございましょう。ただ、わたくしは、都のすぐれた女人衆《にょにん》にくらべられるのがはずかしいだけですわ。人数《ひとかず》にもはいらぬわたくし……なまじお近づきになって、あとで悲しい思いをするのはいやなのですもの」

娘は心乱れたふうで、立ってさらに奥の部屋へはいり、戸を締めてしまった。

源氏は強いて押しあけようともしない。

「それは、私の心をお疑いだからですね。では双方から疑っていたわけだ。私の方はまた、あなたの気位高さを、私を流人の身と侮《あなど》ってのことかと思ったりしていた」

源氏は率直にいった。率直はつねに、女に対する男の武器である。

娘は叫び声をあげた。

「わたくし、気位高いつもりはございません。――女は、自分で自分を高めないと、所詮《しょせん》は弱いものなんですもの。自分を大切にしているだけでございます。思い上っているのではございません」

「理想の結婚ができねば、海へ入って死ぬつもりとか。龍王の后、という人もいますよ」

源氏が揶揄《やゆ》すると、娘は羞《は》じらった。

「女は、水が低いところへ流れるように殿方に従って生きてゆく運命ですもの。心ない、情け知らずの殿方に運命を托したら、わたくしの一生も、情け知らずのそれになってしまいますわ……そんな生涯を送るくらいなら、死んだほうがましでございます」

源氏の、娘に感じた好感は、いまは強い、抑えがたい恋になろうとしている。

源氏は、したたかな手ごたえを示す娘の、せい一ぱい張りつめた心の昂《たか》ぶりが、この上なくいとしかった。

源氏はささやく。

「この戸を開けて下さい。あなたの手で。そちらから……」

娘は素直に戸をあけて、羞恥《しゅうち》のあまり、そこに居竦《いすく》んだように、隠れていた。

すらりとした、たおやかな軀《からだ》つきの、上品な、美しい娘だった。源氏の視線を避けて黒髪に顔をかくし、そむけようとするが、源氏はそっと娘の頤《おとがい》をもちあげ、黒髪を払った。

「おたがいに、誤解して意地を張り合っていたんだね――私はいま、流人の身になった運命にどんなに感謝していることか。あなたに会わせて下さった住吉の明神を、どんなにありがたく思っていることか……」

源氏に抱きしめられた娘は、美しく惑乱して、それでも崩《くずお》れる心を必死に持ちこたえようと、自分とたたかっていた。

「でも、あなたはやがて、都へお戻りあそばすでしょう。そのとき、わたくしは辛《つら》い思いをしなければいけないんですもの。……」

「まだ疑うのか。もしこの地を離れることがあっても、あなたを連れてゆく。もう離さない」

「いいえ。こんな田舎でお目にかかったのですもの。実際よりも、よくわたくしを買いかぶっていらっしゃるに違いありませんわ」

娘は、いまは源氏の直衣の胸を涙に濡《ぬ》らして、すすり泣いていた。

「わたくしは、たまさかの、お手紙を頂くだけで充分でございます。きっと、その思い出だけで、生涯ふかい満足のうちに、この浜辺で朽ちてゆくでしょう。……噂だけ聞いてあこがれていたあなたを、思いがけなく仄かにかいまみたり、名人とうたわれた琴のしらべも風のまにまに、聞かせて頂きました。おやさしいいくつものお手紙。――わたくしには、もうそれだけで、身に過ぎた思い出ですわ。どうぞ、これだけの幸わせで終らせて下さいまし。幸わせが極まって悲しみにうつり変らないうちに……」

しかし源氏は娘の懇願を聞いてやらなかった。――源氏は久しぶりに、ほんとうの女にめぐりあった気がしていた。精神の所在を感じさせる女、女の魂の光りかがやく女。こんな女人を求めていたのだ。

「あなたのやさしさが、私にとって、かえって仇《あだ》であると知りつつ、またも私は、あなたのやさしさを当てにして、不都合を働いてしまった……」

源氏は二條院の紫の君あてに手紙をしたためていた。

紫の君が、風の便りや人づてに明石の君のことを聞いて、怨《うら》めしく思うよりは、むしろこちらから打ちあけたほうが、隠しへだてない心を知ってもらえようか、という源氏の気持なのだった。

「こんなことを打ちあけていうのも、つまりは、あなたへの深い愛以外の何でもありませんよ。それにくらべれば、この明石での出来事は、やがて褪《あ》せゆく夏の日の夢、波が消してゆく、砂に書いた恋文のようなものです……」

紫の君からの返事は、いつものようにやさしく、無邪気な言葉が愛らしくつらねてあった。そしてその終りに何げないように、

「お心ひとつに忍びかねた夢を、お洩らし下さって、お気持はようくわかりましたわ……でも、古い歌にも〈君をおきて仇《あだ》し心をわが持たば末の松山波も越えなん〉とあるではございませんか。……あなたのお帰りをひたすら待っているわたくしは、まさか波が、末の松山を越そうとは思いも染めぬことでした。砂の恋文を消した波は、明石の浜のそれでしたのね」

おっとりした書きぶりだが、やわらかく恨んでいる。

源氏はさすがにその手紙に心痛む。

紫の君にすまない気がして、いとおしく恋しく、しばらくは岡辺の家をたずねることもしなかった。

源氏が紫の君への愛から、岡辺の家を訪れぬことは、とりも直さず、一方で明石の

君の嘆きを深めることでもあった。

（やっぱりだわ……あのかたは、かりそめの、戯《たわむ》れのおつもりだったのにちがいないわ。わたくしの方は親の野心を成就《じょうじゅ》させるためではなくて、真実に、あのかたへの愛から結婚したつもりだったのに……）

かわりやすい男心。釣り合わぬ身分。明石の君の心は波に弄《もてあそ》ばれる小舟のように揺らぐ。

それでも明石の君はつつしみ深くおだやかな人柄から、決して源氏に怨みがましい、険《けわ》しいそぶりは見せなかった。

源氏はそのやさしい女心、怜悧《れいり》なとりなしに心ひかれ、明石の君への愛は日ごとに深増さってゆく。

けれども、最愛の紫の君が、京でひとり、どんなにあれこれと想像して苦しんでいるであろうかと思うと、せめてもの愛の証《あか》しのように、岡辺の家へ通うのを控えていた。そして、浜の邸で、独り寝をする夜が多かった。

（またも、自分の心から物思いを作ってしまった……）

と悔いつつ、憂《う》さを晴らすために、絵筆を走らせたりしていた。

ふしぎや、心が空をゆき通うのか、京の紫の君も、物あわれな折々は、絵日記などを書いて心を慰めまぎらしているのだった。

年が改まった。

帝の御病気のため、世間も何か落ちつかない。

帝はひそかにご譲位を考えていられたのである。御子《みこ》には、いまの右大臣の姫の、承香殿《しょうきょうでん》の女御《にょうご》にお生まれになった皇子がいられるが、まだ御年二歳、いかにも幼くていられる。

当然、皇位は、東宮《とうぐう》に譲られるのだが、その御後見をし、天下の政治をとり行なう人物としては、源氏以外の適任者はいない、と帝は考えられた。源氏の器量、才幹、人望などを考えられると、非運の中にこんな人材を、いつまでも零落させておくのは、国家としても惜しむべきことだとお思いになった。ついに帝は、源氏に対し、御赦免の沙汰を下《くだ》された。

大后は反対されたが、大后ご自身の病気も重くなられ、帝のご眼病もはかばかしくなく、帝はお心細く思われたようである。

七月二十日すぎ、再度、京へ戻れとの宣旨《せんじ》を捧持《ほうじ》した使者が明石へ飛んだ。

「宣旨が下りましたぞ！」

「京へ、都へお戻りになる日がきました！」

「待ちかねた日がとうとう……」

「殿、おめでとうございます！」

人々は喜びに沸きたった。

心はやくも京へ飛び、にわかに源氏の館《やかた》はうれしい騒ぎにつつまれた。京からも迎えの人々が次々と到着し、再会を手を取り合って喜ぶ。

源氏は、喜びの反面、明石を離れることに悲しみと心のこりがある。それは、入道一家も同じであった。

「いつかはこの日が来る、と覚悟はしておりました。嬉しい一方で、胸ふたがるばかりにお別れが辛うございます。いや、しかし不吉なことを申上げてはなりませぬな。殿のお栄えは、また、私どもの身の晴れでもございますから」

と入道はいいつつ、やはり辛がっているのであった。

源氏は別れが目前に迫ると、たまらなくなって、この頃は毎夜、明石の君のもとへ通う。

明石の君は六月ごろから、身重《みおも》になっていて、そのせいでかなまめかしく窶《やつ》れ、悩ましそうにみえる。

別れが近付くにつれ、皮肉にも、源氏の愛は深まるばかりなのだった。

（どうして今も昔も、よしない恋心のために、われひとともに苦しみ、罪をつくるのだろう……）

と源氏は思い乱れる。折しも秋の半ば、物あわれは増さるころなのだった。

事情を知っているお側《そば》の者は、

「困ったものだな」

「例のお癖《くせ》がはじまった」

とひそかにこぼし合っていた。

今までは源氏は、明石の君との仲をふかく秘めて、人々に気どらせないようにまれに通っていたのに、別れが近付いたいまは、堰《せき》を切ったように、人目もかまわず、しげしげと通うのであった。

「あれではかえって、残される者の方は、あとに物思いの種をつくることだろう」

と人々は耳打ちしあった。

良清はことにも心を傷つけられていた。彼が年来、あの娘に思いを懸《か》け、それを自慢らしく、源氏に噂していたのは朋輩《ほうばい》たちも、みな知るところである。良清は、恋を失い、面目を失った。惟光は傷心の良清をなぐさめて、

「かぐや姫なのだよ、あの姫は君にとって――。な、そう思えばいいじゃないか」

「………」

良清はためいきをついて、酒を飲んでいるばかりである。

「かぐや姫は月に帰ったのだ。みかどのご威光を以《もつ》てしても、かぐや姫を取り戻すことはできなかった。――そういう運命なのだ。月の世界の人とは、縁がなかったのだ。な、良清。そう思ってあきらめろ」

惟光が、友の盃《さかずき》を満たしつついうと良清は、

「しかし、あのひとは、この明石の浦に取り残され、不幸な目をみるじゃないか。おれの恋いこがれた人が、不幸になるのは見ていられないのだ……。こんなことなら、なまじ殿は、情けをおかけにならずともよかったのに……」

「いや、殿は一度契《ちぎ》った女人は、いつまでもお見捨てにならない。きっと大切に扱われるさ。かぐや姫の幸わせを、君はいさぎよく遠くから祈れ。それが男というものだ……ばかだなあ。泣く奴があるか」

惟光は酔い伏した良清の背を、どん、と叩《たた》いた。

出発はいよいよ明後日に迫った。京を捨ててゆく出発も悲しかったが、それでもいつかは戻れるという希望があった。しかし明石を出発したら、おそらくもう生涯に再び還《かえ》ることはあるまい。

源氏は夜もあまり更《ふ》けぬうちに、早々と岡辺の家へいった。

灯のもとで見る明石の君は、都の貴婦人にもこれほどの気品ある美女はそういないだろうと思われた。

「きっと迎えにくるよ。都へ帰っておちついたらすぐ迎えを出す。これは、ほんのいささかの間の、かりそめの別れだ、いいね？」

源氏が心こめていうのへ、明石の君は、今宵《こよい》ばかりは、明るい灯に面をそむけもやらず、濡れた睫毛《まつげ》の眼を、ひたと源氏にあてて、

「いつかは、と心をきめていましたもの……お恨みはしませんわ。今まで、ずうっと、この日のために そなえて、強くなろうと、自分をはげましていましたの。おかげで、毎日毎日、はりつめてみち足りた日々でしたわ」

さわやかにいうのも可愛《かわい》かった。

「では信じてくれるのだね、迎えをよこすのを。こんどあうのは、京で、だと……」

明石の君は返事はせずに、微笑してうなずく。その深い想いを湛《たた》えた黒い瞳《ひとみ》に、源氏は心を吸いこまれてゆくような思いをする。

「とうとう、あなたは琴を聞かせてくれなかったね。――では私が、あなたにあとで思い出してもらうために弾こう」

源氏は、京から携えてきた七絃琴《しちげんきん》を浜の家に取りにやって、心こめたひとふしをかき鳴らした。

澄んだ夜更けにそれは美しくひびき渡った。

入道も堪えきれず、箏《そう》の琴《こと》をとって几帳の中へさし入れた。明石の君は、いまはたかぶる心を抑えかね、涙ぐみながら、誘われるように弾き出した。

心にくいばかり澄んで冴《さ》えた、気品たかい爪音《つまおと》である。

(ああ……藤壺の入道の宮を思わせる……宮の琴の音《ね》は花やかさがあった。しかし、これは、底ふかく神秘的だ。ふしぎな女人だ)

源氏が、もっと聞きたいと思うところで、明石の君は弾きやめた。こんなすぐれた音色をなぜ今まで聞かなかったのかと源氏は惜しかった。

「この琴は、また一緒に弾くまでの形見に」

と源氏は、自分の琴を与えた。

「そんな日は、いつ来ますことやら……」

明石の君は、仄かに口ごもりつついう。

「気やすめにいうのではない。この琴の、中の緒《お》の調子の変らぬうちにきっと、都であおう。信じてくれ」

「でも、そんな先のことより、目の前のおわかれが悲しくて」

理性的な明石の君が、いまは自分を制御することができず、涙を必死にこらえているさまに、源氏はひとしおの愛と執着をおぼえる。

出発の日――まだ明けやらぬ暁に、住みなれた館《やかた》を発《た》つ。京からの迎えの人に囲まれ、はや、身はもう運命に運ばれてこの浦を去らねばならない。かの女《ひと》と別れを惜しむひまはなかった。源氏は心をひき裂かれる。

京を去る日は京に、明石を去る日は明石に。

どこまで煩悩《ぼんのう》の劫火《ごうか》にまつわられる身であるのか。

佳《よ》き女人《ひと》の住む館《たち》をふりかえる源氏の姿に断ちきれぬ未練がうかがえる。

供の良清はそれを妬《ねた》ましく眺めていた。

入道は、旅立ちの支度を美事にととのえていた。

源氏の側近の人々はもとより下人に至るまで、旅装束を餞別《せんべつ》に贈った。いつのまに、こんなに、と人々が驚くほどだった。

源氏の衣服はいうまでもなく、御衣櫃《みぞびつ》（衣裳箱）を幾荷も、供に担《にな》わせるのだった。都への土産《みやげ》のおくりものも、心ゆきとどいていた。

源氏の旅装束にと美しい新調の狩衣《かりぎぬ》がとどけられ、明石の君の手紙が添えてある。

「海辺で裁ち縫いました衣は、涙に汐垂《しおた》れて、お厭いになるかもしれませぬが」

源氏は好意を受けて着更《きが》えることにした。それまで着ていた衣を、形見にやり、

「また逢う時まで、たがいの衣をとり換えるべきだった――衣とともに、私の心も、あなたのもとへ置いていく」

あわただしい中だったが、走り書きをしたためて托す。

明石の君は、源氏の薫物《たきもの》の匂《にお》いの沁《し》みた衣をしばらく、抱きしめていた。

「娘のことを思い出して頂ける折もありましたら、どうぞ、ひとことのお便りでも……。世を捨てた身がこう申すのも恥ずかしゅうございますが、子ゆえの闇《やみ》、でございます」

と入道は萎《しお》れて、国境《くにざかい》まで送りつついうのであった。源氏は入道の悄然《しょうぜん》としたありさまを、あわれにみた。人いちばい子煩悩な入道にしてみれば、娘が捨てられはしまいかと、どんなに心をいためていることであろう。

「いうまでもないことです。ことに子供のこともあるのですから、私も心づもりはいろいろしております。私の誠意のほどはすぐお分りになりますよ。ただ、この浦の住みかを見捨ててゆくのだけが辛いですね」

源氏は、思い出ふかい海辺の景色を眼に焼きつけようとするかのように眺めわたした。

入道は涙をこぼしていた。ああ、もう去ってゆかれる、都へお還りになったら雲の上人、自分や、自分の娘ごとき、田舎住まいの、位もなき人間は、お目にかかることもできないのだ、と思うと悲しみと不安で、老いの涙がこぼれるのだった。

夢が消え、掌中の珠《たま》が砕けたように入道は思う。

源氏はそんな入道をやさしくなぐさめて、

「それより、気を張ってしっかりして下さい、あれには子供が生まれるのですから——私の子供をよろしくお願いします」

入道が涙で見送るうちに、源氏一行の船は沖の彼方《かなた》に小さく小さくなっていった。

いつまでも手を振る人々を乗せて……。

「とうとう……お帰りになったのね。都へ、美しい北の方や、愛人の待っていらっしゃる京へ、あのかたはいってしまわれたのね」

と、娘はいって、袖《そで》に顔をうずめてすすり泣いていた。

それを見る入道の方が、辛いのである。

娘は、もともと、おちついて理知的なところがあり、自分の感情をあらわにみせたりしない、つつしみぶかい性格なのに、いまはうらめしげに泣き惑うていた。

理性では、源氏の帰京を納得しながら、心はそれに抗《あらが》っているのであった。

源氏の前では、けなげに振舞って堪えていたものが、父や母や、乳母《めのと》という内輪の人々の前では、支えきれなくなってしまったのだった。明石の君は、母にすがりついて泣き沈んでいた。

母の北の方も、娘の背を撫《な》でて、もろともにおろおろと涙ぐみ、乳母も慰めかねて、もらい泣きする。

そういうとき、女たちの非難の鉾先《ほこさき》は入道に向けられるのである。

「ほんにどうしてこうも気苦労の多い結婚などさせたものか。お父さまが頑固に言い張られるのに負けてしまったわたしが悪かった」

と母北の方が嘆くと、乳母もおくれじと、

「いつになったらお姫さまのお幸わせなご結婚を見られるかと楽しみにして、やっと願いが叶《かな》ったと思ったのもつかのま、身重のお姫さまを置いて婿君《むこぎみ》はいってしまいになるとは。……なんとふしあわせなご縁組でしょうねえ」

と愚痴《ぐち》をいったり、入道にあてつけたりする。

「ええい、うるさい。あの方は不実な方ではない。私の子供をよろしくたのむ、とはっきり仰《おお》せられた。心づもりをしている、と言って下されたのだから、お任せしておけばよい。娘に、心の静まる薬湯など飲ませてやれ。おなかの子に障《さわ》ってはいけない——ええい、泣くなというのに。不吉な」

そういう入道の方が、悲しみになかば呆《ほう》けてしまって、昼はうつうつと眠り、夜は起き出して、数珠《じゅず》の置き場所も忘れ、まるで耄碌《もうろく》したようになって弟子たちに馬鹿にされている。月夜に外へ出て経を誦《よ》みつつ行道《ぎょうどう》しているものだから、遣水《やりみず》に落ちたりして、したたか岩角に腰を打ち、わずらって寝付いてしまった。しかし、

「ううむ、ううむ」

と痛さに唸《うな》っているうちは、気苦労も少しはまぎれているようだった。

源氏は難波《なにわ》でお祓《はら》いをした。

足かけ三年にわたる流亡生活中の、罪や穢《けが》れを落して都へはいろうとするのである。不快な思い出や不幸な涙、まがまがしい悪夢の一切を、ふり払いたいのであった。

何より、こうして無事帰京できたのは、住吉の神のおかげである。このたびは急のことなので参詣《さんけい》できないが、いずれ改めて、願《がん》を果しにお詣《まい》りしますと、使者をたてて、神にお礼申しあげたことだった。

帰りの旅の早さ。帰心、矢のごとしとはこういうのをいうのだろうか。二條院へ着いたときは、帰った者、出迎えの者、ともに夢心地で、手を取り合って嬉し泣きの涙にむせぶばかり、今までの暗雲が晴れて、日の照るような晴れやかさだった。

源氏は心もそぞろに西の対《たい》へ向う。

几帳《きちょう》のうちに、紫の君はいた。

なぜか、かたく、目を瞑《つぶ》って。

源氏は微笑しながら、近寄った。と、紫の君は、顫《ふる》える声でいう。

「お召物の、薫香《くゆり》が匂うわ……ほんとうに帰っていらしたの？」

「そうだよ。なぜ、目を瞑っているの？」

紫の君は、今度は、白い両手で、わが目を掩《おお》ってしまった。

「はずかしいからよ、何だか……」

源氏がそろっと、彼女の手を取りのけようとすると、紫の君はぱっと手を放して、

「ほんとうだわ！　帰っていらしたのだわ！」

と信じられないように大きな瞳をみはった。

「夢がさめるといけない、と思って、眼をつぶっていたのかい？」

「いいえ！　はじめてお姿を見る喜びを、二倍にするためよ！」

「何という欲深さんだろう……」

ひしと抱きしめた源氏も、紫の君も、うれしさに笑い出して、息もつけないくらいだった。

紫の君は、三年前より、もっと美しくなっていた。面立《おもだ》ちも軀付きも、大人《おとな》びた美しさにあふれながら、いきいきした表情は、かつての童女の頃そのままだった。

「もう、どこへもいらっしゃることはないのね？」

「どこへいくものか、これからはずうっと、あなたのそばで、こうしていられるのだよ」

死がふたりを裂くまで、と源氏は思った。

紫の君の黒髪に顔を埋め、この愛する人を見ずに、よくも長い年月、過ごせたものだと思われる。

「あなたを見ずに過ごした三年の月日が惜しい。とり返したい思いだよ」

「欲深さんは、どっちのことなの？」

と、ふたりでまた笑いあい、この幸福が現実かどうかをたしかめるように、恍惚《うっとり》とみつめあうのであった。

しかし、源氏の心の底では、その幸福に酔えば酔うほど、飽かぬ別れをした明石の君があわれに思い出される。

恋の苦労は、源氏の生涯についてまわって、心の休む間とてなさそうである。

紫の君は、再会のよろこびにすこし心がおちつくと、

「明石のかたは、あちらに置いていらしたの？」

と心がかりな風をみせてたずねるのだった。

「親もいることだから……」

源氏は問われることにだけ、返事をする。

「さぞ、お別れはお辛かったことでしょうね？」

「それはまあ」

「わたくしにはわかりますわ。あなたが京をお発ちになったときの、わたくしの気持と同じなのね、そのかたは。——もう少し、もう少し、お姿を見せて、とお引きとめにならなかった？」

源氏の胸に、必死に涙を堪《こら》えて琴を弾いていた明石の君の姿が浮ぶ。

「美しいかたなのね？　さぞ……」

紫の君は、源氏の顔色を見て、さまざまな思いが、これも胸にあふれるらしく、つと顔をそむけて、

「お心のうちに棲《す》んでいるのは、わたくしだけじゃなかったのね……つまらない……」

と、すこしばかり拗《す》ねていう、その可憐《かれん》さ。

この人もいとしければ、かの浦に住む人も可愛いのだ、と。

この人がいとしければこそ、かの人もいとしいのだ、と。

紫の君あっての、明石の君だ、と。

それをどうして知らせられようか。男の愛はいくつもの容器《いれもの》があって、そのどれもが真実を湛えているのだ、ということを、どうやって女人に理解させられようか。

源氏は前官に復し、更に昇進して権大納言《ごんのだいなごん》になった。源氏以下、源氏の失脚に連坐して欠官停任していた人々も、みな、もとの官位を返され、枯木に花が咲いた心地だった。

帝のお召しで源氏は参内《さんだい》した。御前にかしこまって座をしめる源氏を、人々は、なにかひと廻り大きくなったように頼もしく眺めた。

三年間の不遇時代の体験は源氏を鍛え、放縦な遊蕩児《ゆうとうじ》から、沈着重厚な、たのもしい国家の柱石に変貌《へんぼう》させたかのようだった。人々の期待や信望が、おのずと源氏の一身にあつまってゆく。――故桐壺院の頃から仕えている老いた女房たちは、「ごりっぱにおなりあそばして……故院がご覧になれば、どんなにか……」と、泣きながら、源氏をまたふたたび御所で見られたことを喜ぶのだった。

帝は日頃、お心地がすぐれずにいられたが、源氏をごらんになって、

「おお……久しかった。つつがなく帰って何より。そなたを見て、気分が晴れゆくように思われる」

と仰せられた。そのおやさしいお声の調子。源氏の胸にも、兄帝へのなつかしさ慕わしさがひろがってゆく。源氏は帰京の喜びを噛《か》みしめていた。

侘《わ》びぬればはかなき恋に
澪標《みおつくし》の巻

久しぶりにお目にかかった東宮《とうぐう》は、たいそうご成人になっていて、源氏との再会をお喜びになった。源氏もなつかしく、いとしい思いはかぎりない。

御学才もすぐれ、やがては帝王として、世を保ちたまうにふさわしい、聡明《そうめい》なご資質に拝される。

母君の入道の宮の許《もと》にはすこしおちついてから源氏は参上した。

公《おおや》けの席での挨拶《あいさつ》は、通り一ぺんのものであるものの——人知れぬ心を、源氏は宮に、熱い視線で訴えた。

(戻りました。おそばへやっと戻ってまいりました。三年の空白は、これからの献身に免じておゆるし下さい。もう、どこへも離れませぬ)

宮も、源氏を眺められて、春がたち返ったような喜びをおぼえていられた。源氏の不在は、どんなに源氏が宮にとっても大切な存在だったかを、お知らせしたのだった。

しかしそれを言葉で伝えるすべもなく、また、もはや二人のあいだに、言葉での証《あか》しは、必要なかった。宮はつつましく仄《ほの》かに、

「つつがないお姿を拝見して、うれしく存じます」

と仰《おお》せられただけだった。

明石《あかし》から源氏を送ってきた人々――入道に仕える者たち――は、都で手厚くもてなされて、明石へ帰ってゆく。源氏は明石の君への文《ふみ》を托《たく》した。

「私の去ったあとの浪《なみ》の音を、あなたは夜、どんな思いで聞いていることか。私の耳にも、浪音と、あなたの琴の音がひびいて消えない。

〈嘆きつつ明石の浦に朝霧の　立つやと人を思ひやるかな〉」

源氏は、紫の君に見られないように隠れてしたためた。

かの、五節《ごせち》の君からも、人知れず文をよこしてきた。源氏も憎からぬ恋人であったし、須磨に恋文をよせてきたいじらしさを思い、返事をやったが、帰京後は身分も重くなり、公私ともに多忙で、軽々しい忍び歩きはできなくなってしまった。

花散里《はなちるさと》へも、手紙ばかりで、会いにゆく時間はなかった。花散里の君は、源氏が都へ帰ってから、かえって寂しい思いをしているらしかったが、温和《おとな》しい人柄の女性な

ので、例のように、怨《うら》んだりすねたりしていない。

源氏が帰京後、まっさきにとりかかったのは、故院の御仏事であった。夢にありありと見たてまつったので、父院のご菩提《ぼだい》を弔うため、十月に法華八講《ほっけはっこう》を催した。世間の人々は争って参列し、源氏の威勢はまたもとに復したようであった。

弘徽殿《こきでん》の大后《おおきさき》は、いまなお、ご病状がはかばかしくない。源氏を徹底的に排斥できなかったことをくやしく思っていられるが、帝《みかど》は源氏を呼び戻して、ほっとしていられた。

これで故父院のご遺言《ゆいごん》にそむかずにすむ、と安心なさったせいか、ご眼病もなおられてお心地がさわやかだった。

しかし、かねてからご病身のせいもあって、ご譲位のご決心は固まるばかりである。源氏をたえず内裏《だいり》に召し寄せられ、政治上の補佐役とされるので、世間の人々は、これでこそ理想的な状態よ、と喜ぶのだった。

皇位をおりようとされる帝は、愛妃の朧月夜《おぼろづきよ》の尚侍《かん》の君のことを、ふびんに思われ、心を痛めていられた。

「右大臣も亡《な》くなられ、大后は病床に臥《ふ》していられる。私は病身で、短命が予感されるし……あなたを残して逝《ゆ》くようなことがあったら、あなたはどうなるのだろう。――あなたは以前から、源氏の君の方を愛していられたが、私が亡くなったら、わかりますよ。私の愛情が、いかに深かったか……」

帝は涙ぐんでいられた。

尚侍の君は顔を赤らめ、美しく上気して、涙をこぼしながら聞いていた。それをごらんになる帝は、どんな過失も罪も忘れてしまわれ、ただいじらしく可愛いばかりに思われる。

「どうしてあなたにお子ができないのか、残念でならない。将来《さき》のことはわからぬが、――私の亡きあと、源氏と結婚されることでもあれば、あれの子はすぐお持ちになりそうな気がして、くやしい。――だが、身分上、その子はただの臣下になってしまう。もし、私とあなたの子供ができれば、皇子皇女なのに……。私が繰《く》りごとをいうと思われるか……これもただひとえに、あなたの生涯が安かれ、幸わせなれ、と思っての、心くばりなのですよ」

帝がおやさしく、噛《か》んでふくめるように言われるのへ、尚侍の君は恥ずかしく悲しく、うつむいていた。「源氏の子供を……」などいわれると、尚侍の君は身のおき所もなく、恥ずかしかった。

帝はご容貌も清らかにお美しく、尚侍の君へのご愛情も年月とともに深増さりしてゆかれるようにみえる。なんという勿体《もったい》なさであろう。

それにくらべ、源氏は、魅力ある男性ではあるが、これほど変らぬ真実を長く持っていてくれたかどうか。

いまは、尚侍の君も、青春の日の無思慮をかえりみて、物ごとをわきまえるようになっていた。

（あのとき、どうしてあんな、あさはかな騒ぎをひきおこしてしまったのかしら……情熱のおもむくままに、はずかしい浮名を立て、帝のお心を傷つけ、源氏の君にも迷惑をかけてしまった……その無分別を、帝は、ひろいお心で許して下さったのだわ……）

尚侍の君は、物の道理がわかってくると、帝への申しわけなさで、辛《つら》い思いがしていた。

年あけて二月、東宮は御元服になった。

おん年十一歳、お年のわりに大きく、お美しくて、源氏と瓜《うり》二つといっていいくらい似ていられる。入道の宮は、そのことでひそかに、お心をいためていらした。

帝は東宮のご成長をたのもしく思われ、世を譲られることなどを、やさしく、東宮に教えておあげになる。

二月の二十日あまりに、譲位のことがあった。大后はおどろかれ、あわてられた。

「また、にわかにみ国ゆずりとは」

「退位してのんびりすれば健康も取り戻せましょうし、ご孝養もつくせようかと思いまして」

と、帝は慰められた。世の人は、位をおりたもうた君を、朱雀院《すざくいん》とお呼びするらしかった。

東宮には、承香殿《しょうきょうでん》の女御《にょうご》のおん子が立たれた。

世の中の一切はあらたまり、花やかににぎわった。

源氏は大納言《だいなごん》から内大臣になった――左右大臣の座はすでに占められていたからである。

そのまま摂政《せっしょう》として政治を見るのであろうと世人は思ったが、源氏は「そんな繁忙な重責には堪えられない」として、隠退した大臣にゆずった。亡き妻、葵《あおい》の上《うえ》の父君である。大臣は、すでに官を辞した上に、老齢だから、と否《いな》まれたが、乞《こ》われてついに太政大臣《だじょうだいじん》になられた。お年は六十三になられる。

子息たちも沈んでいたのが、打ってかわって花やぎ、浮かび上った。かの、葵の上の兄、かつての宰相《さいしょう》の中将は、権中納言《ごんの》に昇進した。北の方はもとの右大臣の四の姫である。その腹の姫君が十二になるので、いまの帝に入内《じゅだい》させようと大切に育てている。若君は元服させ、数多い子女で、邸内はいつも賑《にぎ》わっているのを、源氏は羨《うらや》ましく思った。源氏は、権中納言にくらべ、子供は、葵の上にできた夕霧ひとりである。

夕霧は人目を引く美しい少年に育って、童殿上《わらわてんじょう》（行儀見習いに貴族の子弟が、御所で仕えること）をしていた。それを見るにつけても葵の上の亡くなったのを、いまだに父大臣や、母の大宮は嘆いていられたが、源氏は、いまも昔に変らぬ心ばえで、大臣の邸《やしき》をよく訪れる。

夕霧の乳母《めのと》をはじめ、古い女房たちにも、いろいろによく計らうのであった。二條の院に仕えて、源氏の帰邸をひたすら待っていた者たちにも、源氏は厚く報いた。

また、中将や中務《なかつかさ》といった、情人にしている女房たちにも、それぞれに応じて心くばりをするので、外出しているひまさえないのである。源氏は愛人たちを集めようと思った。

二條院の東にある邸を改築して、
（花散里のような、心もとない人々をここへ引きとって住まわせよう）
という構想のもとに、修理をはじめた。
源氏は、公私怱忙《そうぼう》のうちにも、明石の君のことを忘れてはいなかった。
三月ごろになると、（そろそろ、産み月ではないか）と人しれず、あわれに思いや
って、使いを明石に立てた。使者は急ぎ戻り、
「十六日に生まれられました。姫君でした。ご安産で、母君もおすこやかにいられま
す」
と報告した。源氏は嬉《うれ》しかった。
はじめての女の子ではあり、（なぜ、京へ迎えとって出産させなかったのだろう）
と残念だった。内大臣の姫ともあろうものを。
娘を駒《こま》に持つ――源氏は政界に、さらに強力な布石をしたわけだ。
源氏は、ひとりひそかに思いをめぐらす。
須磨流謫《るたく》後の源氏は、もはや、昔の源氏ではない。あの政治的失脚に際して、政敵
たちがどんな酷薄・陋劣《ろうれつ》な手を使って、源氏を圧迫したか、源氏は骨身に沁《し》みたので

ある。

いま源氏は野心に燃える壮齢の政治家として復活した。源氏はもはやいったん握った権力を、どんな手段を以《もっ》てしても失うまいとする。

あらゆる政敵を蹴落《けおと》し、政治的生命を充実しつづけて、権力の中枢《ちゅうすう》に居坐ろうと決意している。いな、それはまた、天下のためでもある、と思っている。自分を措《お》いて、この国を保つ者はいない。自分以上に、一国の執政たるにふさわしい器《うつわ》があるか。源氏は確信してゆるがない。

そのためには、源氏はあらゆるものを政治的に利用する気があった。

女の子が生まれれば——やがては、次代の帝に、入内させることも、あり得ない夢ではない。

源氏はかつて、運命を占わせたとき、

「お子は三人。帝と后が生まれたまう。低い身分の方は太政大臣となり、位人臣《くらいじんしん》をきわめられましょう。また、后は、いちばん低い身分の女人の御腹に生まれたまうでありましょう」

といわれたことがある。

源氏は、いまそれを思い出して愕然《がくぜん》とする。

三人の子のうち、一人は帝に、というのはまさしく、当帝《とうだい》の冷泉帝《れいぜい》のことではないか。人こそ知らね、源氏のおん子であられる。とすれば、后に、というのは、いま生まれた明石の姫君の遠い将来のことにちがいない。

尊い后の位にのぼるべき姫が、波あらい磯《いそ》の片ほとりで生まれたとは、ふびんな気がして、源氏は早急に、明石の君母子《おやこ》を、京へ引きとりたいと思った。

政治的野望をふくむとはいえ、——情《じょう》の濃い源氏は、遠く離れた明石の君母子に、満身の愛をそそがずにはいられぬのであった。

だが、源氏のよろこびを、紫の君はどう受けとめるであろう。紫の君に、どう告げるべきか。

紫の君には伏せたまま、源氏は次々と明石の小さな姫君に心づかいを示していた。あのような田舎《いなか》では、はかばかしい乳母《めのと》などもみつかるまいと思って、まず、乳母を物色した。折もよく、ちょうど恰好《かっこう》の女があった。故桐壺院《きりつぼいん》にお仕えした宣旨《せんじ》の娘である。父親は宮内卿《くないきょう》で参議だったが、もう亡くなっていた。宣旨だった母も亡くなったあと、心ぼそい暮らしの中に、かりそめの恋をして、子供を生んだと聞いて、源氏は仲立ちの人を介して、乳母に採用する話をすすめた。

女は、身寄りもなく貧しい暮らしに心ぼそい頃だったし、源氏からの話なので一も二もなく結構なことと思い、ふかくも考えず承知した。

源氏はそれを哀れに思って、外出の折に、そっと女の家へ寄ってみた。

女は、引きうけたものの、都を離れて明石へいくとなると、「どうしたものか……」と思い迷っていたが、源氏が自身訪れてくれたのに慰められて、決心がついた。

「行ってくれるかね。では、ちょうど日も吉《い》いから急いで発《た》ってもらいたい。思いやりのないことをいうようだが、あの子については私も、格別の考えがあってね」

と源氏は、やさしく女を説得した。

「明石というと、都落ちするように思うかもしれないが、私自身も侘《わ》び住居《ずまい》した所だから、それにならってしばらく、がまんしてくれないか」

などと、明石のことや、入道の一家のことなどくわしく語ってきかせるのだった。

源氏は彼女を見知っていた。故父院のおそばに母と共にお仕えしていた頃、見たことがあったのだが、そのころから見ると、たいへんやつれている。家も荒れ果て、大きな木々が気味わるいほど繁って、(こんな所でどうやって暮らしていたのか、哀れな)と源氏は思った。

女はまだ若く美しくて、情けありげで、源氏はふと興がうごく。これでは男が捨て

おかないはずだと、源氏は、女から目も離さず見つめている。れいの癖が出て、

「明石へやるのが惜しくなったな。どうする」

と源氏は戯《たわむ》れた。

「ほんとに同じことなら、殿さまのおそばでお仕えしとうございますわ」

女はしみじみそういった。

「深い仲というのでもないのに、別れというのは辛いものだな。あとを慕っていきたくなった」

源氏がいうと女は笑って、

「わたくしのあとを追われるのは口実で、明石の御方さまにお会いになりたいのでございましょう」

と返す。さすがに洗練されて、男馴れた応酬だった。

乳母は車で京を出ていった。源氏は腹心の召使いをつけて、こっそり発たせたのである。乳母には、明石の姫のことは人に洩《も》らすな、と口止めした。お守り刀とか、そのほか必要な物一切、おびただしく持たせ、乳母にも充分な心づかいをした。

入道がどんなに小さな姫君を大事に世話し、愛しているであろうと源氏は思わずほ

ほえまれる。と同時に、この手で抱きあげてやれない姫君を哀れにも思い、心から離れない。母になった恋人の明石の君への手紙にも、

「くれぐれもおろそかにせず、大事に育てて下さい。あなたと小さい姫を、一日も早く手もとへ引きとれる日を夢みている」

としたためた。

乳母の一行は摂津《せっつ》の国までは舟で、それから先は馬で急いだ。入道は待ち受けていて、限りなく喜び、都の方を向いて拝んだ。源氏の心づかいに感激すると共に、姫君がますます尊い存在に思われた。

乳母は姫君を見て、

「まあ、お美しいちごさま」

と感嘆した。源氏が先々のことを見通して大事にかしずこうとしているのも道理だと思った。なれぬ旅の苦しさも、都落ちした侘びしさも忘れ、姫君が可愛《かわい》くなって、大切に世話をするのだった。

子持ちになった明石の君も、源氏と別れて以来、物思いに衰弱していたが、このたびの源氏の配慮でなぐさめられる気がしていた。床からあたまをあげて、使いの者にも、できるかぎりのもてなしを命じたりした。

「すぐ帰ります」

と使者が帰京を急ぐので、明石の君はすこしばかり手紙をしたためた。

「わたくしが一人で育てるのは心許《こころもと》なく存じます。あなたの力強いお手に、ちいさい姫を抱きあげて頂ける日が、はやくまいりますように」

源氏はそれを見て、いよいよ、あやしいまで小さい姫君が心にかかり、早く会いたくてたまらなかった。

こういう、明石との往来が、いつかは紫の君の耳にも入らずにはいないだろうと、源氏は思った。

他人の口から聞いて紫の君が不快になるよりは、やはり、自分から告白しておかねばならない、と源氏は決心した。

明石の君のことは、それまで紫の君には決していわなかったのであるが。

「小さい姫が出来てね、明石に……。三月のなかばだった。——人生というものは皮肉なものだね。子供があって欲しいと思うあなたには出来なくて、思いがけぬ明石に出来たりするのだから残念だ。それに女の子だから、張り合いもなくてね。構わずにおいてもいいのだが、まあ、そういっても、打ち捨てるわけにもいかないし……。いずれ京へ呼び寄せて、あなたにも見せよう。憎まないでやっておくれ」

源氏がさりげない口調をつくろって、やさしくいうと、紫の君は顔を赤らめた。

「まあ。わたくしが憎むなどと。そんなに意地わるにみえますの？　もし、そうなら、わたくしに物憎みや意地わるを教えたのはどなた？」

と可愛らしく怨んでみせるのだった。

「全くだ。誰が教えたのだろうね。そういわれると痛いよ。しかし、あなたが意地わるだなどとは、むろん思いもしないよ。私の言葉から気を廻して怨んだりすると悲しくなるね」

源氏は言葉をつくしてなぐさめる。

「子供ができたといってもそれは、そういう成りゆきのこと。私とあなたの仲の真実や、愛の深さは二人だけがよく知っていることだ。これにまさる何ものも、この世の中には、ないのだよ……子供は、かたちになって現われるから、大きな意味があるように人は錯覚する。しかし、目にみえない、手でつかめない愛が、二人のあいだに在るほうが、人生の意味は大きいのだ。それに比べれば、子供などは問題ではないよ——私は、愛、というものをそう考えている」

源氏は、心ざま深い男だから、子供を持てない紫の君の傷心を、思いやることができる。

もとよりそれは、男という制約のうちでの省察だけれども、世の心浅い粗暴な男の論理や思考とは、ずっと違っていた。

「あの、私が須磨にいたころ、互いに通わせあった愛の手紙や、こころざし。あの別れの苦しみを経て、育ててきた私たちの愛こそ、私たちの目にみえぬ子供、私たちの宝ではないだろうか……」

紫の君は素直にうなずく。

源氏の言葉で、彼女はかつての、別れ別れに棲《す》んで、たまらず源氏が恋しかったあの日々を思い出す。あの愛と信頼が真実であってみれば、源氏の、どんな浮気もいっときのたわむれにすぎないとも思われる。

「明石の女《ひと》にこうもいろいろ気を使うのは、ちょっと思う仔細《しさい》があるからなのだが、今はそれはいわずにおこう。あなたが誤解するから、そのうち、追々と話そう」

とも源氏はいった。

「明石のかたは、どういうかたなの？」

紫の君は、聞きたくもあり、聞くのも怖かった。

源氏がよくいえば悲しいし、悪くいっても源氏のために悲しかった。

「人柄が上品で趣味のいい人だったよ……しかしまあ、あんな物淋しい荒磯でめぐりあったのだから、珍しく思えたのかもしれないね」

そう源氏はいいながら、それでもあわれだった別れの宵、あの女《ひと》の悲しげな瞳《ひとみ》、その夜の琴の音《ね》、忘れることはできない思い出が、言葉のはしばしにふと洩れるのだった。

紫の君は、

（聞かなければよかった……）

と悲しかった。自分は源氏と別れ住んで、あけくれ嘆き佗びていたころ、この人はいっときのたわむれにせよ、ほかの女《ひと》に心移していたのだと思うと、恨めしかった。思えば恋人は一心同体なんて嘘《うそ》なのだ。明石の君を思っている源氏は源氏、自分は自分。別々のものだわ、と紫の君は背をみせてしまう。

「さびしいわ。どんなに愛し合っていても、所詮《しょせん》は孤独なのね……。あなたは明石のかたとご一緒にたのしくお暮らしになればいいわ。わたくしは一人さびしく死ぬのよ」

「何だって。情けないことを今さらいうんだね。誰のために、私が今まで海山をさすらって苦労したと思うの？　みな、あなたのためじゃないか。どうしたら私の本心が分ってもらえるかね。つまらぬことで人の怨みを買うまいと気をつけているのも、ただあなたと末長く幸福に暮らしたいと思えばこそ、じゃないか」

源氏はさまざまに機嫌をとって、仲直りのために箏《そう》の琴《こと》を弾きすさび、紫の君にすすめたが、彼女は手も触れない。

「明石のかたはお上手だったのですってね、とてもひきくらべられませんわ」

と拗《す》ねていうのであった。もともと、おうようで、美しく柔らかい性質の紫の君だが、明石の女《ひと》のことに関しては、さすがに執拗《しつよう》な怨みや嫉妬《しっと》をもっているらしい。ふくれている紫の君はかえって愛嬌《あいきょう》があり、その怒った顔が、源氏にはまた、愛らしく見えた。

やがて五十日《いか》の祝いであった。生後五十日めに、すこやかな生育を祈願して、餅《もち》を赤児の口にふくませる祝いである。その日は五月五日にあたる。源氏は人知れず数えて、姫君をなつかしんだ。京で生まれたならどんなにか立派にとり行なってやったろうものを、と残念だった。

男の子ならこうも気にはしないのだが、姫となると、将来どんな尊い身分になるかもしれない。それには疵《きず》なき玉として、最高のかしずきをしてやりたかった。

源氏は五十日《いか》の祝いの使者をたてた。必ずその日に着くように、と命じたので、ちょうど五日に、使者は明石に着いた。入道一家の喜びはいうまでもない。明石でも、祝いの設けは派手にしていたが、源氏の使いがなければ、闇夜《やみよ》のように見栄《みば》えがしなかったろう。源氏はさまざまの立派な贈りものに添え、明石の君にまめやかなやさしい文《ふみ》まで書いていた。紫の君にはみせられぬような……。

かの、若い乳母、宣旨《せんじ》の娘は、都から明石へ下ることを淋《さび》しく思っていたのだが、いまはすっかりこの地に馴染《なじ》んでいた。それというのも、仕える明石の君の、やさしくおくゆかしい人柄に傾倒したためであった。この君をこよない話し相手とも思い、共に過ごす日々を喜んでいた。

明石の君もこの乳母が好きになった。仕える女房たちの中には、この乳母に劣らぬ身分の人々もいたが、それらは宮仕え女房の落ちぶれて尼にでもなろうかというようなくすんだ者たちばかりだったから、乳母はひと際《きわ》目立った。まだ若々しく、娘っぽく美しくて、その上、上品でもあり、気位も高かった。

話題も豊富で、話しぶりも洗練されていた。都の噂《うわさ》や、源氏の、世にもてはやされているありさまなど、女らしい興の動くままにそれからそれへと話しつづけるのだった。

明石の君はそれを聞いて、あらためて恋人と呼ぶ男の社会的位置を知らされた気がした。

田舎にいては世間がせまく、何も知らないで過ぎるところだったけれど……。

(それにしても、あのかたに、時折は思い出していただけるよすがの、子供を持ったことは、やっぱりわたくしの運が強かったのかもしれないわ……)

と明石の君は思うようになっていた。小さい姫君を抱きあげて、無心にねむる顔をながめながら、

(ちい姫さん。あなたのお父さまは、天下第一の人の源氏の大臣《おとど》なのよ)

と幸福の笑みを浮べるのだった。赤児の姫は、「小さい姫君」というので「ちい姫さま」とよばれていた。

五十《い》日《か》の使いに托された源氏の手紙を、乳母ももろともに見せてもらった。

「どんな五十日の祝いをしたのだろうと気がかりでならないのです。

心もそらに、あなたのことを思いつづけています。あなたも姫も、私はこれ以上、そこへ置いておくのに堪えられない。はやくこの腕に迎えとりたい。思いきって上京して下さい。こちらへ引きとっても心細い思いは決してさせません。はやくあなたにあいたい」

乳母は心中、ためいきをつくほどうらやましかった。

（こんなに男に愛される幸福な女のひともいるのだわ。それにくらべて、私はどうだろう……）

などと思っていたが、源氏の手紙には、そのあとに、

「乳母はどうしていますか」

と、こまやかにたずねてあって、まあ、うれしい、気にかけて下すっているのかしら、となぐさめられる気がした。

明石の君の返事は、

「田舎住まいの身ですもの、ちい姫の五十日の祝いといっても、ひっそりしたものでございました。でも、あなたのお使いのおかげで、心が晴れ、うれしく存じました。いつも物思いにあけくれておりますが、あなたのお使いがきますと、命が延びるように嬉しくて。

それにつけても、ちい姫のことを、よろしくお願いします。どうか、あの子の生《お》い先に不安のありませぬように、あなたのおやさしいお心でおはからい下さいまし……」

源氏は明石の君の生《き》まじめな手紙をくり返しみて、吐息をついた。明石の君は、不安定な位置で持った、不安定な子供に、心ぼそい思いをし、それゆえにいっそう、切ない愛を子供にそそいでいるのであろう。彼女の頼るのは遠く離れた源氏だけなのだった。

明石の君の手紙には、いまはまめやかに子供のことばかりで、色めいた言葉の、一《ひと》行《くだり》もないのが、源氏には不愍《ふびん》にもあわれにも思われた。

源氏が手紙を手にして屈託ありげに考えこんでいるのを、紫の君は流し目にみて、

「わたくしは、のけものなのね。いいのよ……」

とひとりごとのようにつぶやく。

「また、ひがむの？　何でもない手紙なんだよ、これは」

「でも、ためいきをおつきになっていらしたわ」

「やれやれ。それはただね、あちらへ流されていたころの私の苦労が思い出されたか

らなのだ。そんな何でもないことさえ、聞き流しできないのかね」

源氏は嘆息して、手紙の上包みだけを見せた。その字の、気品たかく美しいこと。都の貴族の姫君たちさえ、かなうまいと思われるような筆蹟《ひっせき》なのを、紫の君はちらと見て、

（こんなすばらしい女人《ひと》だから、愛してらっしゃるのだわ……）

と思うのだった。

こんな風に、紫の君のご機嫌ばかりとっている源氏は、花散里を訪れるひまさえないのであった。気の毒には思うのだが……。

公務も繁多で、内大臣という身分にもなれば、気軽に外出もできないから窮屈である。

あちらから格別、おどろかせるような便りでもないかぎり、源氏は出かけないのだった。

五月雨《さみだれ》の、つれづれなころ、公私ともにすこしひまができたので、源氏は思い出して花散里のもとへいってみた。

訪れないときも、源氏はたえず、生活の庇護《ひご》はしているし、花散里の方も、源氏を

たよりにしている。この女《ひと》の気立てとして、蓮っ葉《はすば》に恨んだり拗ねたりすることはないので、源氏も気安いのだった。

家は、いよいよ荒れて、凄《すさ》まじいくらいになっている。

女御《にょうご》の君にまずご挨拶《あいさつ》しておいてから、源氏は、恋人の部屋へいった。夜が更《ふ》けて朧月《おぼろづき》が軒からさしいり、仄明るい中へ、源氏が艶《えん》なすがたではいってきた。花散里は、こんな明るいところで源氏と向きあうのが恥ずかしかったけれど、今まで端にいて夜空を見ていたものだから、そのままで源氏を迎えた。

そういう、おっとりした、うちとけた彼女の態度は、源氏には好ましいものであった。

水鶏《くいな》が鳴いている。

「水鶏が戸を叩《たた》くから、開けましたのよ。まさか、訪れて下さるなんて思いませんでしたもの。いつも扉をあけても、入ってくるのは月ばかり……」

と、花散里はやわらかく、源氏の足の遠いのを恨んでみせる。

そうやさしく出られると男は弱い。

何てまあ、とりどりにどの女も見捨てがたい美点を持っているものだ。

(これだから、自分も、女の苦労は絶えないのだなあ)

と源氏は苦笑する。

「水鶏が叩くたびに扉を開けていてはこまるねえ。誰が入るか、わかりはしないよ。気になるな」

と源氏は戯れたが、もとより花散里に、そんな浮わついたことなど、あり得べくもない。彼女が、源氏の流浪《るろう》中、ひたすら恋い焦《こ》がれて待ち暮らしていたのを源氏もよく知っており、決しておろそかに思っていなかった。

花散里は、源氏が京を離れる際、別れを告げに立ちよったときのことなど、話していた。

「あのときの苦しみや心配ごとは、今はかえってなつかしくなりましたわ。だって、都へお帰りになってもなかなかお目にかかれないのですもの。そのほうがかえって、辛《つろ》うございましてよ」

この人がいうと、恨みごとさえ、のんびりときこえて愛らしかった。

「しかしこうやって来ているではないか、愛していればこそ、ですよ。世の常の愛ではない、双方からひき合う強い力があるから、たまさかの逢瀬《おうせ》で充足できるのだ。世間の恋人たちをごらん……あの人々が、両方で愛し合っているというのはたいがい錯覚で、厳密にいえば、相手の愛が一方に反映しているだけのこと、だから、世間で愛といい、恋というも、それは愛することだけ、もしくは愛されることだけの、片方からだけの作業にすぎないことが多い。それにくらべ、私たちはどうだろう……」

源氏はそろっと、花散里の小さな肩を抱いて、ともに月を仰ぎながら、彼女の耳にささやきつづける。

「われわれだと、愛し愛される、その愛の完全な形ができあがっているではないか。離れていても、心はひとつ、というのは、私たちのことではないだろうか……」

全く、どこを押して出てくる言葉やら、——源氏は例のやさしい声音《こわね》と言葉を、暖かい雨のように彼女の耳にたえまなく灌《そそ》ぎ、花散里をうっとりさせるのである。

そうこうしている間も、源氏は、かの五節《ごせち》の君のことも忘れない。また会いたいと思うが、重々しい身分になると機会を作るのもままならなかった。

五節の君の方も、縁談に耳もかさず、源氏ばかりを慕っていた。

源氏は、気がねない邸《やしき》を作って、こういう恋人たちを集めたいと思った。もし紫の君に、姫でも生まれた時、こういう人々を後見にすれば親身に仕えてくれるだろう、などとも考えるのだった。それで、二條院の東の院の工事をいそがせていた。

もう一人、源氏の忘れられぬ恋人がある。

兄君の寵妃《ちょうひ》である、朧月夜の尚侍《かん》の君である。今もあきらめきれず、懲《こ》りずまに、尚侍の君を誘惑するのであった。

しかし、尚侍の君は、もはや昔の彼女ではない。いまは朱雀院《すざくいん》の愛に目覚めて、源氏には応《こた》えなかった。源氏は、無鉄砲なことができた昔の、あの若い情熱がなつかしかった。

源氏も、もはや、ひそかに、人妻を掠《かす》めるということの出来ぬ年齢や境遇になっていた。

それは一面、淋しいことでもあった。

兄君の朱雀院は御譲位後、のどかに暮らしていられる。折々は管絃《かんげん》の御遊びなど催され、お気楽なお身の上だった。女御・更衣《こうい》など、お妃方《きさき》は、元のまま変らずお仕えになっているが、新しい東宮の母君、承香殿の女御は、今は院のそばを離れて、御所の、東宮のそばについていられる。この女御は、以前は尚侍の君のご寵愛が盛んで、その陰にかき消されたようになっていらしたのだが、お生みになった皇子が、皇太子になられたばかりに、昔に引きかえた晴れやかなお身の上だった。

源氏の御所での宿直所《とのい》は、昔の桐壺《きりつぼ》である。東宮は隣の梨壺《なしつぼ》にいられるので、源氏は何くれとなく東宮のお世話をしてさし上げている。

かの藤壺《ふじつぼ》の中宮は、すでに落飾されているので、女院《にょういん》と申上げ、それにふさわしい御封《みふ》（年俸）を受けられ、院司《いんじ》の役人もついて、打ってかわって花やかな御威勢になられた。

けれども女院ご自身は、仏道修行に励んでいられて、もはや世俗の栄華《えいが》にご関心はおありでなかった。ただ、今までは世間への遠慮で、宮中への参内もままならず、おん子にお会いになれぬことを嘆いていらしたのだが、今は思うようにお会いになれることを、たいそう喜んでいられた。

それを、弘徽殿の大后は複雑な思いで見ていられる。うつり変る時勢に、

「世の中とは、いやなものだこと」

と大后はともすれば愚痴をこぼしていられるが、しかし源氏は、老いたる大后に親切な心づかいをみせ、やさしくするのであった。

世の人々は、大后はどんなお気持だろうと口さがなく噂した。

源氏は都へ戻って、昔以上の権勢を手にしてからも、流浪時代つらくあたった人々に、仕返しをすることなど、絶えてなかった。

人は、その時々のなりゆきに任せて生きなければしかたのない、弱い存在なのだ。

時の権勢に従わねば一身の保全が完《まっと》うされない場合、心ならずもつれない仕打ちをする、そういう弱い人の心を、源氏は、咎《とが》めるつもりはなかった。

源氏は、流謫《るたく》の時節を経て、「大人」になって戻ったのだった。

しかし、そんな源氏にも、許せない人が一人いる。

紫の君の実父である、兵部卿《ひょうぶきょう》の宮だった。

宮が、流浪中の源氏に意外に冷淡であられたのを、源氏は忘れることができなかった。

かねて源氏は、兵部卿の宮を、親しく思い、心をひらいてつき合い、好意をもちつづけてきたではないか。愛する紫の君の父君であり、また、ひそかな憧《あこが》れを捧《ささ》げる藤壺の中宮の兄君でもある人として、二重の縁《えにし》の深さを思い、敬愛を抱いて、接してきたつもりだった。

それなのに、兵部卿の宮は、源氏が須磨へ追放されると、弘徽殿の大后や右大臣側の思惑をおそれて、とたんに交わりを絶ってしまわれた。

わが身に累《るい》の及ぶのをおそれられたか、娘の紫の君に一片の同情さえ、示しては下さらなかった。もし兵部卿の宮が、源氏の留守のあいだ、紫の君を力強く庇護していて下されば、流浪している源氏の、どれほどか大きな心の支えになったであろうものを。

それを思うと、源氏は不快である。かの親友、宰相《さいしょう》の中将などに至っては、時の権力も恐れず、はるばる遠い道を会いに来てくれたではないか。

源氏は、兵部卿の宮だけには、いい顔をする気になれない。何かにつけ、ちらちらと薄情な仕打ちをして、いられた。はばからない。

入道の宮（藤壺）は、兄君のことだけに、お気の毒にも、こまったことにも思っていられた。

いまは天下の政治は、源氏と、太政大臣の二人の思いのままであった。

権《ごん》の中納言（昔の宰相の中将）の姫君が、八月に冷泉《れいぜい》帝の女御として入内《じゆだい》された。祖父の太政大臣が世話をされて儀式などりっぱになさった。

兵部卿の宮の、中の姫君も、入内させようとして準備していられるらしい。源氏は女院のゆかりからも親身に世話すべきであろうけれど、そ知らぬ風をしている。まだ少年でいられる冷泉帝の御結婚について、源氏がどんなもくろみを持っているのか、誰にもわからぬことなのである。

その秋、源氏は住吉へ詣《もう》でた。

住吉の神にたてた数々の願《がん》の、叶《かな》えられたお礼まいりだった。盛大な行列になって、世間はその噂でもちきりだった。上達部《かんだちめ》や殿上人《てんじょうびと》など、われもわれもとお供に加わった。

ちょうど明石の君も、毎年の例の、住吉詣でをするところ、去年今年と、妊娠や出産で妨げられてかなわなかった。それで、久しぶりに思い立って、船でお詣《まい》りをした。

住吉の岸に船をつけて、ふと見ると、渚《なぎさ》はたいへんな騒ぎである。

参詣《さんけい》の人々はそのへんに満ちあふれ、奉納の宝物を捧げる人々が続く。さらに、神前に奉納する舞楽の十人の舞人《まいびと》の姿もみえた。

いずれも装束をととのえ、容貌《ようぼう》の美しい人々だった。

「どなたさまのご参詣でございますか」

明石の君の供人《ともびと》が尋ねると、

「内大臣さまの、御願《ごがん》ほどきに参られるのを、知らない人もいるもんだよ」

と、とるに足らぬ下人《げにん》まで、得意そうに嘲笑《ちょうしょう》する。

(まあ……なんてことかしら)

と明石の君は悲しくなった。

（日も多いのに、また選《よ》りにも選って、あのかたと同じ日に参詣したなんて……。あのかたのご様子を、遠くからしか拝めない、わたくしの身分を思い知らされるなんて。……こんな、つまらぬ下人でさえ、源氏の君にお仕えするのを身のほまれに思っている。わたくしは、あのかたと縁のふかい身でありながら、こうも盛んなご参詣のお噂もしらず、うかうかと出かけてきたのだわ……）

そんなことを思うと、明石の君はわれしらず、あわれな自分に涙ぐまれるのだった。

深緑の松原の中に、花や紅葉《もみじ》を散らしたように、色とりどりの袍《ほう》が見える。

「あれ、あそこに右近《うこん》の将監《ぞう》どのが……」

と、明石の君の供人は指した。

「今は、靫負《ゆげい》におなりだと……」

「ご出世なされて……」

噂されている、もと右近の将監は、いまは物々しい随身《ずいじん》を引きつれる蔵人《くろうど》だった。

「あれ、あそこに、良清《よしきよ》どのがいく」

その良清も、いまは衛門《えもん》の佐《すけ》、目立つ緋《ひ》の色の衣《きぬ》で、得意満面のすがただった。

明石で見知った、だれかれが、そのころとうって変って花やかにときめいていた。

若々しい、身分たかい殿ばらが、われもわれもと派手に着飾り、馬や鞍《くら》まで飾りととのえて、伊達《だて》を競っているありさまは、明石からきた田舎者たちの目には、壮観であった。

源氏の車を、明石の君は見るのも辛かった。

源氏は、昔の河原の左大臣の例を真似《まね》て、童《わらわ》の随身を帝から賜わっている。その少年たちは、美しい装束をつけて、みずらに結い、紫裾濃《すそご》の元結《もとゆ》いもなまめかしく、身《み》丈《たけ》も姿もととのった一団で、めざましかった。

源氏の若君、夕霧も大切にかしずかれ、供の少年たちも揃《そろ》いの装束でりっぱだった。それにつけても、明石の君は、同じ源氏の子供ながら、わが生んだ姫君は物の数にも入らず、はかないありさまなのが悲しかった。

住吉のみ社《やしろ》の方を向いて心から、

（どうか、ちい姫にも幸わせをお授け下さいまし……）と祈らずにはいられなかった。

それにつけても、（こんなりっぱなご参詣にまじって、数ならぬ身がいささかの捧げものをしたとて、神さまは目にも止めて下さらぬであろう。といって、明石へ帰るのも心のこり、今日は難波《なにわ》に舟をとめて祓《はら》えだけでもしよう）

明石の君の乗った船は、淋しく住吉の浜を離れていった。

源氏は、そんなことを夢にも知らなかった。

摂津の守《かみ》が、源氏のもとにご機嫌うかがいに来て、ほかの大臣の参詣よりも、格別に心をつくして饗応《きようおう》する。

源氏はその夜一夜、神の喜びたまう神事のかずかずをしつくし、にぎやかに夜を明かした。

惟光《これみつ》たちのように、源氏と苦労をともにした人は、神のご加護篤《あつ》かったことを感嘆していた。

「昔のことを思うと夢のようでございます」

と、惟光が、感無量の思いでいうのへ、源氏も、

「あの嵐《あらし》の怖《おそ》ろしかったこと。住吉の神、たすけたまえ、と念じたのをお聞き届け下されたのだな」

としみじみ、いうのだった。

惟光は、その顔色をみて、

「殿。じつは……」

と、明石の君が、源氏の参詣のにぎわしさに気おくれして、そっと離れていったこ

とを告げた。源氏はおどろいて、

「そうか、それは知らなかった。かわいそうに……。あれとは、住吉の神のおみちびきでめぐり合った仲ではないか」

走り書きの消息《たより》でもことづけたい、と思った。

住吉のみ社を出発して、所々の風光を賞《め》でつつ難波につき、祓えをする。所も、堀江であった。古歌の、

〈侘びぬれば今はた同じ難波なる身をつくしても逢《あ》はんとぞ思ふ〉

を、ふと源氏が口ずさんだのを聞いて、車にちかくいる惟光は、さっそく、ふところ硯《すずり》に、柄《え》の短い筆などをそっと、さし出す。

(いつにかわらず、気の利《き》く男《やつ》だ)

と源氏は好もしく、懐紙にしたためた。

「〈みをつくし　恋ふるしるしにここまでも　めぐり逢ひける縁《えに》は深しな〉

やはり縁がありましたね、ここで逢えようとは」

手紙を、明石の家の事情を知っている下人にことづけた。

明石の君はうれしくて、涙がこぼれた。

〈数ならで難波のことも　かひなきに　など　みをつくし思ひそめけむ〉

物の数にも入らぬわたくし、なぜこうも、あなたを愛してしまったのでしょう、というつもりだった。明石の君は、田蓑《たみの》の島で禊《みそぎ》をしたときのお祓えの木綿《ゆう》につけて、この手紙を返した。

（会いたいな……）

と源氏は吐息をついた。日も暮れ、夕潮が満ちて、入江の鶴が鳴き渡ってゆく。そんな物あわれな夕に、手紙を受けとったせいか、いまは人目もかまわず、明石の君が恋しかった。

帰り道のあいだ中、明石の君のおもかげは源氏の心から去らない。

難波の入江に、遊び女《め》が集まってくる。色ごのみな若い公達《きんだち》は心ひかれるらしかった。

しかし源氏は、いろを売る女たちに関心はなかった。恋《こ》も情けも、女の個性あっての面白さだと思っている源氏は、誰かれの見さかいなく媚びを売る遊女たちを、うとましく見た。

明石の君は、源氏の一行をやりすごして、次の日に、住吉にあらためて参詣し、御供えもたてまつった。彼女も、わが身相応の、願ほどきのお礼まいりを果したわけである。

しかし、ゆくりなく源氏の姿をかいまみたので、物思いは深くなっていた。

（いまごろは、京にお帰りになったかしら）

と思うまもなく、使いがきた。

「近いうちに、京へ迎えたい」

という手紙である。

頼もしく、ねんごろに扱ってもらえることが、明石の君にはうれしかった。しかしまた、いざ、生まれ育った明石をはなれるとなれば、不安で心ぼそいことだろうと、思いなやむのであった。入道も、娘を手ばなす決心はつかないし、さりとて、このまま田舎で埋もれさすのもあわれだと、昔より物思いが尽きなかった。

かの、伊勢の斎宮《さいぐう》は、先帝のご退位のおり替られたので、母君の御息所《みやすんどころ》ともども、都へもどられた。

源氏は、昔にかわらず、御息所に求愛していたが、いまは御息所は、ふっつりとそういうことにはとり合わないでいた。

昔のあの、苦しみを二度とくりかえすまいと、決心しているのであった。

御息所に対する源氏自身の気持も、われながら自信のもてないところがあった。自分でどう変ってゆくか、知れないのだ。

身分がら忍びあるきも面倒になっているし、強《し》いて御息所と逢うこともしないでいた。

ただ源氏の心を捉《とら》えるのは、御息所の姫宮、かの、もと斎宮がどんなに美しく成長なさったろうか、ということである。

またしても、仄《ほの》かな男の好色《すき》ごころが、こんどは、より若い姫君への好奇心となって、抑えても抑えても、ひそかに湧《わ》き出る。

御息所は、帰京後もやはり六條の旧邸にいた。邸を、きれいに修理させて、そこに姫君と二人で、みやびやかに暮らしていた。

高雅な趣味人らしい、風流な住まいだった。

上品な女房たちも多く、そうなると自然に教養ある人々や文雅の道にたけた男たちも集まってくる。

それで、物淋しいようだが、一面また何かと気の紛れる折もあるのだった。

そのうち、御息所はにわかにわずらって、病の床についた。寝込むと御息所は心ぼそくなった。

(思えば、今まで娘について、神に仕える地に長年いたため、仏へのお勤めもなおざりにし、後世《ごせ》のことを心にかけなかった。いけないことだったわ……)

などと思いつづけて、とうとう尼になった。

源氏は驚いた。

今では色の、恋の、という筋の人ではないにしても、こよなき話相手と信じて慕っていることに変りなかった。その御息所の急な出家は、ある衝撃に違いなく、とるものもとりあえず、六條邸を訪れた。

「私にひとことのお言葉さえなく……」

といったきり、源氏は唇をひきしめて、涙ぐむのをこらえている。

御息所は、枕上《まくらがみ》に源氏の席をもうけ、自身は脇息《きょうそく》によりかかって、几帳《きちょう》ごしに会っていた。

源氏は御息所がひどく衰弱しているのを察することができた。

(愛していた。いまも愛している。それを、この女《ひと》は、ついに悟らずに終るのではないか)

と思うと、源氏は額《ひたい》に手をあてて、涙をまぎらさずにはいられなかった。

御息所の前にいると、源氏はたちまち、あの目もくらむような青春の愛欲の日々を思い出す。愛に憔悴《しょうすい》しつくして寄りそい、彼が与えた長い接吻《くちづけ》の記憶。嫉妬《しっと》の沈黙や、怨みごとに倦《う》みはて、果しなくいがみ合いながら、また、時をへだてて会うと、ひとときも体を離していなかった。二人とももうすっかり知りつくしている、おたがいの恋ごころや軀《からだ》について、たえず、なりたての恋人同士のような新鮮な驚きをくり返しながら、愛の日々を飽きずに重ねていくのだった。傲岸《ごうがん》で、そのくせ傷つきやすく、相手の顔色に一喜一憂しながら、それでいて、平気でつれない仕打ちができた、あの恋の惑乱の日々。

源氏は、まだ自分の軀のそこかしこに、この貴婦人の口紅の痕《あと》が残されていそうな気がする。それを思うと、魂も昏《く》れまどうような思いに、胸しめつけられる。ひととせの秋の日、野の宮の別れに、源氏は御息所をかきくどき、

(もういちど、やり直したい……)

とすがったくらい、愛していた。

けれども、気位たかいこの女人《ひと》は、二人の愛の臥床《ふしど》から起《た》ちあがり、二度と引き返そうとしなかった。それは、かつて、いかに彼女が源氏を熱愛していたかの証左《あかし》にほかならないではないか。

「あなた……お悲しみにならないで下さいまし。わたくしたちは、ほんとうにたのしい時を過ごしました。わたくしは、生涯に充分すぎるだけのものを、あなたから頂きました。嬉《うれ》しゅうございますわ……でもただひとつ心のこりがあって、それを、あなたにお願いしとうございますのよ……」

御息所は、熱っぽい軀を苦しげに脇息にもたせ、きれぎれに、ささやくのだった。

源氏は、涙をこらえて必死に唇をかみしめながら、やっといった。

「何なりとも。あなたの仰《おお》せは命に更《か》えても」

「姫のことでございます。わたくしが亡《な》きあと、心細い身の上になりますのを、どうかお心にかけてやって下さいまし。ほかに頼るかたもなく、ほんとにひとりぼっちの孤児《みなしご》の姫なのでございます。わたくしのような者でも、もう少し生きていれば、分別のつくまでそばにいてやれたのでございますが……」

と言いさして御息所は烈《はげ》しく泣いた。

「何をいわれるのか。姫宮には、あなたがいつまでもついていてあげなければ。そんな心ぼそいことを仰せられてはなりません。——お言葉がなくても、むろん、私は力のかぎりお世話するつもりだ。まして、あなたのねんごろなご依頼を受けては、どうして捨ておけよう。安心してお任せ下さい」

源氏が心こめてなぐさめるのへ、御息所は、弱々しいながら、凛《りん》としていった。

「お言葉はうれしゅう存じますが、ぜひこの際、はっきり申しあげたいことがございますの。お気を悪く遊ばしますな」

「私が、何を、あなたに対して今更……」

「姫の世話をお願いすると申しましても、決して、婀娜《あだ》めいたお心をお持ち下さいますな。——ほんとうに、実の父親に任せるときでさえ、女親のない娘はあわれなもの——ましてあなたが、色めいたお心で扱われましては、またしても女同士の恨みその渦にまきこまれましょう。わたくしは、姫にだけはあの辛さを味わわせとうございません。嫉妬したり恨んだり、呪《のろ》ったり、身も世もなく恋い焦がれ、恋の手だれの男《ひと》に弄《もてあそ》ばれて傷ついたり……そういう地獄の憂《う》きめにあわせたくないのでございます。あの姫には、安らかで幸わせな女の一生を用意してやりとうございますのよ」

（やられた……）

と源氏は思っていた。

御息所は、源氏のひそかな、男の好色《すき》ごころを俊敏に明察して、さかしくも、釘《くぎ》を打ったのだ。その言葉には愛執の煩悩《ぼんのう》地獄を味わわせた人、源氏に対するひそかな怨《えん》嗟《さ》のひびきもあった。

しかし源氏は色にも出さず、まめやかにいった。

「近頃は私も分別ができましたよ。昔の色好みの癖がまだ抜けないようにいわれるのは心外というもの。ま、おいおい、お分りになるだろうが」

外はいつか暗くなっており、部屋の内には灯が点じられていた。仄かに、室内のありさまが透《す》いてみえる。

源氏はさりげなく几帳のほころびから覗《のぞ》くと、心もとない小暗《おぐら》い灯影《ほかげ》に、御息所はいた。髪を形よくきれいに切って、脇息に寄っている姿、やはり美しく情緒ふかく、絵に書いたようだった。

御帳台《みちょうだい》の東にいられるのが、姫宮らしかった。几帳が無造作に引かれて、すき間ができているので、そこから目をとめて覗くと、宮は頬杖《ほおづえ》をついて、物悲しそうに沈みこんでいられた。

ちらとみえるだけだが、たいへん美しげな乙女《おとめ》だった。髪のかかり具合、あたまの恰好《かっこう》、面《おも》ざし、上品でけだかく、しかも愛嬌《あいきょう》があって、源氏はいよいよ心そそられる。ありていにいえば、源氏は、若く美しい姫宮を手に入れたくなっている。

しかし、母御息所が、ああも心配しているものを、とうてい裏切ることはできない、とも思い返すのだった。

御息所は、気分が悪いといって、女房に扶《たす》けられて横になった。

「失礼いたします。どうぞもう、お引き取り下さいまし」

「私がお見舞いにきてお具合がよくなられた、というなら嬉しいのだが。そんなにお悪いとは心配だ。どんな風なのです」

と、源氏が近寄ろうとするので、御息所は遮《さえぎ》った。

「病みやつれて、おそろしいような姿をしておりますのよ。どうぞ、このままで。昔のおもかげのままでお別れ下さいまし。いまわの際《きわ》にお目にかかれて思いのこすことはもうございません。日頃、気になっていたこともすっかりお話し申上げましたし……」

「私を頼りにして頂けて嬉しいですよ。故院が、姫宮を実の御子《みこ》として扱っていられたのですから、私も、妹のようにお世話します。いや、もう私もそろそろ、父親といっていい年頃になりましたよ。それなのに子供が少なくて淋しいところなので……」

などとこまごま、言いなぐさめて源氏は帰った。それからは、しばしば御息所を見舞ったが、七、八日して、とうとう、はかなくみまかった。

源氏は人の世の無常が今さら思われる。

青春の日の一つの夢を奪って、あの女《ひと》は逝《い》ってしまった。源氏は哀切な悲しみに打ちひしがれて、御所へも参内《さんだい》せず、仏事にあけくれていた。

六條邸には源氏のほか頼る人もなかった。

源氏は自身、命令をして立派に葬儀をとり行なった。

姫君がどんなに悲しんでいられるだろうと源氏は、くやみの言葉を伝えると、宮は、

「何もかも夢のようで、悲しみにぼんやりしております」

と、女別当《にょべっとう》（斎宮寮の女官）を介して返事をもたらされた。

「母君からのご遺言もございます。母君の代りと思《おぼ》し召して何ごとも遠慮なくご相談下さい」

と源氏はいった。そうして、精進《しょうじん》のあいだも、姫君にはいつもたよりをしてなぐさめた。

姫宮は、すこし心おちついてから、自身で短い返事など返される——はにかみやの

若い姫宮は、自筆の返事など躊躇《ちゅうちょ》されたのだが、乳母《めのと》などに、たってすすめられたからだった。

雪やみぞれがかき乱れて降る、ものすさまじい日。

どんな思いで姫宮はこの空をながめていられることだろうと、源氏は使いを出した。

「いかがお過ごしですか。さびしい空もようですね。亡きひとの魂は、この冷たい空の、どこを天翔《あまかけ》っているのでしょう」

空色の紙に、薄墨の色のぼかしになっているのへ、心こめて書いた。若い姫宮の興をひきつけるように、入念にしあげた手紙なので、いかにも美しかった。

姫宮は手にとられて、

「まあ……」

と小さいためいきをつかれた。

「こんな念のこもったお手紙には、へたなお返事はさしあげられないわ」

姫宮は、母君の亡いあと、忍び泣かれることが多かったから、瞼《まぶた》を可憐《かれん》に薄紅く腫《は》らしていられた。姫宮は十九になっていられたが、壮年《おとな》の男性のあしらいかたもわからず、途方にくれるばかりの、うぶで世なれぬ、純真な乙女であられた。

姫宮はいつまでもたゆとうていらしたが、

「代筆のお返事は、具合悪うございます。やはりお手ずから……」

とおそばの女房たちがたっておすすめしたので、薄墨色の紙の、香を焚《た》きしめて艶《えん》なのへ、墨つき濃く淡く、ほのかに、

「かなしみに心もくれるわたくしは、雪やみぞれと共に消えてゆきそうな気がいたします」

つつましい書きぶりながら、品よくおっとりと、御手蹟はすぐれて巧者というのではないけれど、愛すべく、また貴婦人らしい気高さがみえる。源氏は、姫宮が期待通りの女人であられるらしいことが、うれしかった。

そもそも、源氏は、この姫宮が斎宮として、伊勢に下《くだ》られた頃から、実をいうとひそかに注目していたのである。

いま、斎宮の任は果てて、神に仕える暮らしから解放され、若く美しき一人の姫宮として、源氏の前に出現された。

いわば源氏が懸想《けそう》し、言い寄っても不都合なことはなくなったのである。源氏の、いまの権勢、男としての自信からいっても、それは遂げられぬ恋ではあるまい。

しかし源氏は、亡き御息所が死ぬ間際《まぎわ》にいいのこした言葉を忘れることはできなか

った。

源氏は、亡き恋人への愛に賭《か》けても誠実でありたかった。御息所の志にそむいてまで、姫宮をわがものにすることは、御息所にも姫宮にも、いたわしいことであった。

――単なる漁色漢《すきもの》なら、強引にそうしたろうけれど、源氏はちがう。

（それに、だ。世間も御息所と同じようなことを、この私の上に考えているにちがいない）と、源氏は思う。

（あの男のことだから、こんどはきっと姫宮に言い寄るだろうと、目引き袖《そで》引き、しているだろう。よし。世間の思惑の裏をかいてやるのも悪くない。きっぱりと姫宮には手を出さず、清浄潔白な、父親役になろう。そして主上がお年頃になられたら、あの姫宮を、入内《じゆだい》おさせ申して、いろいろお世話しよう）

そんな未来の計画を考えていると、それはそれでたのしかった。

源氏は壮年期を迎えながら、年頃の娘を持たないので、親友の権《ごんの》中納言が娘を入内させているのがうらやましかった。わが娘代りに、あの姫宮を大切にかしずき、万端《ばんたん》のお世話をして、後宮《こうきゆう》に送りこむ、というのも、すばらしい思いつきであり、こよない心なぐさめだった。

源氏は、ねんごろに心こめて姫宮のお世話をし、自身でも折々は、六條邸へ出かけていくようになった。

「失礼ですが、私を母君のかわりとも思し召して、お心安くおつきあい下されば、本《ほん》望《もう》でございます」

などと申しあげるのだが、姫宮はたいへんな内気で、引っこみ思案の方で、お返事など夢にもなさらない。

男性に、声をきかせることさえ、はしたないことだと思っていらっしゃる。

「あまりに、はにかみやでいらして……」

と女房たちは、気を揉《も》んで、姫宮の極端な内気を苦にしていた。

この六條邸に仕える女房たちは、女別当《にょべっとう》や内侍《ないし》といった、斎宮の女官たち、また、姫宮と遠い縁つづきの、身分卑《いや》しからぬ婦人たちなどで、見識もあり、趣味もよい女房が多かった。

（こういう人々がついているなら、入内されても、宮中でのつきあいや、ほかの女御におくれをとられることはあるまい）

と源氏は、ひそかに考えている。

それにしても——どうかしてはっきり、姫宮のご美貌を拝したいものだな、と源氏は心うごくのを抑えかねる。清浄潔白に父親役をつとめよう、と決心しながら、ふと、色めいた心のうごくとは、怪《け》しからぬ父親である。

源氏は、われながら、自信がない。

それで姫宮ご入内の件は、自分の胸ひとつに深く秘めて、誰にも明かさなかった。

そうして、亡き御息所の忌日《きにち》ごとの仏事をねんごろに営むので、姫宮家の人々は、ありがたいことと、喜んでいた。


姫宮にとって、はかなく月日は過ぎてゆく。

母君を失われた悲しみは深まるばかりであった。仕えている人たちも、しだいに暇《いとま》を取って散りはじめていく。

六條邸は、下京《しもぎょう》の京極《きょうごく》へんにあるので人気《ひとけ》少なく、山寺の入相《いりあい》の鐘などが聞こえてくると、姫宮は悲しさと心細さに、またしても、ほろほろと涙をこぼされる。

姫宮と御息所母子は、世の常の親子以上に親密でかたときも離れず、ひしと寄り添って暮らしていられたのだった。斎宮に立たれたときも、前例を破って、母君がつき添い、もろともに伊勢へ下られたほどだった。

しかし死出の旅だけは、共に連れ立たれることはできなかった。姫宮はあけくれ、涙のかわく間もなく、泣き沈んでいられる。

ところが、姫宮のお悲しみに関係なく、求婚者は身分の高い人も低い人も、次々と現われた。

それぞれ、お仕えしている女房たちに縁故を求めて言い寄るのである。

しかし源氏はその点をきびしく注意していた。「乳母《めのと》といっても、決して無断で、勝手なことをしてはならぬ」と、いましめている。

源氏は、わが若い日の体験から、その間《かん》の消息に通じているのである。女房や乳母たちの計らいひとつで、どんな大事に到《いた》るかもしれない。世なれぬ深窓の姫宮は、運命には無力で、とても男から身を守るすべはご存じあるまい。

源氏が、親らしくきびしく注意するので、人々も恐縮して、ほんのちょっとしたことづてや、手紙の使いさえしないで、姫宮を守っていた。

さて、姫宮に求婚する人々の中に、かの退位された朱雀院もいられた。

朱雀院の恋は、かつて皇位にあられたころ、斎宮として伊勢へ下向《げこう》される姫宮の、大極殿《だいごくでん》でのおごそかな別れの儀式に、「別れの小櫛《おぐし》」を手ずから姫宮のおん額に挿《さ》された、その日からはじまっているのである。

朱雀院は、姫宮の美貌を忘れかねていられた。

斎宮の任解けて帰京なさったとき早速に、母君の御息所にお申し込みがあった。しかし御息所は、朱雀院にはすでにたくさんの女御がたがお仕えになっていらっしゃるし、また、院がご病弱であられることなど考えたりして、迷ってそのままになっていた。

御息所亡きいま、再び、ねんごろに、院からのお申し込みがあった。

源氏はそれを聞いて、兄君の院がそうまでご執心でいられるものを、横取りして、まだご幼少の帝にさしあげるのは気の毒な気がした。

しかし姫宮の愛らしい美貌を思うと、手ばなすのもいかにも残念な気がして、入道の宮に相談申しあげた。

こういうとき、内輪の秘密を、腹を割って議《はか》り合える相手というのは、源氏にとってはついに、この宮しかないのであった。

「実はこれこれの次第で、考えあぐねております。あの姫宮については、特別な縁がございますもので……。

それと申しますのも、ご存じでありましょうが、姫宮の母君の御息所のことでございます。御息所はたしなみ深い、りっぱな貴婦人でいられましたが、私のために、あるまじき浮名を流され、私を怨《うら》まれたまま、世を去ってしまわれました。それでも、亡くなられる間際に、姫宮のことを返す返すもお頼みになられました。さすがに、私を頼りにされたのかと思いますと、申しわけなくて、これはぜひ姫宮をりっぱにお世話申して、御息所の霊をおなぐさめ申したいのです。つれなき薄情男《もの》よと怨まれた残念さを、雪《すす》ぎとうございます」

源氏は、姫宮を、朱雀院よりも、帝にさしあげたい本意を洩《も》らした。

「主上はまだ幼くていられるものですから、少しは物の分別のつかれた女人が、おそばについておいでになるのもよかろう、と存じますが……。むろん、これもお心次第でございますが」

宮も、心を割った返事を、源氏にお与えになる。

「それは結構なご配慮と存じます。院がご所望になっていられるのに申しわけないようですけれど、御息所のご遺言を口実にして、知らぬ顔で帝に差しあげられればいかがでしょう。院はいまは仏道のご修行に熱心だともうかがっておりますし、そうなっても格別のご不興もなかろうと存じます」

「では、帝からの思し召し、というようにつくろって、私は、姫宮に入内のお口添えだけいたしましょう。いや、姫宮の、お身のふりかたには、ほとほと考えぬきました。宮にはこうして、内情をすっかりお話し申上げ、私の気持もおわかり頂けたかと存じますが、世間の人々は、またどう噂いたしますことやら」

源氏は、宮と微笑を交した。

それは二人の長い心の交流を思わせる。いつのまにやら、源氏も、そして宮におかれても、世を動かす権力者、長老《おとな》の世界へ入りつつあるのであった。

おとなの策謀で以《もつ》て、若い世代を支配しつつある年頃になっているのだった。源氏と宮との会話に、政治的思惑が入り組んでくるようになっていた。

二人の会話のうちに、可憐な姫宮の運命は定められてゆく。

源氏は、入道の宮のご助言通り、知らぬ顔で、まず姫宮を二条の院にお移しすることにした。

紫の君に事情を話して、

「お話あいてとしてはちょうどよいお方だと思うよ。同じようなお年ごろだし」

といったので、紫の君は嬉しく思って、姫宮を待ちかねていた。

入内といえば、もうひとかた、兵部卿《ひょうぶきょう》の宮が姫君を早く入内させようとしていられる。

入道の宮は、源氏が、兵部卿の宮と親しくないので、どうなることかと心配していられる。

さきに入内された権中納言の姫君は、弘徽殿《こきでん》の女御と申しあげるのだった。そのかみの弘徽殿の大后は伯母上《おばうえ》にあたられるのだが、この新しい弘徽殿の女御は、ういういしい少女の姫でいらした。太政大臣のご養女として、きらびやかにかしずかれていられる。

主上はおん年十一歳で、女御も同じようなお年ごろ、よい遊び相手になさっていて、ご結婚とは名ばかりである。

「兵部卿の宮の、中の姫君も同じようなお年ごろで、まるで、これではままごとです。お年上のおとなびた女性がおそばについていて、何かとお話し相手になれれば、主上のお心のご成長にもよろしいことでしょう」

と入道の宮は仰せられた。宮は、源氏が、何くれとなく幼帝のお世話、公的なご後見から日常の些事《さじ》にまで心をくばってお仕えするのを、うれしく頼もしく思っていられた。

それにつけても、少年から青年に変られる時期の帝のご教育に必要なのは、心ざまふかい、たしなみある年上の女人の存在である。近ごろは病いがちな宮は、ご自分の代りになる年上の女御の必要を、痛感されていられた。

文字づかいについて

新潮文庫の文字表記については、なるべく原文を尊重するという見地に立ち、次のように方針を定めた。

一、口語文の作品は、旧仮名づかいで書かれているものは現代仮名づかいに改める。
二、文語文の作品は旧仮名づかいのままとする。
三、一般には常用漢字表以外の漢字も音訓も使用する。
四、難読と思われる漢字には振仮名をつける。
五、送り仮名はなるべく原文を重んじて、みだりに送らない。
六、極端な宛て字と思われるもの及び代名詞、副詞、接続詞等のうち、仮名にしても原文を損なうおそれが少ないと思われるものを仮名に改める。

新《しん》源《げん》氏《じ》物《もの》語《がたり》(上)

新潮文庫　た－14－14

昭和五十九年五月二十五日　発　行
平成二十七年九月二十日　五十六刷改版
令和　六　年三月十五日　六十四刷

著　者　田《た》辺《なべ》聖《せい》子《こ》

発行者　佐藤隆信

発行所　株式会社　新潮社

郵便番号　一六二―八七一一
東京都新宿区矢来町七一
電話　編集部(〇三)三二六六―五四四〇
　　　読者係(〇三)三二六六―五一一一
https://www.shinchosha.co.jp

価格はカバーに表示してあります。

乱丁・落丁本は、ご面倒ですが小社読者係宛ご送付ください。送料小社負担にてお取替えいたします。

印刷・大日本印刷株式会社　製本・加藤製本株式会社

ISBN978-4-10-117514-0　C0193